Les allumettes de la sacristie

Du même auteur

Éduquer pour l'éternité, Éd. Moustier, 1991, Mame, 1993.
L'Étrangère de Mantinée, Sortilèges, 1993.
La tunique de Nessus, Éd. Moustier, 1995.

Willy Deweert

Les allumettes de la sacristie

DESCLÉE DE BROUWER

© Desclée de Brouwer, 1998
76 *bis,* rue des Saints-Pères, 75007 Paris
ISBN 2-220-04306-1

A Marianne, Aurore et Thibaud

Quand le faux se fait vrai, alors le vrai est faux.
Où le néant se fait être, l'être retourne au néant.

Cao Xueqin,
romancier chinois du XVIIIᵉ siècle.

Una veritas in variis signis resplendet.

Nicolas de Cues
Théologien allemand du XVᵉ siècle.

Toute ressemblance avec des personnes réellement existantes est évidemment purement fortuite.

I

INTROIBO AD ALTARE DEI

Abbaye de l'Immaculata
Journal secret du frère Enzo
Dimanche 20 décembre 2019
Une heure après le couvre-feu

Calfeutré sous mes couvertures, une page blanche sur un carton auquel est fixée une loupiote. Pourquoi cette urgence soudaine d'écrire ? Je n'en sais trop rien. Besoin de dialoguer avec mon subconscient ? Dévergondage purgatif ? Lubie d'incarcéré ? L'approche de Noël ? L'espérance de l'Avent peut-être ? « *Rorate caeli, desuper, et nubes pluant justum* [1]. »

Bien que la neige ne tombe plus en dessous de quinze cents mètres, il neige depuis deux jours, ici sur le Monte Miletto. Hier, j'ai passé mon compte de conscience devant l'abbé Leonardo [2]. Un personnage. Comment le décrire ? Il est grand. Long serait un terme plus approprié. Crâne dégarni, il s'efforce, le bougre, de composer une surface présentable en plaquant à gauche ses maigres tifs. Tête allongée. Nez fort. Mâchoire carrée. Gueule de saurien. Deux yeux d'une fixité gênante, dissimulés derrière de grosses lunettes. Debout, il se tient légèrement voûté. Un arbre mort. Assis, il vous fixe d'un regard qui vous pénètre jusqu'aux entrailles. Un clystère. En face de lui, on se recroqueville, on se nanifie. Par ailleurs, il arbore un petit bedon trahissant son penchant pour la bonne chère. Il n'est ascète qu'en paroles. Difficile de deviner ce qu'il pense. Cependant, je présume qu'il conçoit beaucoup de bien de lui, beaucoup de mal d'autrui. Un méprisant. Un méprisable. Devant lui, j'ai feint, comme d'habitude. Comment agir autrement ? Je me sens en désaccord permanent avec cette communauté, même si je n'éprouve aucune envie de la quitter. Paradoxe explicable. A quarante-deux ans, que deviendrais-je dans le monde comme on dit en ces lieux ? Sans qualification et trop âgé, je ne m'adapterais pas à un nouveau style de vie. On vieillit jeune dans les couvents. Cela dit, je ne suis pas fier de baigner dans le mensonge. Régulièrement lorsque je prie (oui ! je prie), je m'interroge

---

1. Cieux, répandez votre rosée ; que des nuées descende le salut.
2. Dans certains ordres religieux, chacun est obligé, une fois l'an, suivant un questionnaire préétabli, de faire rapport au supérieur sur l'état de sa conscience.

sur le sens de mon existence à cloche-pied. Qu'ai-je réalisé jusqu'à présent ?

J'étais enthousiaste quand à vingt ans je suis entré à l'Immaculata, une abbaye en pleine expansion. Alors que les congrégations religieuses se transformaient en mouroirs, que le catholicisme périclitait, que le Vatican perdait de son lustre, l'Immaculata attirait les jeunes à cause de son retour aux sources de la spiritualité chrétienne. J'ai prononcé mes grands vœux. Après huit années de probation, j'ai été ordonné. Quelques-uns deviennent prêtres pour assumer certaines charges. Mais ils restent Frères ; il n'y a qu'un père, l'Abbé. Avec fidélité et zèle, je me suis acquitté des tâches modestes que me confiait le Père Abbé. A l'époque, c'était Dom Barnabé. Brave homme, compréhensif et tolérant. Il nous enseignait à discerner nos limites, à ne pas nous mésestimer, ni nous mortifier inconsidérément. « Suffisamment s'aimer pour mieux servir », répétait-il à l'envi. De Dieu, il brossait un tableau humain qui nous disposait à ne pas Le craindre. On s'ouvrait à Barnabé sans arrière-pensée ; chaque rencontre avec lui nous rendait plus déterminés dans notre vocation. De son temps, jamais je ne me suis inquiété de cette expression bizarre : « avoir la vocation ». La vie s'écoulait, paisible, rythmée par le train-train sécurisant d'un horaire immuable. *In illo tempore*, je m'imaginais œuvrant dans l'antichambre du paradis. Au-dehors, la planète s'embrasait dans la confusion et la barbarie. Les valeurs s'émiettaient. Jusqu'à la mort de Dom Barnabé, survenue il y a dix ans, je fus donc ce qu'il convient d'appeler un bon moine. Puis Leonardo débarqua et tout changea. Il ne faisait pas partie de l'Immaculata ; Dom Clément, l'Abbé Général, le parachuta chez nous. Les frères comprirent qu'il serait vain de s'opposer « à la volonté de l'Esprit Saint » comme on nous le fit savoir. Il fut donc élu. Hélas !

Leonardo à peine installé, il ne fut plus question que d'austérité, de componction, d'obéissance aveugle (*perinde ac cadaver* !). Le nouvel Abbé rétablit l'ordre, son ordre. Comme s'il y avait du désordre avant son arrivée intempestive. Il remit au « mauvais goût » du jour la pompe ecclésiastique, paraissant aux grandes cérémonies liturgiques revêtu des ornements de « sa gloire », mitré, bagué, chamarré. Il imposa la *lex latina* pour les conversations nécessaires (en fait, un sabir en « us » et en « um ») et la liturgie de Pie V. Ceux qui manifestaient des signes de mollesse ou d'excès de personnalité furent chassés. « Élaguer pour mieux produire », disait-il en guise de commentaire pour ces départs. Leonardo acquit une réputation de sainteté parfaitement usurpée. Les novices affluè-rent. Issus du même moule comme si on les fabriquait par clonage : asexués, émaciés, sans humour (on riait beaucoup du temps de Barnabé). Des fanatiques. Il fallut agrandir la caserne. De nouveaux bâtiments furent construits, le moindre lopin de terre exploité. Leo-nardo tirait profit de tout. En quelques années, il rendit l'abbaye florissante. Comment ? Pain-bière-fromage ? Certes pas. Du folklore. Le commerce des simples peut-être ? Des ventes lucra-tives ? Des dons ? A quoi utilisait-il ce pactole ? Mystère. L'Im-maculata, un camp retranché ; plus de télévision, ni de radio, ni de pictophone, ni de journaux. Barnabé, lui, admettait les médias. « Un moine, disait-il, doit être au courant de ce qui se passe à l'extérieur ; ainsi il sera mieux à même de partager les souffrances de l'humanité. » Pour ceux qui, comme moi, avaient besoin d'air, l'atmosphère devint rapidement irrespirable. Une ambiance de secte mêlant intolérance, gourou, fric et lavage de cerveau. Cependant, je résistai. Me composant un personnage sévère et silencieux, j'appris à me méfier de mon entourage, en particulier de ceux que je regardais comme des amis. La délation s'instaura en mode de gouvernement. Leonardo réhabilita l'ancestrale pratique des « aumônes fraternelles », véritables séances de dénonciations publiques. La dictature thomiste fut réintroduite dans la formation des scolastiques. Séminaires de « recyclage » pour les autres. Gommés les progrès de la science, de la sociologie, de la psycho-logie et de la philosophie modernes. La bibliothèque se vida des ouvrages « inutiles », de ceux également qui n'adhéraient pas à la « juste doctrine ». Autodafé nazi. L'Abbé décréta notamment : « *Fabulae romanenses non sunt pro nobis* [3]. » Moi qui adorais lire, je me trouvai réduit à la portion congrue. Même si la littérature classique n'avait pas été dévastée par le cyclone, elle demeurait inaccessible, les moines ne bénéficiant plus de l'accès direct aux livres ; il fallait passer par Fulbert, le bibliothécaire, avec la per-mission du prieur si on voulait emprunter quoi que ce soit. Parfois, je dérobais une biographie ou une œuvre de l'Antiquité (ma fonc-tion encourage les larcins), mais la plupart du temps, je fus contraint de parcourir les Pères de l'Église, les monuments de la bécasserie pieuse tel Rodriguez (dont la lecture avait été rendue obligatoire), un illuminé du XVIIe siècle, auteur d'un traité de la

---

3. Les romans ne sont pas pour nous.

perfection chrétienne en quatre tomes, chef-d'œuvre de niaiserie dévote dont j'ai relevé quelques perles au hasard. « Césaire rapporte qu'un religieux qui l'était plus de nom que de fait connut la mésaventure suivante : lors d'une fête de la Sainte Vierge, à matines, il vit entrer la mère de Dieu tout éclatante de lumière et vit que, faisant le tour du chœur, elle versait dans la bouche de chaque religieux une liqueur céleste qui donnait de nouvelles forces pour chanter les louanges de Dieu. Quand ce fut son tour, elle passa devant lui sans rien lui donner, lui disant que les régals du ciel n'étaient pas faits pour celui qui ne songeait qu'à goûter tous les jours à ceux de la terre. » « Denis le Chartreux raconte que Jésus-Christ portant sa lourde croix apparaît à un novice tiède. Le novice se précipite pour l'aider. Le Sauveur le regarde avec indignation et lui dit : comment oses-tu prétendre porter ma croix si pesante puisque tu as de la peine à porter ton habit pour moi ? » Ou encore : « La règle de Cîteaux voulait qu'on ramasse toutes les miettes à la fin d'un repas. Un religieux distrait par la lecture l'oublie. Le temps de manger étant passé, il les garde dans sa main et va avouer sa faute à son supérieur. Celui-ci le tance vertement, et lui demande ce qu'il a fait des miettes. " Je les ai toujours en main ", répond-il et comme il l'ouvre pour les montrer, au lieu des miettes il y a des perles rares. » Et ainsi de suite. A la lecture de telles fadaises, qui s'étonnera que les moines deviennent balourds !

Donc, comme aide-bibliothécaire, je fus témoin du désastre. Je réussis néanmoins à arracher aux flammes *Le Désert des Tartares* (cher Drogo si proche de moi), le *Franc-Tireur* de Sam Wood, les *Rubaïyats* d'Omar Khayyam, *Par-delà le Bien et le Mal* (le grand Nietzsche !) et une dizaine d'autres condamnés au bûcher. Amère victoire obtenue sur l'Inquisition. Par bonheur, j'avais un frère (je l'ai toujours), Gino, mon aîné de dix ans. C'est un esprit libre et sceptique qui observe d'ailleurs ma situation avec une commisération navrée ; il n'a jamais compris pourquoi j'étais allé m'enfermer dans cette thébaïde. Je l'ignore moi-même ; pas afin de sublimer une quelconque déception amoureuse en tout cas. Par défi ? Pour me prouver quelque chose ? Dieu seul le sait. Dévider cet écheveau complexe nécessiterait une longue psychanalyse et comme je ne crois pas à la psychanalyse... Pour Gino, informaticien de profession, les plaisirs de la vie sont les heures de pointe du bonheur. Comme je l'approuve. A l'occasion de ses visites (autorisées deux fois par an, car il est mon unique parent), il m'approvisionne en polars, en essais philosophiques et scientifiques, en informations, en douceurs (je raffole du chocolat) et... en tabac. Chevronné de la contrebande, je déploie mille ruses aux fins d'introduire en fraude ces denrées rares de l'autre côté de la clôture. Mais prudence ! Le prieur peut surgir à tout instant et opérer une inspection minutieuse. Heureusement pour moi j'ai l'ouïe fine et, ce qui ne gâte rien, son QI passerait facilement par le chas d'une aiguille. Que Gino soit béni ! C'est grâce à lui que je survis. Grâce à lui et... à ma pipe.

Hier j'ai donc feint en passant mon compte de conscience. Je me tenais devant l'Abominable, sagement vissé sur ma chaise, faussement naïf et désarmé, avec un regard de caniche docile, attitude que je jugeais la plus propre à l'amadouer. Le chapelet des questions s'égrena.

Est-ce que je suis heureux dans ma vocation ?

Très heureux. Et content aussi.

Comment j'observe mes vœux ?

Guère de difficultés en ce qui concerne l'obéissance. Elle est chez moi naturelle et facile (rétif comme un mulet ! Il suffit qu'on me commande quelque chose et me voilà enclin à faire le contraire). N'est-il pas normal de faire sienne la volonté du supérieur (en quoi, je m'interroge !) ? Épisodiquement, un détail avec lequel je ne me sens pas en accord. Exemple : laver notre cellule à grandes eaux chaque semaine.

Pas de problème en ce qui concerne la pauvreté ?

Je me convaincs parfois que notre pauvreté devrait être plus exigeante (j'évoque avec ironie les millions accumulés par l'Abbé).

Et la chasteté (Hem !) ?

Il m'arrive de me sentir « éveillé », mais plus guère d'imaginations malsaines (il faut oser le prétendre). Fugitivement, une pensée impure (tout un cinéma, de préférence), preuve que je ne suis pas encore parvenu à l'indifférence (en réalité, de plus en plus lubrique ; s'il savait comme les gros seins m'obsèdent). Je pratique assidûment l'« *agere contra propriam sensualitatem* [4] ». Exercice de volonté et remède contre les mauvais penchants.

Jamais de masturbations (aïe ! aïe !) ?

Je mimai l'incompréhension comme s'il usait d'un terme ne figurant pas dans mon dictionnaire. Il n'insista pas.

Est-ce que je cultive la dévotion mariale ?

---

4. Aller à rebrousse-poil de ses instincts.

Notre-Dame est mon idéal de pureté, d'intériorité et de soumission à Dieu. Je me sens interpellé par le verset de saint Luc : « Marie méditait tous ces événements dans son cœur. » Leonardo branla le chef d'un air entendu (la dévotion mariale m'a toujours fait... De la confiture. Je hais la manière dont les peintres l'ont représentée pendant des siècles. Mariam devait être une petite bonne femme basanée, énergique, travailleuse telles ses descendantes du Moyen-Orient. Celle-là me botte. Rien de comparable avec la blonde évanescente qu'on vénère un peu partout. Quant à sa pseudo-virginité, héritée d'Isis et d'Astarté !... une injure à elle-même, à l'amour humain et aux femmes en général. J'aime bien ce pauvre Joseph, *vir justus* certes, pigeon assurément).

Si j'éprouve la tentation d'aller vivre dans un autre monastère ?

Non. L'idée ne m'a jamais effleuré (une fois, mais pas deux). Oui, je pratique la conversion des mœurs. Je m'y entraîne tous les jours pour combattre mes faiblesses. Il m'arrive bien sûr de rêver d'un repas plantureux, de méjuger de certains frères, de plaisanter et d'avoir envie de me retourner sur mon grabat lorsque sonnent les matines. Mais, mieux qu'auparavant, je maîtrise ces tendances malséantes. L'Abbé m'a ensuite demandé si je pratiquais l'abnégation (tout avaler « avec une âme joyeuse »). Vertu à laquelle il semble tenir particulièrement. « Le chemin de la vérité, susurra-t-il, passe par le désintérêt de ce qu'on est. » Je lui répondis que si je n'avais pas renoncé à moi-même, je ne serais pas ici. Il opina de la mitre (qu'il ne portait pas).

Est-ce que j'attache de l'importance à ce qu'on pense de moi ?

J'essaie d'accomplir exactement ce que je crois bien sans me soucier de ce qu'imaginent ceux qui me voient agir. J'ajoutai avec suavité qu'il m'arrivait de m'enorgueillir de mon humilité (Leonardo adore ce genre d'aveu).

Suis-je présent d'esprit pendant la récitation des heures canoniales ?

Dans l'ensemble, je suis présent d'esprit.

Ai-je accompli des progrès en chant liturgique ?

Peu. « Vous savez, Révérend Père Abbé, que je ne suis guère doué pour cet art : je me qualifierais plutôt d'idiot musical. Je m'efforce simplement de commettre le moins d'erreurs possibles. » « Vous avez martyrisé l'Épître lors de la dernière messe conventuelle. Vos maladresses ont provoqué des rires et distrait la communauté. » « Je m'en suis aperçu. C'est pourquoi, j'ai battu ma coulpe au chapitre en expiation de mes fausses notes. »

La prière personnelle ?

J'y trouve beaucoup de consolation. La *Lectio Divina*[5] me convient à merveille. Je suis plus contemplatif que méditatif (Leonardo ne prise guère les méditatifs, ils réfléchissent !).

Des distractions ?

Fréquentes, je le confesse (pour être honnête, j'aurais dû avouer des absences, des rêves d'ailleurs). Le commentaire que vous m'avez demandé sur « *Le Nuage d'Inconnaissance* » me préoccupe beaucoup, même si j'y découvre une source inépuisable de richesses spirituelles. Une phrase m'a particulièrement frappé : « Aussi maintenant, regarde, misérable créature, et vois ce que tu es. Qu'es-tu donc, et en quoi donc as-tu mérité d'être ainsi appelé par notre Seigneur ? » Leonardo m'a lancé un regard de défiance. « Vous avez une bonne mémoire. » « Mémoire à défaut d'intelligence, Révérend Père Abbé », ai-je répliqué à l'effet de rentrer dans le rang (« Je coupe les têtes qui dépassent » est un de ses aphorismes favoris). Je poursuivis donc en sourdine. « Ma vocation est un don de Dieu, je ferais preuve d'aventurisme en voulant construire mon existence par moi-même. Pour m'orienter dans cette direction, le Seigneur a placé un supérieur sur ma route. » Il approuvait à grands coups de hure. « Cependant, je m'inquiète : suis-je capable de mener ce travail à son terme ? » Il inclina légèrement la tête, l'air de dire : « Évidemment, puisque je vous ai mandaté. » En ce qui concerne la prière, assez régulièrement je sors de l'oraison confirmé dans ma vocation.

Êtes-vous strict observant ?

Je lui rétorquai sans sourciller que l'observation de la règle était essentielle. « Sans elle, ajouté-je avec candeur, il n'y a pas de vie commune possible. La règle en constitue le ciment. Le précepte du silence notamment. Même s'il m'arrive de l'enfreindre, il me paraît un ferment de la vie intérieure. »

La charité fraternelle ?

« Sans l'amour de mes frères, je ne pourrais être un religieux acceptable. » (Je déteste la majorité d'entre eux, des flagorneurs, des imbéciles, des hypocrites.)

Pas d'amitiés particulières ?

« Non. Mais beaucoup d'admiration pour vous, mon Père (j'éprouvai, non sans me taxer de lâcheté, une belle satisfaction en

---

5. Lecture lente des Saintes Écritures.

21

constatant avec quelle complaisance il accueillait mon coup d'encensoir ; je traite les autres de flagorneurs, mais je ne vaux guère mieux), pour le frère Gildas également (le prieur est une de ses créatures, son maton, devrais-je dire), pour le frère Alberico (il apprécie le sacristain, son œil de Moscou) et nombre d'autres frères qui sont autant de modèles édifiants. » « C'est bien », éructa-t-il. Il me fixa. « Vous n'avez rien remarqué qui pût nuire à la bonne marche de l'abbaye ? » (Aïe ! Nous y voilà ! Qui vais-je lui dénoncer en guise de témoignage de bonne foi ? Oui, assurément, c'est sans risque.) « Il y a bien le frère Léon. » Leonardo m'interrompit d'un geste agacé. Personne n'ignore que Léon l'exaspère. Ce frère est un pieux ahuri toujours à côté de ses pompes. Débraillé, en retard partout. L'élément pittoresque de la communauté, cause de nombreux fous rires pendant les offices. L'Abbé me relança : « Personne d'autre ? » « Pas à ma connaissance. Le recueillement ne s'accommode guère de l'examen de ses voisins. Cependant, je vous promets de signaler tout manquement grave. » Sans lui laisser le temps de s'appesantir sur ce sujet scabreux, je lui balançai tout net : « La communauté de l'Immaculata est très fervente ; c'est une grâce d'en faire partie. » Je portai l'estocade. « L'Eucharistie est le grand moment de mes journées. J'y puise mes forces vives. »

Les travaux manuels ?

Leonardo avait souri. J'avais partie gagnée. « Ils sont un repos de l'âme, lui répondis-je, et cela même en dépit des chaleurs de l'été et des rigueurs de l'hiver » (plates évidences !).

Votre fonction à la bibliothèque ?

Je lui expliquai avec une minutie maniaque comment j'envisageais cette activité. Il abonda dans mon sens : « C'est ce que m'a rapporté le frère Fulbert » (Fulbert est un brave type. Une des rares intelligences demeurant à l'Immaculata. Je présume n'avoir rien à redouter de sa part.)

J'étais vidé. J'en avais fini. Leonardo me tint un petit discours sur le thème « *Christus vincit* ». Il m'encouragea dans mes bonnes dispositions. Il conclut son laïus par une citation de l'Imitation de Jésus-Christ : « La paix de Dieu ne subsiste que dans l'anéantissement de toute volonté et de tout intérêt propre. Quand vous ne vous intéressez qu'à la gloire de Dieu et à l'accomplissement de son bon plaisir, votre paix sera plus profonde que les abîmes de la mer » (lui aussi a bonne mémoire !). « Je pense que vous êtes un bon moine, mais gardez-vous de la présomption ; à tout instant, Satan peut transformer le bon grain en ivraie. A propos, votre bure est souvent sale. A l'avenir, veillez à être plus soigneux » (La flèche du Parthe. Une remarque cinglante dont le but est de semer dans l'esprit ce zeste d'angoisse qui rend servile). Je me jetai à terre pour recevoir sa bénédiction.

Ouf ! Il n'avait apparemment rien perçu de mon dégoût, de ma lassitude, de mon désir d'évasion, de ma sensualité, de ma duplicité et surtout de la haine que je lui voue. Ce n'est pas bien, j'en suis conscient, mais j'espère que le Dieu auquel je crois y retrouvera son serviteur.

Je ne cerne pas très bien Leonardo. Il se meut dans une bulle. C'est clairement un despote qui se sert de sa charge pour dominer. Ce n'est pas neuf dans l'Église. Mais je sens autre chose d'indéfinissable.

La neige a cessé de tomber. Demain, il fera froid dans le chœur.

Une pluie fine tombait sur la Bretagne. Le ciel fermé comme un rideau de théâtre. Tête basse, les passants se hâtaient vers leurs occupations. Germaine Desreux referma son parapluie et poussa le battant du portail de l'église Saint-Armel. Comme tous les matins, depuis le décès de son mari, adepte violent du muscadet, elle venait faire ses dévotions. C'était une petite vieille vêtue de noir, visage de chouette, menue, proprette. Par habitude, elle plongea la main dans le bénitier vide et se signa trois fois. A pas comptés, elle trottina sur le pavement luisant de la nef centrale jusqu'au premier banc de droite. Elle s'agenouilla. En face d'elle, encastrée dans un pilier, la statue blanche, rose et bleue de la Sainte Vierge devant laquelle brûlait une triple rangée de bougies, lui adressait un sourire figé. Dans l'esprit de Germaine, c'était une statue miraculeuse. Il y a deux mois, celle-ci avait parlé à Pauline Le Cornec, la sacristine. Depuis que la rumeur s'était répandue, l'église ne désemplissait pas les dimanches et les jours de fête. Même en semaine, des autocars déversaient leur cargaison de curieux, animés par le secret espoir d'assister à une guérison miraculeuse ou à une nouvelle transmission avec l'au-delà. On colportait que le message marial dont la teneur n'avait pas été révélée – le curé Kersauzon l'ayant formellement interdit – était terrifiant pour l'avenir de l'humanité. Les ragots allaient bon train. Des journalistes s'étaient emparés de l'affaire. La télévision y consacra une soirée entière à grand renfort de psychiatres verbeux, d'ecclésiastiques onctueux, de témoins catégoriques et de spécialistes du paranormal. L'émission avait battu les records de l'audimat. Quant à la principale intéressée, elle s'était refusée à toute déclaration. Le silence de l'évêque du lieu avait provoqué des réactions diverses. Les uns y voyaient la réticence séculaire de l'Église à admettre ce genre de phénomène ; d'autres prétendaient que son silence était motivé par un légitime souci de ne pas affoler les populations. Les proches de Pauline ne comprenaient pas pourquoi la Vierge se serait épanchée devant un tel déchet ; Pauline n'était-elle pas une vieille fille avare, querelleuse, médisante, acariâtre, une teigne sans intelligence et sans cœur ? N'avait-elle pas carrément tout inventé aux seules fins de se rendre intéressante ? En dépit de ces réserves, des paroissiens

« bien informés » considéraient sa vision comme authentique ; la Madone aurait usé de termes dont Pauline ignorait le sens, compte tenu de son faible degré d'instruction. Les partisans de la thèse de l'authenticité et leurs opposants, ceux qui dénonçaient une supercherie, s'affrontaient dans les bistrots et les foyers de la cité. La presse relayait les échos de ces démêlés fratricides. Le curé Kersauzon, excédé par l'engouement suspect dont son église était l'objet, avait beau fulminer, le maire lancer des appels au calme, rien n'y faisait, la polémique s'amplifiait. Deux soiffards en étaient venus aux mains. Bilan : une arcade sourcilière fendue et une cloison nasale écrasée.

Germaine Desreux croyait les yeux fermés à ces manifestations extratemporelles. Seule amie de la sacristine, elle avait reçu les confidences de Pauline, confidences certes maigres, mais suffisantes pour emporter son adhésion. A plusieurs reprises, elle l'avait consolée de plaisanteries d'un goût douteux et d'avanies dont la sacristine était la victime ; un loustic grimpé nuitamment sur le toit de sa maison avait hurlé à travers le conduit : « Pauline, Pauline, je suis l'Immaculée Conception. » Certains soirs, lorsqu'elle regagnait son domicile, des énergumènes la poursuivaient en proférant des obscénités. Un cycliste, en la dépassant, l'avait traitée de « pétasse hystérique ». « Et pourtant, larmoyait-elle, je l'ai vue, entendue ; je n'ai pas menti. » Germaine partageait sa certitude au point que sa vie avait changé ; elle priait désormais avec une ferveur redoublée : « Sainte Marie, Mère de Dieu, accordez-moi la grâce de votre parole même si je ne suis qu'une pauvre pécheresse. » Naïves simagrées. Jalouse de son amie, elle se persuadait qu'elle était mieux placée, « meilleure chrétienne », pour recevoir les avertissements du ciel. Ses stations à l'église se prolongeaient indéfiniment. Toute la stratégie propitiatoire y passait : rosaires, jaculations oratoires, chemins de croix. On la voyait marmonnant pendant des heures sous le regard mort de la statue. Son imagination enfiévrée lui représentait des scènes d'extase semblables à celles qu'elle contemplait sur des images pieuses. Elle se figurait le cœur transpercé par un rayon divin.

Ce lundi de janvier donc, Germaine s'efforçait de plus belle d'attirer la bienveillance de la Bonne Mère en recourant aux larmes et aux soupirs, lorsque son attention fut soudain sollicitée par un fait insolite : la porte de la sacristie grande ouverte, de la lumière fusant de l'intérieur. A ce moment précis, elle s'en souviendrait longtemps, elle s'avisa avec étonnement que Pauline ne s'était pas encore montrée ; d'ordinaire, à peine Germaine arrivée, elle se précipitait pour papoter, son amie étant sa principale pourvoyeuse de cancans. L'horloge murale de la chapelle latérale indiquait dix heures dix. Où pouvait-elle bien être ? Elle était peut-être malade ? Cependant la porte béante et la lumière allumée infirmaient cette conjecture. Un malaise s'empara d'elle. Elle se releva, s'avança en tapinois vers le chœur. Ce fut à ce moment précis qu'elle se sentit envahie par l'angoisse. Brusquement, une prémonition alerta son esprit. Un grand malheur s'était produit. Elle pénétra dans la sacristie. Oscillant lentement, le corps de Pauline pendait à une poutre du plafond, son visage offrant une grimace de gargouille. Germaine ulula et tomba à la renverse sur le parquet ciré.

A cinq heures et demie du matin, monseigneur Claudio Cafarelli quitta l'appartement de sa maîtresse Sofia, au volant d'une Fiat. Une brume poisseuse et glaciale emmitouflait la Ville Éternelle de sa masse ouatée et nauséabonde. Cafarelli était un petit homme rondelet, à l'aube de la quarantaine, orné d'un crâne dégarni en forme d'œuf troué par deux yeux bleus délavés. Il occupait le poste de secrétaire auprès du cardinal Marchangelo Videgarai, préfet de la Congrégation pour la Doctrine de la Foi. Habile fonctionnaire de l'Église, Cafarelli, sceptique et blasé, ne croyait pas à grand-chose, hors l'hypothétique existence de Dieu, tant il avait été le témoin de toutes les formes imaginables de « *combinazioni* », expressions pudiques qu'on employait pour désigner les pratiques nébuleuses de la faune vaticane. Pratiques qu'on justifiait en évoquant sans rire « les voies impénétrables de l'Esprit ». A l'instar de maints confrères, Cafarelli menait une double vie. Il avait rencontré Sofia lors d'un symposium débattant du thème éculé « libido et chasteté ». A la vue de cette jeune femme au visage rose, jolie, intelligente, rieuse et allante, sa libido s'était émue. Tant et si bien que de conversations culturelles en regards appuyés, de considérations religieuses en attouchements équivoques, d'échanges spirituels en tendres baisers, il s'était tout naturellement retrouvé dans le lit de la belle. C'était moins le physique de Monseigneur, plutôt insignifiant, que l'étendue de ses connaissances et l'originalité de ses idées qui avaient séduit Sofia. Alors que le mariage des prêtres avait été autorisé par la bulle « *In conubio sacerdos* », ce qui lui aurait permis de régulariser sa situation, Cafarelli vivait cette liaison sans remords. Aussi loin qu'il remontait dans son passé, il ne se souvenait pas s'être senti aussi bien dans sa peau. Quant à Sofia, elle appréciait un style de vie combinant harmonieusement son besoin de présence masculine avec une farouche volonté d'indépendance. De leurs tête-à-tête épisodiques, ils retiraient les plaisirs du corps et de l'esprit. La prêtrise et les hautes fonctions de Monseigneur ne perturbaient nullement le sens moral moderne de sa maîtresse. Bref, contents l'un de l'autre, ils ne souhaitaient rien de plus que leur délicieuse complicité.

Tout en se faufilant dans les rues du Trastevere, Cafarelli méditait sur les avantages de cette existence confortable. Il y avait cependant un hic. En présence du Cardinal, il éprouvait une gêne, certes légère, mais de nature à troubler sa quiétude. Cet homme ne ressemblait à aucun autre prince de l'Église. Modeste, droit, ouvert, il donnait l'impression d'être sans zone d'ombre, son univers intérieur accordé à son apparence. Jamais il n'utilisait la langue de bois si chère aux dignitaires de l'Église, jamais il ne s'identifiait à l'Esprit Saint, ni n'éludait une question délicate par une acrobatie dialectique ; surtout, il nimbait ses dires d'un sourire non dépourvu de malice, mais toujours bienveillant. Monseigneur admirait la sûreté de son jugement et la lucidité de ses analyses. Le Cardinal n'avait peur ni des mots, ni des actes ; quand les circonstances l'exigeaient, il pouvait se montrer très dur à l'égard de pairs incompétents ou cauteleux.

Non seulement Cafarelli se reprochait de le tromper, mais il appréhendait sa perspicacité : Videgarai pénétrerait un jour, s'il ne l'avait déjà fait, la personnalité en demi-teinte de son collaborateur. Celui-ci était tenté de lui parler de Sofia, de sa foi branlante, de ses rancœurs, mais il différait sans cesse le moment de se confier à celui qui était pourtant en mesure de le comprendre. Jamais donc Cafarelli n'avait fait allusion à sa vie privée. Devant n'importe quel autre prélat, il se serait senti à l'aise, voire conforté dans son cynisme, manière de défier une autorité encline à régir les consciences, mais face à Videgarai, il se sentait comme un enfant chapardeur.

Palais du Saint-Office. Comme chaque matin, Cafarelli assisterait le Cardinal pendant qu'il célébrait la messe dans sa chapelle privée. Après un petit déjeuner frugal, il gagna son bureau. Sa première tâche consistait à dépouiller le courrier écrit ou informatique. Un long message s'inscrivit sur l'écran. Il émanait de l'évêque de Vannes. Pauline Le Cornec, la voyante autour de laquelle on s'était beaucoup agité, avait été découverte pendue dans la sacristie de l'église Saint-Armel à Ploërmel. L'Évêque prévenait la curie romaine qu'il n'avait pas réussi à éviter la médiatisation de cette affaire embarrassante ; redoutant le scandale qui ne manquerait pas de s'ensuivre, il demandait des instructions. Sans délai, Cafarelli se rendit chez le Cardinal. Celui-ci, en complet-veston, compulsait une liasse de documents.

– Un message curieux de l'Évêque de Vannes, Éminence.
– Lisez-le, Claudio.
Après avoir écouté attentivement, le Cardinal demeura tête bais-

28

sée. Après quelques instants de silence, il leva les yeux sur son secrétaire. Il dévisageait son interlocuteur d'une façon particulière comme si, avant toute communication verbale, il entrait en relation avec son être entier. Ses visiteurs étaient frappés par la limpidité de ce regard tranquille. Certains d'entre eux sortaient d'une audience, convaincus qu'ils avaient été hypnotisés. Récemment, un théologien, auteur d'une thèse virulente contre le péché originel, exprimait son étonnement : « Non seulement il ne m'a pas condamné comme l'auraient fait ses prédécesseurs, mais il m'a exhorté à poursuivre ma réflexion. Au moment où je prenais congé, il m'a dit d'une voix paisible : " Soyez vous-même et non ce que vos détracteurs espèrent que vous soyez. " Il exprimait le sentiment que j'éprouve régulièrement. J'en suis resté pantois. »

– Une autre voyante n'est-elle pas morte dans des circonstances analogues ?

– C'est exact, Éminence. Il y a deux mois environ.

– Au Gabon, si ma mémoire ne me trompe pas ?

Cafarelli interrogea son portable.

– A Lambaréné, plus précisément. Innocence Pongo, étranglée dans le jardinet jouxtant sa maison.

Le Cardinal réfléchissait.

– Deux assassinats de voyantes qui avaient reçu de la Vierge des prédictions similaires, n'est-ce pas, Claudio ?

Celui-ci consulta son écran.

– Il y en a encore deux, Éminence, Maureen O'Reilly et Giannalia Baldato.

– Pouvez-vous retrouver la teneur de ces prédictions ?

– Voici. Un texte s'afficha.

« Quand donc vous verrez installé dans le lieu saint l'Odieux Dévastateur, il y aura une grande détresse telle qu'il n'y en a pas eu depuis le commencement du monde jusqu'à maintenant et qu'il n'y en aura jamais plus. Si ces jours n'étaient abrégés, personne n'aurait la vie sauve, mais grâce aux élus, ces jours-là seront abrégés. Il approche le grand jour de la colère de Dieu. Malheur aux habitants de la terre. Seuls les purs trouveront grâce aux yeux du Seigneur. L'heure est venue d'agir au nom de la vraie foi. »

Le Cardinal ne réagit pas tout de suite. Cafarelli ne le quittait pas des yeux.

– Saint Matthieu, l'Apocalypse, évidemment, murmura-t-il après un temps.

Il reprit d'une voix ferme.

– Une enquête avait-elle été ouverte ?

– Une enquête de routine, si j'en crois mes informations. De telles visions sont monnaie courante. La conjoncture suscite des illuminés. Chaque fois que le monde chancelle, les prophètes de malheur s'épanouissent comme des herbes folles. *Nihil novi sub sole*, Éminence. S'il fallait s'alarmer à chaque présage de la fin du monde, nous y consacrerions toute notre énergie. Cependant, je le déplore, je n'ai pas été assez vigilant. Des messages comparables ont été délivrés dans quatre lieux très distants les uns des autres, lieux encore habités par une foi vive – Bretagne, Gabon, Irlande, Italie – à des femmes simples, exception faite de Giannalia Baldato, universitaire, des femmes qui n'auraient pu être de connivence. A l'évidence, Éminence, elles n'ont rien inventé.

– En conséquence, Claudio, elles ont réellement vu et entendu ou... on leur a fait voir et entendre.

– Vous subodorez une imposture, Éminence ?

– Je l'ignore. Si c'était le cas, cette hypothèse ne pouvant être écartée, dans quel dessein y aurait-on recours ? Le contenu en a-t-il été révélé ?

– Officiellement non. Cependant, les rapports attestent de rumeurs dont les médias se sont emparés. A l'époque, il y eut plusieurs émissions à la télévision. Toutefois, étant donné la prolifération de ces sortes de prédictions, ces apparitions semblent avoir été oubliées par le grand public, à l'exclusion des endroits où elles se seraient manifestées, devenus lieux de pèlerinage. Il ne se passe pas un mois sans que paraisse un ouvrage sur le thème : « La fin est proche, convertissez-vous. » De même pour le cinéma. Souvenez-vous de la dernière palme d'or à Cannes attribuée à Giorgio Pontone pour son film *Falling into Hell, Armaguedon, last War*, une évocation cauchemardesque de l'affrontement ultime entre le bien et le mal. Le sujet est lucratif. Les hommes prennent un plaisir malsain à frissonner.

– Je vous rappelle, Claudio, que nous avons vu ce film ensemble. Nous avons pleuré de rire.

– Évidemment, Éminence. Où ai-je la tête ?

– Cela dit, les hommes ont matière à frissonner. Vous ne pensez pas ? Et cela, sans omettre l'infirmité contemporaine : avoir peur d'avoir peur. La paralysie des âmes constitue une épreuve insurmontable ; de toutes les tribulations humaines, la plus perverse, la plus destructrice. Pire que la faim, la maladie, la pollution, la solitude, la violence, la guerre, la dictature, toutes contestables. L'histoire n'a jamais connu une telle occultation de l'avenir, un tel besoin de paradis artificiels. Cet état d'esprit trahit la fascination à l'égard des pouvoirs forts, des hommes forts.

– Même l'Église n'est plus crédible. La dernière encyclique « *Spes et Fortitudo* » est passée inaperçue, comme si les mots d'espoir sonnaient faux. S'il existe encore un ordre apparent, illusoirement protégé par les exploits de la technologie, il paraît tellement fragile qu'il ne faudrait pas grand-chose pour qu'il bascule dans l'incohérence.

– Vous avez raison. Nous sommes à un point de rupture, ce que proclament nos voyantes. Coïncidence ? Il se trouvera toujours des individus sans scrupules pour exploiter le malheur, voire même pour en accélérer le processus à des fins politiques ou mafieuses. S'ils réussissaient, les hommes seraient soumis à de monstrueuses tyrannies tel l'État islamique. Heureusement, Claudio, nous n'en sommes pas encore là.

– J'admire, Éminence, le flegme avec lequel vous envisagez le futur.

– Si nous perdons la tête, si les bonnes volontés s'égarent, l'humanité courra des risques majeurs. Cependant, vous le constatez, je suis en contact journalier avec des hommes et des femmes venus de tous les horizons ; beaucoup d'entre eux me font part de leurs craintes, mais je les sens déterminés à ne pas renoncer à leurs idéaux. Leur ténacité affermit ma propre résolution, mon flegme comme vous dites, Claudio.

– Mais, Éminence, comment échapper à l'étau qui se resserre ? En ce qui me concerne, je suis loin de partager votre optimisme. Je ne vois pas d'issue.

– Aussi prévisible qu'imprévisible, l'homme est capable des retournements les plus inattendus. Confronté à l'inéluctable, il se découvre d'insoupçonnables virtualités de résistance. Nous sommes d'étranges animaux, n'est-ce pas ? Enfin, il y a la dimension divine que nous ne pouvons négliger. J'ai la ferme conviction qu'Il ne nous lâchera pas. Videgarai souriait. Cafarelli, à cran, hésita. Malgré le caractère familier de leurs entretiens, sa nature prudente lui interdisait de contredire le Cardinal. Tout au plus se permettait-il une objection incidente. Cette fois, il ne parvint pas à se dominer.

– Mais, Éminence, si Dieu tient autant que vous l'affirmez à la bonne marche du monde, pourquoi ces tragédies, ces tortures, ces morts intolérables ? Pourquoi nous donne-t-Il à penser que nous ne L'intéressons guère ? Pourquoi nous laisse-t-Il patauger lamentablement dans le... précaire ? Car enfin, une balle perdue aurait suffi pendant la Première Guerre mondiale et Hitler disparaissait. Et des millions de vies auraient été épargnées. Le martyre de son peuple élu évité. Les exemples foisonnent. Nous vacillons au bord du gouffre, pourquoi accepte-t-Il que nous arrivions à cette extrémité ? Dieu ne nous lâchera pas, dites-vous, Éminence, mais Il n'a cessé de nous lâcher. Son amour pour les hommes ? Une tarte à la crème à l'usage de curés en mal d'homélie. Tant d'êtres chers L'ont rejoint ; ils nous feraient signe une fois de l'autre côté, juraient-ils sur leur lit de mort. Nous les attendons toujours. Un ciel muet, fermé. Dieu est une promesse non tenue. Je suis presque d'accord avec Marx : un opium. Le triomphe récurrent des salauds, leurs visages nous narguant quotidiennement dans les médias, m'inclinerait à conclure que l'œuvre du diable est plus opérante que l'action d'un Dieu dont l'inefficacité est flagrante. Quel est le sens de sa création ? Le monde suinte de peur, de haine, de désespoir. A quoi servent les prières des hommes, leurs sacrifices adressés à ce colosse insensible ? Depuis des siècles on l'accuse de désertion, les hommes n'acceptant pas l'iniquité de leur condition. L'homme est fait pour vivre debout, entends-je prêcher ; en réalité, il rampe. Il agonise au quotidien : le prix des humiliations. L'Église claironne que Dieu a besoin des hommes, qu'Il les associe à l'édification de son œuvre. Force est de reconnaître que ce précieux auxiliaire n'a pas demandé de naître et qu'à peine surgi du néant, il crève ; sueur, larmes et sang. Ce calvaire est-il indispensable au projet divin ? Et puis quel gâchis dans le recrutement du personnel ! La mort des enfants, des jeunes, les handicapés et ces milliards de victimes innocentes, non consentantes à leur triste destin, immolées au prix de quelle pédagogie ? Comme manager d'une multinationale, Dieu aurait été licencié depuis belle lurette pour délit d'incompétence. Bien sûr, vous m'opposerez que le Christ est mort sur la croix...

Son agressivité brusquement retombée, monseigneur Cafarelli porta la main à sa bouche, comme pour y faire rentrer ses propos virulents. Rouge de confusion, il balbutia.

– Je suis impardonnable, Éminence. J'ai manqué à mon devoir de réserve envers vous. J'ai débité un tissu de sottises.

– Si c'est ce que vous essayez de me dire, Claudio, rassurez-vous, vous ne vous êtes montré ni impertinent, ni irrévérencieux. Vous avez été sincère. Cette vertu n'est guère de mise au Vatican. Soyons désormais sincères l'un envers l'autre, si vous êtes d'accord. Je suis entouré d'exécutants, pas assez d'êtres humains. Soyez humain, Claudio, comme vous venez de l'être.

– Vous me prenez au dépourvu, Éminence. La confiance que vous sollicitez de ma part ne correspond nullement à ma formation. On nous a préparés à être des instruments, à faire fi de nos sentiments ; à la limite, à ne pas en éprouver.

– Ce qui explique, Claudio, que les princes sont isolés, sourds et aveugles, coupés de leurs peuples dont ils ignorent les aspirations, incapables de contribuer à leur bonheur. Dorénavant, n'ayez plus peur. Réagissez avec la même spontanéité franche ; vous m'en apprendrez davantage que toutes les données encodées dans mon ordinateur.

– Je m'y efforcerai, Éminence.

– Quant à l'indifférence de Dieu aux souffrances humaines, ma raison ne m'apporte aucune réponse satisfaisante. Comme vous, je m'interroge, je m'insurge. Ce qui me fait croire qu'Il existe ressortit à l'instinct. Je suis un croyant instinctif, Claudio, allergique aux savantes constructions des théologiens. Si je n'en censure aucun, c'est sans doute parce que l'envie me démange de les censurer tous. Dieu, je Le sens, je ne Le conçois pas. Au fond, je me démène pour qu'il soit perceptible. Aussi, je n'essayerai pas de vous convaincre ; Dieu échappe à toute logique, Il est irréductible à nos cadres mentaux, Il ne peut être l'objet d'aucune science. Je suis simplement persuadé que l'univers a quelque chose en commun avec Lui. Pour ce qui est de nommer cette relation, je m'abstiens. Mais s'Il est, alors tout devient possible, y compris le salut d'une humanité en perdition. Vos critiques, votre amertume, Claudio, sont pertinentes sitôt qu'on Le met en parallèle avec des autorités humaines dont les intentions ne sont jamais pures. Ce qui nous fait défaut, c'est la connaissance de cause. La vie a un sens, mais les hommes l'ont oublié.

– Mais comment sonder le cœur de Dieu, Éminence, où Le rencontrer ?

– Dieu ne se rencontre pas, Claudio, Il se respire comme l'air qui nous fait vivre et pour le comprendre, il faudrait être Dieu.

– Et l'Église, Éminence ?

– L'Église, Claudio, est un phénix, un miracle permanent.

Le Cardinal s'était exprimé d'une voix douce sans user d'un ton paternaliste, le ton de ceux qui savent. Son visage était éclairé par une lumière tamisée. Cafarelli comprit ce jour-là que la vérité ne s'exprimait pas avec des mots, mais par une certaine manière d'être. Il mesura la distance qui le séparait de Videgarai. Que de chemin encore à parcourir s'il voulait mériter une telle sérénité. Cafarelli n'était guère converti, mais plutôt ébloui par cet homme placé entre Dieu et lui.

— Revenons à nos voyantes, Claudio.

— Ne conviendrait-il pas d'analyser leur message, même s'il ne diffère pas des formulations classiques de la fin des temps, étayées par un amalgame de citations évangéliques ? L'allusion au passage de saint Matthieu concernant l'Odieux Dévastateur m'intrigue. De qui s'agit-il selon vous ?

— Je ne puis encore me prononcer. Mais une chose me paraît certaine, Dieu ne se révèle ni en termes menaçants, ni manichéens. La référence aux purs flaire la secte à plein nez. Mais il y a plus urgent, il convient d'assurer la sécurité des deux voyantes en vie.

— La police ?

— Non. Son intervention prendrait trop de temps. Convoquez mon neveu Remio et priez-le de venir aujourd'hui même.

— Il travaille au *Corriere* ?

— Oui, dépêchez-vous, Claudio. Cette affaire ne me plaît pas du tout.

Abbaye de l'Immaculata
Journal secret du frère Enzo
Mercredi 13 janvier 2020
Peu avant minuit

L'abbaye est plongée dans le grand silence nocturne cadencé par les ronflements des moines et le vent violent qui secoue ma fenêtre par saccades. La température a chuté. Moins quinze. Mes doigts sont gourds, mais je persévère. Ordonner mes pensées est devenu une priorité pour moi.

Le jour de l'Épiphanie, Leonardo a centré son prône sur les textes de la messe. « *Ecce advenit Dominus...* Voici qu'il arrive le Seigneur souverain. Il détient la royauté, la puissance et le pouvoir. Mon Dieu, accorde-moi ta sagesse et donne tes pouvoirs de juge à ce fils de roi... *Surge, Jerusalem, quia venit lumen tuum.* » Je n'ai pu m'empêcher de songer qu'il parlait de lui comme s'il voulait qu'on l'assimile au Seigneur souverain. Impression furtive. Son commentaire était traditionnel, mais sa voix avait des inflexions passionnées. Inhabituel chez lui. Généralement, il s'exprime avec une morgue mielleuse mâtinée d'ironie. Il s'est longuement étendu sur la prophétie d'Isaïe : « Voici que les ténèbres couvrent la terre, que les autres peuples sont dans la nuit. Mais sur toi brille l'étoile du Seigneur, sur toi sa gloire se manifeste... *et gloria in te videbitur.* » A ce moment précis, il a fait une pause, les bras au ciel. Puis il a asséné avec force : « Les foules viendront de Saba portant l'or et l'encens, et proclamant la louange du Seigneur. » J'ai coulé un œil vers l'assistance. Personne ne bronchait. Chacun, dans sa stalle, affichait son masque ordinaire, compassé, fervent, ensommeillé, chafouin. Sous influence, les êtres se minéralisent. J'étais apparemment le seul à me sentir mal à l'aise. Peut-être que je m'abuse, mais je développe une tendance à l'interprétation maligne dès que Leonardo ouvre la bouche.

« Nul, ne dégustant un vin vieux ne désire aussitôt en boire du nouveau ; il proclame en effet le vieux vin meilleur. » A son insu, saint Luc définit la vie conventuelle. « Ici, me notifia Barnabé en m'accueillant, il y a vingt ans, vous apprendrez l'expérience du passé, non pour la dénigrer, mais pour l'assimiler. Notre mission : sauvegarder le savoir spirituel accumulé durant des siècles par les prophètes et les saints. Pas question de créer du neuf. Ce qui a été est et sera (Nietzsche !). L'unique révolution s'est produite voici deux mille ans. A nous de la commémorer fidèlement. La science est utile pour l'accessoire, non pour l'essentiel. » J'entrais dans un univers immobile, rythmé par une liturgie d'habitudes.

Même si je garde peu de souvenirs de mes premiers jours de monastère, une image subsiste : le prieur, hilare, invitant les postulants à déposer dans une boîte en plastique, qualifiée de cercueil, leurs objets personnels. Il encourageait chaque inhumation par un verset de saint Luc : « Allez, vendez tout ce que vous avez et vous aurez un trésor dans le ciel. » C'est ainsi que je me suis dépouillé de ma montre, mon stylo, mon argent et de quelques livres. Je les récupérerais si je quittais l'Immaculata.

Durant une quinzaine de jours, je conservai mes vêtements civils. C'était la période de candidature. Le maître des novices, le frère Alberto, était un homme fin, lettré, intelligent, malheureusement obsédé par la crucifixion. Il souffrait d'insomnies, mais, nous disait-il : « La contemplation de la croix que forment le croisillon et le meneau de la fenêtre m'unit chaque nuit au Christ souffrant. » Son leitmotiv : « Jésus est en agonie jusqu'à la fin des temps, il ne faut pas dormir pendant ce temps-là. » Ce qui était son cas. Pour ce « martyr », la Semaine sainte s'interrompait le Vendredi saint. Le pauvre homme est mort fou. Ses derniers mois furent particulièrement pénibles : au petit matin, le frère infirmier le retrouvait couché en chien de fusil, le regard halluciné, hurlant que ses bourreaux lui enfonçaient des clous dans les mains et les pieds. A sa manière tordue, c'était un saint.

Vint ensuite la cérémonie de prise d'habit. Tête rasée comme un para-commando, je fus revêtu d'une robe de bure noire, *castitatis praesidium nostrum*, surmontée d'un scapulaire avec capuchon. On changea mon identité, je ne me nommerais plus Franco Maldini : « *Franco, amodo vocaberis frater Enzo.* » J'héritais du diminutif de Lorenzo, l'humoriste qui aurait fait rire son tourmenteur. Alors qu'il était étendu sur un gril sous lequel brûlaient des charbons ardents, il l'apostropha : « Tu peux me retourner, je suis assez rôti de ce côté. » Avec cet escogriffe de Leonardo, je suis tous les jours sur le gril. Seul demeurait parmi les vivants ce frère Enzo, mon double fantomatique. *Saeculo omnino relicto.* J'avais rompu avec le siècle. Le Seigneur m'appelait à l'anonymat, à l'abnégation !

Si je me remémore l'aube de ma vie religieuse, c'est sans aucun doute afin de mieux en mesurer le malentendu initial. Je suis maintenant quasi certain que l'origine de « ma vocation » fut une forme de défi, sans rapport aucun avec l'appel des cloches. Cependant, aussi longtemps que Barnabé fut l'Abbé, j'ai marché. Sans doute suis-je en train de me répéter, mais ça fait du bien de remâcher, de ressasser. Je suis en « thérapie ». Barracuda a arraché les écailles de mes yeux. Barracuda est le sobriquet dont j'affuble Leonardo ; quand il s'esclaffe, sa mâchoire de ganache se fend jusqu'aux oreilles, dévoilant deux rangées de dents carnassières. Quand il mange, il râtelle sa nourriture, retrousse ses babines et l'enfourne dans son concasseur. Mon erreur de parcours m'est alors apparue criante, mais, enchaîné à mon ordre comme un vieil époux à une virago, que pouvais-je y changer ?

Hier au chapitre, *elemosynae* [6]. Belle distraction sauf quand on est soi-même au menu du jour. C'était le tour du frère Léon, le pauvre hère que j'avais « dénoncé » lors de mon compte de conscience. Quel tir de barrage ! Quel défoulement collectif ! Le malheureux prostré devant l'Abbé encaissait la dégelée avec une humilité touchante. Leonardo pointait des noms sur une liste. Il était inconcevable de n'avoir rien à reprocher au prévenu. Barracuda part du principe que, hormis lui-même, nous sommes tous coupables ; la « correction » fraternelle est donc une épreuve salutaire. « Qui hait la correction est marqué par le diable » glousse-t-il, citant l'Ecclésiaste. Les missiles pleuvaient. « Le Frère se déplace trop lentement », « il rit tout seul », « il mange trop », « il dort pendant les offices », « il sifflote en travaillant... quand il travaille », « il est désordonné », « il ne nettoie jamais sa cellule », « il est sale », « il est bruyant en faisant ses besoins ». *Allegro sostenuto*. Le sommet fut atteint lorsque le frère Ireneo, un novice hermaphrodite, susurra perfidement : « Samedi dernier, pendant que je prenais ma douche, il a ouvert la porte de ma cabine et s'est écrié : tu n'es pas mal monté. » Leonardo est devenu blême. Il a glapi : « *eat in sacello* [7] ». Léon n'a pas demandé son reste d'avanies. Il a filé vers la chapelle. Son heure a sonné. M'étonnerait fort qu'il fasse long feu à l'Immaculata. Dans la mentalité primaire de Leonardo, le péché sexuel est le plus grave. Lui-même est-il à l'abri de toute tentation ? Je m'interroge. Et, aux dires d'Ireneo, l'infortuné Léon a bien commis un attentat à la pudeur caractérisé.

Dieu ! Qu'il fait polaire ! Je vais me bourrer une pipe. Hélas ! Je suis obligé de fumer la fenêtre ouverte, sinon l'arôme du tabac

---

6. Aumônes fraternelles.
7. Qu'il se rende à la chapelle.

se répandrait dans le couloir. Cette détente que je m'octroie me contraint à endurer la bise. Plaisir et douleur. J'imagine la tête de Barracuda si, lors d'une séance d'aumônes, un petit futé lançait d'une voix acidulée : « Le frère Enzo fume dans sa cellule. »

La route sinuait entre des loughs gris plombés. Penché sur le volant d'une vieille guimbarde qu'il avait louée à l'aéroport de Cork, Remio Videgarai pilotait avec précaution dans la lumière cendrée du crépuscule. « Heureusement qu'on ne circule plus à gauche dans cette région de sauvages », maugréait-il. Il pleuvait à verse. Les essuie-glaces crissaient sur le pare-brise, projetant des vaguelettes sur les vitres latérales. Quelle guigne ! Il maudissait son oncle qui l'avait expédié dans ce coin perdu. Qu'avait-il à faire d'une bonne femme névrosée ? Mais comment se dérober ? Le Cardinal s'était montré pressant, ce qui n'était guère dans son tempérament. Même sa façon de s'exprimer avait été insolite : hachée, autoritaire, presque brutale. « Remio », l'avait-il enjoint sans ambages, « tu vas te rendre en Irlande ». Ensuite, il lui avait fait la chronique des voyantes assassinées. « Tu parles anglais. Essaie de t'entretenir avec Maureen O'Reilly. Sonde-la sur ses visions. Ce ne sera sans doute pas une sinécure, elle doit se défier des journalistes. Présente-toi comme un envoyé du Vatican. Si c'est indispensable, utilise mon nom comme viatique. Pas de dilettantisme. L'affaire est sérieuse. Est-elle sincère ? Quel genre de personne est-ce ? Équilibrée, sournoise, agitée ? A-t-elle peur ? De qui, de quoi ? Tu as carte blanche. Je couvre tes dépenses. Je suis inquiet, Remio. Sois très prudent. L'opération n'est pas sans danger. Sois discret. Ton rédacteur en chef consent à se passer de tes services, le temps nécessaire. Je ne lui ai pas donné de détails. Si elle est d'accord, ramène Maureen O'Reilly à Rome. Nous veillerons sur elle. »

Voilà le topo. Il s'était précipité chez lui, avait ramassé son sac de voyage, envoyé trois coups de pictophone et foncé sur Fiumicino. Malgré son humeur maussade, Remio souriait. Il adorait son oncle. Il avait été orphelin de très bonne heure, ses parents ayant péri en pleine gare de Milan à la suite d'un attentat terroriste. Le futur cardinal, à l'époque professeur à la Grégorienne, l'avait recueilli chez lui et s'était chargé de son éducation d'enfant unique. Après avoir fréquenté un collège jésuite, dont il faillit être renvoyé à plusieurs reprises pour inconduite, il avait mené à bien des études de droit grâce aux conseils et à la générosité de cet oncle-gâteau. Son diplôme en main, à vingt-cinq ans, il décrocha un emploi au

Corriere della Sera. Aujourd'hui âgé de trente-cinq ans, il folâtrait en joyeux célibataire. Quand il n'était pas absorbé par son métier, il s'occupait de la chronique criminelle. En bon troglodyte luxurieux, il s'adonnait aux délices de la *dolce vita* et fréquentait assidûment la jet-set romaine. Il aimait la vie autant qu'elle l'aimait. Rapide, léger, vif, aussi insaisissable qu'un gardon, il avait un visage ingénu, des yeux rieurs et une certaine gouaille qui contribuaient à lui donner une expression d'ardeur étonnée et curieuse. Il faisait battre les cœurs de maintes oiselles ; mais s'il partageait volontiers son lit, il se refusait à partager son existence. Il se prêtait, ne se livrait pas. Ce charmant cavaleur traversait la vie au pas de course, tantôt à l'affût d'un scoop, tantôt en quête d'une bonne fortune. Cependant, à ses jours perdus, qu'il appelait sa saison morte, il se cloîtrait dans son appartement du Janicule et se consacrait à son jardin secret, l'aquarelle. Ses œuvres, qu'il ne montrait à personne, à l'exception de son oncle qui l'encourageait dans son art parce qu'il lui trouvait du talent, reflétaient une âme tourmentée, aux antipodes de l'apparence frivole qu'il offrait à son entourage : arbres décharnés, paysages fantastiques, mers tumultueuses, montagnes agressives empilées les unes sur les autres. L'oncle n'ignorait rien des frasques de son neveu, mais jamais il ne les lui reprochait. Peut-être attendait-il qu'il se range, une fois la maturité atteinte ? Mais elle tardait. Remio n'en finissait pas de musarder dans le printemps de son existence, tant lui paraissait désolé le plat pays des adultes.

Au détour d'un virage, un panonceau signalait qu'on arrivait à Killarney, Cill Airne en gaélique. Lorsqu'elle n'était pas noyée sous les trombes d'eau, la cité du comté de Kerry devait être charmante. Remio stoppa pour recharger ses batteries. Il demanda son chemin au préposé. Dunloe street était située tout près du monastère Franciscan Fiary. Il s'engagea dans la rue déserte, à la nuit tombante. Il gara sa voiture devant le numéro douze, qui correspondait à une maisonnette à un étage, en briques rouges, précédée d'un parterre de rosiers taillés. A droite, une allée gravillonnée s'amorçait vers le jardin. Le renfoncement de la porte était couronné par une glycine dénudée. Pas d'erreur possible, le nom de Maureen O'Reilly s'inscrivait au-dessus de la boîte aux lettres. Après avoir remis de l'ordre dans sa tenue, Remio sonna. Il tendit l'oreille, nul bruit ne lui parvint de l'intérieur. Il insista. Silence complet. Déçu, il colla son front à la fenêtre, mais il faisait trop sombre pour qu'il puisse apercevoir quelque chose. Un instant, il envisagea de se renseigner auprès des voisins : il y avait de la lumière au quatorze. Il se ravisa. Il ne s'agissait pas de crier d'entrée de jeu : « Coucou, je suis là. » Que faire ? Patience. Retour à sa voiture. Une demi-heure d'expectative. Vite lassé par cette faction, il renonça et se mit en quête d'un hôtel. On verrait plus tard.

Vingt-deux heures. La pluie avait cessé. Remio fit une nouvelle tentative. Le timbre d'entrée vibra longtemps. Pas âme qui vive. Sur la pointe des pieds, il s'aventura dans l'allée latérale, contourna l'arrière de la maison. Coup de torche. La fenêtre du premier était entrouverte. Sa mission prenait un tour imprévu. Jamais il n'avait imaginé qu'il devrait jouer à l'agent secret. L'entreprise s'avérait hasardeuse. Quelqu'un l'apercevrait peut-être, donnerait l'alerte ? La panique l'envahit. Il se figurait en train de s'expliquer au commissariat du coin. La peste soit du Cardinal ! Il ne songeait plus qu'à battre en retraite. Demain Maureen O'Reilly aurait regagné le bercail. Qui sait, n'était-elle pas au chevet d'une cousine à l'agonie ? En voyage ? Mais la voix anxieuse de son oncle lui revint : « Il y a urgence », avait-il dit. En dépit du bon sens élémentaire, il s'accrocha à une conduite et escalada la façade. Son parka ne facilitait pas l'ascension. Parvenu au premier, il poussa la fenêtre entrouverte et entra. La chambre embaumait le tilleul séché. Il inventoria les lieux : un lit étroit, une penderie, deux chaises en paille, des bocaux sur des étagères, au mur un crucifix d'ivoire, composaient l'ameublement. Dans un angle, une porte donnait sur un escalier raide. Il respirait avec difficulté. Des gouttes de sueur trempaient son visage. Chaque marche craquait sous ses pieds. Une bourrasque secoua l'habitation. Il atterrit dans un vestibule. Une odeur fade flottait dans l'air. A droite, une autre porte. Ses doigts tournèrent la poignée. Adossé à l'encadrement, il balaya la pièce du faisceau de sa torche. Une forme était recroquevillée sur le sol. Transi de peur, il s'approcha à pas lents. Dans son affolement, il heurta un tabouret qui fit un vacarme d'enfer en tombant. Il se pencha. Une petite vieille gracile gisait, morte, le crâne en bouillie. Une large tache rougeâtre s'étalait sur le tapis. L'arme du crime, un lourd chandelier auquel adhérait une mèche de cheveux, traînait à côté du cadavre. Remio dut faire un effort pour contenir une envie de vomir. Maureen O'Reilly n'aurait plus de visions.

– Pendant un court moment, j'ai cru que je cauchemardais, que j'allais me réveiller dans mon lit. Mais tout était bien réel : le cadavre, la tête écrabouillée, le chandelier, le silence oppressant, le vent déchaîné.

Le Cardinal avait enregistré avec gravité le récit de son neveu.

– Personne ne t'a vu ?

– Je l'espère, mais je ne puis le garantir. Heureusement, je portais des gants. Aurais-je dû prévenir la police locale ?

– Non. Tu as bien agi. Ils la découvriront tôt ou tard. Paix à son âme. Nous devons comprendre le pourquoi de ces assassinats en série. Apparemment, l'auteur ne s'est même pas soucié de maquiller leur mort en suicide. Forme de provocation ? Nous devons élucider ce mystère.

– J'ai trouvé ceci, mon oncle.

Remio déposa une liasse d'euro usagés sur le bureau.

– Bien qu'effrayé, je ne me suis pas éclipsé immédiatement. J'ai fouillé la maison. J'ai eu la chance de dénicher ce pactole sous son matelas. Il y en a environ pour dix mille euro. C'est une coquette somme. Sur sa table de chevet traînaient des lettres et des cartes postales d'admirateurs ou des demandes d'intercession auprès de la Vierge. J'en ai ramené quelques-unes. Les voici.

– Bravo, Remio. Quel est ton sentiment ?

– On l'aurait payée pour « voir » que cela ne me surprendrait pas.

– Je partage ton opinion. On ne dépense pas une telle fortune sans avoir de puissants motifs.

Par l'interphone, le Cardinal pria Cafarelli de les rejoindre.

– Remio, il n'y a pas une minute à perdre, dit le Cardinal. Malgré ta fatigue, il est primordial que tu partes ce soir même. Où habite la quatrième voyante, Claudio ?

Celui-ci consulta son portable.

– Mengara. Tout près de Gubbio en Ombrie. Viale Corte, 23.

– Appelez-la.

– Giannalia Baldato ? Le visage anxieux d'une jeune fille apparut sur l'écran. Je suis le cardinal Videgarai.

42

Remio parcourut en quatre heures la distance qui séparait le Vatican de Mengara. Lorsqu'il atteignit la viale Corte, il était passé minuit. On guettait son arrivée : avant même qu'il eût sonné, la porte s'ouvrit, encadrant le clair-obscur d'une silhouette élégante.

– Giannalia Baldato ?

– Oui. C'est moi.

– Barre-toi.

Sam Wood donna une claque sur les fesses de la pute allongée à ses côtés. Il n'y était pas arrivé. Il n'y arriverait plus. En panne des sens. Le pictophone grésilla. Qu'est-ce qu'on lui voulait encore ? Il consulta sa montre. Un dimanche ? Huit heures cinq.

– Ah ! Remio. Oui, bien sûr. Amène-la.

L'écran redevint sombre.

– Tu te figures que ça marchera avec une autre, mon gros loup ?

– Comment ! Tu es encore là. Je t'ai dit de foutre le camp.

– Et mon petit cadeau ?

Il retira d'un portefeuille en crocodile quelques billets qu'il lui jeta avec hargne.

– Et maintenant, disparais.

Elle ramassa ses vêtements et s'éclipsa prestement.

Sam se gratta le ventre. « Où est mon caleçon ? », grogna-t-il.

Il se traîna tout nu jusqu'à la cuisine, si on pouvait du moins qualifier de cuisine ce taudis exhalant les miasmes d'une décharge publique. Un monceau de vaisselle sale traînait dans l'évier, la table était couverte de reliefs de nourriture avariés et le sol jonché de détritus divers : épluchures, arêtes de poisson, papiers gras, bouteilles vides, sacs-poubelle éventrés.

– Bon ! C'est pas tout ça. Il va falloir remettre de l'ordre.

Il jura un bon coup.

Sam Wood était un sexagénaire corpulent. En ces temps sophistiqués, les obèses faisaient partie de la catégorie de ceux qui ne pouvaient pas ou ne désiraient pas se payer la pilule « *fats hunter* », dont faisaient usage les adeptes de la minceur. Wood se moquait de son apparence comme de sa première couche-culotte. Seul son regard bleu pétillant de malice méritait le détour. Quant au reste ? Sous une tignasse gris-roux, il avait la trogne congestionnée des amateurs de boissons fortes, un nez épaté logé entre des bajoues tremblantes, des lèvres épaisses et luisantes émergeant d'une barbe touffue comme un atoll du Pacifique. Le personnage était un tantinet simiesque. Citoyen européen natif de Dengigh, Pays de Galles, il avait connu la gloire littéraire. Par la suite, devenu un *has been* de l'édition, il avait sombré dans le tabagisme et l'alcoolisme.

Son roman, *Sniper*, avait fait le tour du monde. Trois millions d'exemplaires vendus en un an. Virtuose de la langue, son auteur tirait sur tout ce qui bougeait. A l'époque, les critiques l'avaient baptisé le « Céline du vingt et unième siècle ». A Céline il préférait Shakespeare, Henry Miller et ce vieux renard de Burgess. Il lisait et relisait *Les Puissances des Ténèbres*. Sam devait également sa renommée à un essai bouffon, *Potatoes Melody*, traduit en français « Éloge de la patate ». Wood considérait la pomme de terre comme le seul légume digne de respect : à l'instar des êtres humains, toutes les pommes de terre diffèrent. Trois cents pages de frénésie philosophico-potagère chantaient les mérites de ce tubercule. Tous les snobs tombèrent dans le panneau. Un triomphe. *Poltergeist* lui acquit une réputation d'immoraliste. Les détracteurs de l'Église catholique, notamment ceux qui la créditaient de machiavélisme, firent leurs choux gras de sa biographie romancée de Giordano Bruno, un dominicain brûlé vif pour hérésie en seize cent : il avait en effet osé critiquer Aristote, courtiser Copernic et se fendre d'un brûlot érotique *Fureurs héroïques*. *Gay Tomato go*, une plaquette consacrée au caractère inverti de la tomate, fruit et légume, fut accueillie par un énorme éclat de rire. Puis, un jour, turlupiné par le démon de midi, l'inconscient s'enticha d'une danseuse de rock turinoise à laquelle il attribua naïvement toutes les vertus du paradis. « *Anno mirabili* », une cathédrale de mots édifiée à la gloire d'une greluche. Four retentissant. Le romantisme mièvre et ridicule de ce panégyrique rose bonbon déclencha les huées. Aux yeux de ses lecteurs, Wood avait commis une erreur impardonnable : il avait abandonné le style sarcastique qui lui attirait tant de sympathies. Il avait cinquante-deux ans. Sa « Garbo » le plaqua pour convoler avec un éditeur. Pendant les trois années que dura leur idylle, sourd et aveugle, intoxiqué comme un accro de « l'héroïne », il avait cru à la pérennité de son amour. Une déprime profonde le laissa prostré pendant des mois entiers. A la suite de cette expérience malheureuse, son inspiration tarit. Il avait perdu le rythme de son délire, sa « *vis comica* ». Quand d'aventure une bourgeoise salonnarde évoquait son nom, un facétieux ne manquait jamais d'ironiser : « A propos, comment se porte le défunt ? » En proie à la rage et au désespoir, Sam Wood vint s'enterrer à Frascati. La nemesis du talent étant la notoriété, lorsque celle-ci fut souillée, Wood décida de s'enterrer dans une villa à la campagne. Son univers se rétrécit aux quatre murs de la cambuse dans laquelle il végétait. Son immense fortune ne lui servait à rien. Aux temps de sa splendeur, il avait noté : « Le seul moyen d'être immortel, c'est de ne pas admettre la vieillesse, dès qu'on l'admet, on est mort. » Déshérité, il pourrissait à huis clos. Les citoyens de Frascati ignoraient que leur ville abritait le fameux Sam Wood, le « grand écrivain ». Son anonymat resta protégé jusqu'au matin où Remio Videgarai, chroniqueur mondain avant de passer aux affaires criminelles, débarqua chez lui. Comment avait-il retrouvé sa trace ? Sam ne s'en inquiéta jamais. En pleine phase nostalgique, il accepta une interview. Instantanément, il fut séduit par la fougue chaleureuse du joyeux journaliste. Peu lui importait que l'article révèle sa présence à Frascati : il s'était lié d'amitié avec Remio. Ils se virent régulièrement. Le jeune oxygénait l'existence du vieux. Wood admirait ce play-boy aux allures décontractées. Son aisance à survoler les événements sans jamais s'enliser dans les marécages de la planète des singes lui assurait une liberté enviable. Du champagne millésimé ! Aussi Wood ne lui refusait-il rien.

Sam consacra sa matinée à nettoyer, à ranger, à charrier des poubelles. Il rinça abondamment les dalles noires de la cuisine et décrassa le plancher du séjour. Après son passage, la chambre d'hôte du premier étage lui parut méconnaissable. Malgré la fraîcheur extérieure, il ouvrit les fenêtres afin d'évacuer les relents qui empuantissaient l'atmosphère. A midi, complètement harassé par ces travaux exceptionnels, rasé, douché, il revêtit une tenue décente : chemise à carreaux, jean délavé, baskets troués.

Remio arriva vers deux heures de l'après-midi. Une jeune femme l'accompagnait.

– Sam, voici Giannalia.

– Délicieuse petite, graillonna l'hôte du lieu en aspirant une bouffée de son cigare.

Elle le toisa avec dégoût comme s'il était un insecte répugnant. Il tenta de rattraper sa bévue.

– Entrez. Vous êtes chez vous.

– C'est très aimable à toi, Sam, d'accepter d'héberger Giannalia dans ton palace. Phonation rien moins que naturelle.

– Avez-vous déjeuné ?

– Ne te dérange pas pour nous. Nous nous sommes sustentés à Pérouse. En temps normal, Remio aurait dit « bouffer » ou « casser la graine ». Il s'exprimait le petit doigt en l'air.

– Quel ordre ! Quelle propreté ! s'écria-t-il avec une stupéfaction non feinte en pénétrant dans l'antre de Wood. J'avais prévenu notre amie qu'elle tomberait dans un souk. Tu as dû trimer pendant des heures, mon pauvre, pour obtenir un résultat aussi impeccable ?

Sam affecta l'attitude du petit garçon surpris en maraude.

Giannalia mit fin à ce théâtral échange de répliques prévisibles. Elle siffla d'une voix venimeuse.

– C'est dans cette infection que je vais devoir vivre ! Pour qui me prenez-vous ? apostropha-t-elle Remio.

Sam la regarda. Une cavale rebelle. Abondante chevelure charbon. Visage léonin d'une pâleur de primevère. Front bombé. Yeux marron flamboyants, un rien fuyants. Nez fripon. Bouche large. Lèvres couleur cerise. Taille moyenne. Poitrine conquérante. Boucles d'oreilles à grandes pendeloques. Elle était vêtue d'une courte veste en jean ornée d'un fennec dont les pattes lui pendaient dans le dos, d'un tee-shirt bleu lavande, d'un pantalon fuseau moulant gris luminescent, de bottillons blancs. Délicatement fardée et parfumée dans les tons sobres. Les poings enfoncés dans ses poches, elle se tenait raide, ce qui la faisait paraître plus élancée. De toute sa personne émanait une aura d'insolence, d'entêtement, d'inflexibilité mais, en même temps, de fragilité. « Une biche aux abois qui affecte des airs de panthère », pensa-t-il. « Visiblement, elle vient contrainte et forcée. »

– Je continue à ne pas comprendre pourquoi vous m'amenez dans cette masure infecte.

Elle agressait Remio sans retenue.

« Et aimable, de surcroît. »

Remio plaida patiemment.

– Mon oncle vous l'a expliqué. Vous êtes ici pour votre sécurité.

– Je ne suis pas en danger. Ce n'est pas parce que trois bonnes femmes se sont fait trucider que vous avez le droit de m'enfermer. Vous savez ce qu'elle vous dit ma sécurité ?

« Et polie en prime ! »

– Je vous l'ai répété. Elles ont eu les mêmes visions que vous. C'est la cause évidente de leurs assassinats. Vous n'êtes nullement enfermée comme vous le prétendez. Nous souhaitons vous protéger.

Au bord de la crise de nerfs, elle tapa du pied.

– Qui plus est, vous ne croyez pas à mes visions, ni vous, ni votre Cardinal. Vous êtes odieux. Je vous déteste.

Elle éclata en pleurs. Remio se fit conciliant.

– Il est normal qu'on vous interroge dans ces circonstances.

– On m'a déjà interrogée mille fois. Le curé, l'évêque, les journalistes. J'en ai marre. Vous entendez. Marre. Cela suffit ! J'ai vu comme je vous vois. La Vierge m'a parlé. Des tas de gens m'ont crue. Évidemment, ça fait des jaloux. On voudrait bien m'enfermer dans un asile. Vous êtes tous les mêmes, les hommes : dès qu'une femme sort du rang, les phallocrates se déchaînent.

– Si les autres ont été tuées, pourquoi ne le seriez-vous pas à votre tour ?

– Je n'en sais rien. Je m'en moque. Demandez aux flics.

– De grâce, Giannalia, soyez raisonnable. Nous n'agissons pas à la légère. On en veut à votre vie. Sam est un ami. Il veillera sur vous.

– Non content de m'enlever, vous avez terrorisé mes parents.

– Vous êtes injuste. Ils ont consenti à ce qu'on vous mette en lieu sûr. Ils sont plus sages que vous.

Wood observait la passe d'armes avec un intérêt d'entomologiste. Il jugea opportun d'intervenir.

– Allons, mademoiselle, ne vous faites pas plus forte que vous n'êtes. Vous êtes en péril. Nous ne cherchons qu'à vous tirer de ce mauvais pas. Acceptez ma modeste hospitalité. Ma maison n'est pas luxueuse, mais elle a l'avantage de la discrétion. Votre séjour ici est temporaire. Je suis persuadé que vous retrouverez rapidement votre liberté de mouvement.

Il l'exhortait avec douceur. Giannalia le dévisagea pendant quelques instants. Jugeant sans doute qu'elle n'avait rien à redouter de cet ours mal léché, elle céda.

– D'accord. Je reste. Mais n'imaginez pas que ce soit de gaieté de cœur. Loin de là.

Elle enchaîna aussitôt, histoire de s'affirmer.

– A quoi vais-je bien occuper mes loisirs dans cette baraque ?

– La maison est remplie de livres, répondit Sam.

– J'ai horreur des bouquins.

– Vous vous y mettrez. Vous verrez, c'est passionnant.

Remio enchérit :

– Comme je vous l'ai raconté, Sam est un grand écrivain. Il vous initiera à la littérature. Dites-vous que vous suivez un séminaire.

– Un séminaire ! Comme vous y allez. Évidemment, il ne me sera pas permis de sortir.

– Ce ne serait guère prudent. Personne ne doit soupçonner votre présence à Frascati.

– Et mes études ? Vous avez pensé à mes études ?

– Vous les reprendrez plus tard. Nous aviserons l'université que vous êtes malade.

– C'est vous qui êtes malade.

Remio amorça son départ, afin d'éviter que la discussion s'avive de nouveau.

– Il est impératif que je regagne Rome au plus vite. Je vais monter vos bagages dans votre chambre.

Il sortit sans attendre sa réaction.

Sam le rejoignit. Lorsqu'ils furent à l'abri du coffre ouvert, Remio murmura.

– Prends ceci. Il lui glissa un revolver. Tu sais t'en servir ?

– J'ai su. Ne te fais pas de mouron. Je me débrouillerai. Cela dit, c'est pas un cadeau, ta Bernadette Soubirous. Si je m'attendais à loger une telle vachasse.

– Pardonne-moi, Sam, mais tu es le seul en qui j'ai une confiance totale. Tu connais l'enjeu. Apprivoise-la. Essaie d'en apprendre davantage sur ses pseudo-visions. A-t-elle touché de l'argent ? Voici le nouveau numéro de mon portable. Tu peux me joindre à tout moment. Je te contacterai de nuit. Bonne chance. Ne te fie à personne.

– Compte sur moi. Somme toute, cette histoire m'apporte de la distraction. Je n'ai pas souvent l'occasion de m'amuser.

Giannalia se tenait sur le pas de la porte, hiératique comme la statue du Commandeur.

– C'est pas bientôt fini ces messes basses !

Jean XXIV avait convoqué ses principaux conseillers dans la salle des Congrégations située au deuxième étage du Palais Apostolique.

Le cardinal secrétaire d'État Emilio Pelligrini était un pur produit de la curie. On disait de lui qu'il était sorti vieux du ventre de sa mère. Grand, sec, émacié, une physionomie morne comme un soir de novembre. Entré au séminaire comme d'aucuns s'engagent dans l'armée, il avait accepté la discipline de l'Église en fidèle serviteur d'un État totalitaire. Membre de l'Opus Dei, il dirigeait son département avec la bonne conscience de ceux qui estiment la hauteur de leur position comme une garantie de la vérité qu'ils proclament. Subtil négociateur, rompu à la navigation par gros temps, il appliquait une politique étrangère fondée sur la pérennité de l'Église et une foi monolithique et n'hésitait pas à utiliser des procédés inavouables.

Beaucoup d'observateurs considéraient le cardinal camerlingue Gianluca Fumagalli comme le futur successeur du présent pontife. C'était un prélat à l'allure aristocratique. Les tempes dégarnies, le visage anguleux, le regard froid, il ne laissait personne indifférent. Travailleur infatigable, pétri de science, supérieurement intelligent, polyglotte avéré, réputé ouvert, il administrait l'IOR (l'Institut pour les Œuvres de Religion), plus communément appelé banque du Vatican. Cet habile gestionnaire était un champion de la prolepse : lors d'un synode récent sur l'appauvrissement du Vatican, il avait fait approuver une motion prévenant toutes les objections qu'on aurait pu lui adresser. Non dénué d'ambition, ce prince de l'Église, austère, caustique, taciturne, entourait sa personne d'un épais brouillard. Ses lèvres fines semblaient scellées comme s'il détenait la clé de bien des mystères. Ses collaborateurs le surnommaient « le Sphinx ». Il connaissait les secrets d'un État qui employait deux mille fonctionnaires. Il possédait un dossier sur chacun d'entre eux. De là à imaginer qu'il pratiquait une forme de chantage, il y avait de la marge. Auteur d'un essai sur la kénose, rejet de l'idée d'une société régie par le sacré, il avait rassuré ceux qui appréhendaient « une reprise en main ». On savait également qu'il s'occupait de marginaux ; il en logeait même dans son palais.

Il jouissait donc d'un respect ambigu et unanime. Un papabile tout à fait acceptable.

Le Préfet pour l'Évangélisation des peuples, l'Ukrainien Boban Babuski, était d'un tout autre acabit. Fils d'agriculteur, massif, courtaud, presque carré, il avait gravi tous les échelons de la hiérarchie avec une agilité surprenante. Avec sa tête taurine, son cou épais, ses grandes mains, ses yeux porcins, il s'apparentait davantage à un docker qu'à un cardinal. Homme de terrain, de contacts, il présentait une apparence rondouillarde et avait des manières frustes qui éveillaient la sympathie. S'il dégoulinait de bienveillance, s'il opinait d'un air patelin aux requêtes de ses interlocuteurs, il n'en était pas moins retors. Les plus lucides, qui le traitaient de « Talleyrand du Vatican, de merde dans un bas de soie », n'étaient pas dupes de ses mimiques prometteuses de beaux jours. « Ne lui tournez jamais le dos, affirmaient-ils, vous vous exposeriez à un coup de dague. » Au contraire de Fumagalli, qui laissait courir les rumeurs sur son éventuelle accession au trône de Pierre, Babuski ne cachait pas sa soif de pouvoir. En campagne électorale permanente, il agrémentait ses slogans démagogiques de tonitruants éclats de rire. Avait-il la foi ? En lui, assurément. En Dieu... c'était plus aléatoire. Un outsider rôdant à la frontière du recommandable.

L'évolution des mœurs avait amené la curie à introduire une femme dans son état-major. Pour qu'une femme soit admissible au Vatican, il convenait qu'elle ait la dégaine la moins féminine possible. Une brioche dorée aurait déplu. Janice Bergen, Préfète pour la Condition féminine, en bonne théologienne américaine, avait milité de nombreuses années pour que la femme, la religieuse en particulier, cesse de jouer un rôle exclusivement subalterne dans l'Église. Même si certaines de ses consœurs exerçaient le sacerdoce avec l'accord tacite des autorités, qui ne se décidaient pas encore à officialiser une situation irréversible, elle-même n'était ni femme-prêtre, ni « cardinale ». Elle avait été nommée récemment à ce poste et ses pairs la jugeaient donc inoffensive. « Promouvons-en une que nous musellerons », avaient-ils déclaré en concédant sa nomination face à la pression du deuxième sexe. L'aspect extérieur de Janice Bergen pouvait donner à penser que leur choix était le bon : mince, élancée, elle dissimulait ses formes sous des tailleurs stricts. Son visage sévère et délicat disparaissait derrière de grandes lunettes et une chevelure blond cendré nouée en chignon achevait d'en faire une allégorie de la chasteté. Âgée de quarante et un ans, toujours vierge, elle considérait le mariage comme une entrave à sa vocation. Mais sous des dehors de chaisière de luxe somnolait une âme passionnée.

Le Jésuite Hans Meyer dirigeait l'*Osservatore romano*. Cet hebdomadaire n'avait plus bonne presse, il ne tirait qu'à vingt mille exemplaires. Sa devise « *Unicuique suum* » pâlissait autant que son audience. Meyer, blasé, ne se faisait guère d'illusions ; toutes ses tentatives pour moderniser l'*Osservatore* avaient échoué. Réduit à l'unique voix de son maître, l'organe du Vatican ne serait jamais un journal d'opinion. Comme la défunte *Pravda*, il était donc condamné à disparaître. Son directeur enrageait d'être contraint de reproduire les encycliques, les brefs, les bulles, les discours creux des apparatchiks pontificaux, de publier des mensonges, de diffuser des informations insignifiantes. Il rêvait de démissionner pour se consacrer à d'autres tâches, mais le Général des Jésuites, le pape noir, Gustav Kremer, s'y opposait au nom de la « sainte obéissance ». Hans Meyer n'avait pas d'âge ; petit de taille, il était tout le portrait de l'intellectuel triste, grandi dans la pénombre des bibliothèques. Comme maints confrères de la Compagnie, il vivait à âme feutrée. Il avait été un brillant psychanalyste avant de rejoindre les « bons pères ». Ceux-ci n'avaient d'ailleurs pas jugé bon de mettre à profit des compétences dont ils se méfiaient : Freud et la foi n'étaient pas compatibles à leurs yeux. Pourtant, dans d'autres régions du monde, des Jésuites pratiquaient cette discipline avec la bénédiction de leurs supérieurs. Deux poids, deux mesures. Hans Meyer se diluait dans la mélancolie. En cercle fermé, il ne se privait pas de dénoncer la mauvaise foi, l'obscurantisme, la bonne conscience des commanditaires de l'*Osservatore*. Amer, bougon, résigné, il attendait sans trop y croire un changement radical de la politique médiatique de l'Église.

Après avoir excusé l'absence du cardinal Doyen, indisposé, le Saint-Père annonça une communication importante du cardinal Videgarai.

Giuseppe Rossi avait succédé au pape polonais à la fin du siècle dernier. Succession épineuse. Son prédécesseur s'était aliéné pas mal de catholiques. Il avait gouverné en autocrate. Son culte de la personnalité, ses voyages spectaculaires, ses interventions dans les affaires temporelles avaient régulièrement irrité. La nomination d'évêques « sûrs » et la destitution de pasteurs trop libéraux avaient scandalisé. Son oblitération des acquis du concile Vatican II, son intransigeance en matière de morale sexuelle, ses condamnations de théologiens, son attitude ambiguë à l'égard des femmes, sa sympathie pour l'Opus Dei avaient indigné. S'il était incontestablement un homme de Dieu, droit et sincère, inquiet de l'évolution des mœurs et de l'avenir du monde, la souplesse et la psychologie lui avaient fait défaut. A la fin de son pontificat, l'Église connut une crise majeure sur fond de contestation, d'abandon de la foi, de chute des vocations, de dissidences. Une situation catastrophique.

Le conclave, bien qu'il fût composé de créatures du défunt pape, s'empressa, au troisième tour de scrutin, d'élire un pontife très différent de son terrible devancier. Giuseppe Rossi, archevêque de Gênes, était un petit homme malingre et nerveux. Le contraste qu'il offrait avec Jean-Paul II le rendit populaire. Quelques semaines après l'avènement du nouveau pape, les catholiques se mirent à espérer que ce dernier serait l'artisan du renouveau. Cependant, ce Calabrais, plus roué que clairvoyant, au lieu d'entreprendre des réformes, chercha surtout à plaire tout en ménageant les susceptibilités d'une curie encore influente. Même s'il nomma quelques hommes larges d'esprit à des postes clés, tel Marchangelo Videgarai, il manquait d'envergure ; l'ancienne nomenklatura se maintint. Tant et si bien que la bureaucratie vaticane sabotait systématiquement les initiatives du Saint-Père. La guerre des clans sévissait, la plupart des acteurs s'évertuant à contrecarrer les manœuvres des uns et des autres. La chienlit. L'encyclique « *Conscientiae libertate* » sur la contraception et l'avortement fut publiée trois ans après que Jean XXIV l'eut signée. Le mariage des prêtres ne fut autorisé qu'en deux mille dix-sept quand même le pape, étant donné le tarissement des vocations, en avait fait une priorité dès l'aube de son pontificat. Par ailleurs, il se montrait intraitable sur tout ce qui touchait à la doctrine. Quant au faste ecclésiastique, si décrié, mais si cher à nombre de mitrés, il n'en débarrasserait pas l'Église de sitôt, malgré les dépenses somptuaires que cela impliquait. Le Vatican s'était appauvri au point que les fins de mois s'annonçaient de plus en plus difficiles. A plusieurs reprises, le personnel du Vatican n'ayant pas été payé, des grèves sauvages éclatèrent. De nombreux bureaux du Palais Apostolique étaient inoccupés faute d'avoir les moyens de procéder au remplacement de ceux qui partaient. Cette politique chaotique avait malgré tout porté quelques fruits : des chrétiens avaient réintégré le troupeau, l'espoir d'une Église plus humaine s'étant réveillé. Les malheurs de l'époque ramenaient les hommes vers Dieu. Paradoxalement, ce furent les séminaires et les monastères les plus traditionalistes qui bénéficièrent de cette légère avancée. Certains cardinaux préconisèrent la tenue d'un concile, mais le Pape s'y refusait par crainte des affrontements inextricables qu'une telle assemblée aurait immanquablement provoqués. Alors que Jean XXIV tergiversait, soufflant le chaud et le froid, l'opposition se resserrait. Le Doyen du Sacré-Collège, Paolo Dezza, en était l'âme, la canonisation de Jean-Paul II servant d'alibi aux menées des nostalgiques de l'intransigeance. Ces derniers brocardaient le laxisme et les atermoiements d'une autorité d'autant plus vulnérable qu'elle n'avait pas de réelle ligne de conduite. Donc, malgré quelques progrès, l'Église n'avait pas refait son unité. La tunique sans couture se déchirait insensiblement. Les incidents se multipliaient depuis deux ans : lieux du culte saccagés, religieux et fidèles molestés, lettres anonymes, intimidations. Un franciscain marié fut castré. L'éditorialiste d'un journal conservateur y vit la main de Dieu châtiant le profanateur. « Satan s'active, resterons-nous les bras croisés ? » Le Pape balançait sur les mesures à prendre ; les uns lui recommandaient d'user de la force, les autres de faire preuve de patience. Le cardinal Videgarai, notamment, l'incitait à se montrer plus ferme. Mais Jean XXIV, plus manœuvrier que décideur, miné par une santé défaillante et par l'âge – il était octogénaire – louvoyait au gré des avis divergents.

En cette année deux mille vingt, alors que l'Église périclitait, l'affaire des voyantes assassinées tombait au plus mal.

Un long silence accueillit le rapport du Préfet de la Congrégation pour la Doctrine de la Foi. Le moment de surprise passé, Fumagalli prit la parole.

– Si je vous entends bien, Éminence, une des voyantes serait encore en vie ?

– Giannalia Baldato, ainsi que je vous l'ai notifié.

– Tout a-t-il été prévu pour assurer sa sécurité ?

– Tout ce qui est humainement possible. Vous comprendrez aisément que je taise le lieu où elle se cache.

– Vous n'auriez pas confiance en nous ?

– Une entière confiance. Mais ne vous arrive-t-il pas comme à chacun de nous, Éminence, d'être... comment dire... distrait ?

Sourire suave.

Le Pape intervint :

– Nous ne vous reprochons rien, Éminence. Vous agissez sagement. Mais comment interprétez-vous ces tragiques événements ?

– Nous en sommes réduits aux hypothèses, Très Saint-Père. Ces crimes peuvent avoir été perpétrés par un déséquilibré, mais je n'y crois guère. Un désaxé laisse des traces, cherche à donner une publicité à ses actes et surtout, ne paie pas ses futures victimes. Une secte alors ? Mais quel mobile la pousserait à attirer ainsi l'attention ? Cette piste n'est pas à écarter, il existe des sectes à prétentions mondialistes. Même si on peut s'attendre à tout de la part d'adeptes fanatiques, je ne les vois cependant pas se livrer à des gestes apparemment gratuits : ce n'est pas de cette manière qu'on ébranle une société, mais de préférence en semant la terreur. C'est pourquoi je m'orienterais vers une autre direction.

– Du côté des intégristes ? suggéra Hans Meyer.

– Jusqu'à preuve du contraire, aucun élément concret ne nous habilite à les accuser, mais c'est sans doute la supposition la plus sérieuse.

– Qu'est-ce qui vous rend si affirmatif ? s'enquit Pelligrini.

– Voilà des femmes habitant des régions très éloignées les unes des autres et qui reçoivent pareillement des messages de la Vierge. Qu'annoncent-ils ? La fin du monde, plus précisément la fin des impurs. Qui sont-ils ? Moi, vous, le peuple de Dieu, c'est-à-dire les modérés de la chrétienté. Qui sont les purs ? Les intégristes, bien entendu, qui se définissent comme les seuls dépositaires authentiques de la foi.

– Mais, pourquoi tuer ces femmes ? dit Fumagalli.

– Si, comme je le subodore, ces visions suivies d'assassinats font partie d'un plan de déstabilisation de l'Église, voire d'un complot dont le but serait de prendre le pouvoir politique et religieux, ils s'expliquent. On supprime ces femmes afin de médiatiser leurs messages ou de les museler.

– Et on fait d'une pierre deux coups, murmura Janice Bergen.

– Qu'entendez-vous par là ? demanda Babuski.

– Ceci. Qui aurait eu intérêt à faire disparaître ces malheureuses ? Nous, bien sûr ! Nous, je veux dire le Saint-Père, le Sacré Collège. Pourquoi ? Afin d'accréditer la thèse que nous tenons à les faire taire définitivement. D'une pierre deux coups : médiatisation, comme l'arguait Son Éminence, et imputation d'infamie à l'égard du Saint-Siège.

Videgarai hochait la tête en signe d'approbation. Les autres affichaient des mines stupéfaites.

– Qui serait l'Odieux Dévastateur ? interrogea Pelligrini.

– Le Saint-Père, évidemment, répondit Janice.

– Le Saint-Père, sans aucune hésitation possible, confirma Videgarai.

Jean XXIV, livide, balbutia.

– Mais pour quelle raison ?

– Parce que, selon leur point de vue, Votre Sainteté s'est détournée de la vraie foi.

– Mais... Mais... Vous divaguez. Personne n'oserait s'en prendre au Pasteur de l'Église. Ce serait un monstrueux sacrilège.

– L'histoire démontre le contraire. Souvenez-vous d'Albino Luciani. Quand il a voulu éplucher la comptabilité du Saint-Siège, ses meurtriers n'ont pas reculé devant le sacrilège.

– Le crime n'a jamais été prouvé.

Rouge de colère, Jean XXIV tremblait de tous ses membres. Videgarai ne se laissa pas impressionner pour autant.

– Vous savez comme moi que l'affaire a été étouffée. La curie de l'époque s'était même opposée à ce qu'on pratique une autopsie. S'il s'agit d'un faux bruit, cela n'a pas empêché beaucoup de gens d'y croire, même des ecclésiastiques haut placés ont estimé la thèse de l'homicide plausible. Et sitôt qu'un événement s'avère plausible, il devient réalisable.

Le Pape était atterré par la logique du cardinal. Fumagalli se montrait sceptique.

– Laissons de côté des faits invérifiables. En ce qui me concerne, l'affaire présente me paraît rocambolesque. Si des détraqués fomentaient un complot, il y a belle lurette que nous en serions informés. Nos services nous auraient avertis. J'inclinerais plutôt pour un psychopathe. Notre société désaxée génère un bon nombre de pareils individus.

Fumagalli exerçait une grande influence sur ses collègues. Pelligrini et Babuski opinèrent. Hans Meyer s'adressa à Videgarai.

– Depuis le début de la discussion, Éminence, je vous sens convaincu de la thèse d'une conjuration. Sur quels éléments l'étayez-vous ?

Videgarai fixa le Jésuite un court instant avant de lui répondre.

– Votre impression est bonne, mon Père. Sur quoi je me base ? Tout d'abord, le contenu des messages : si le Seigneur se manifestait, il ne s'exprimerait pas ainsi, vous en conviendrez. Par ailleurs, ces femmes n'ont pas inventé ces messages, c'est clair, on les leur a donc soufflés. Dans un même temps, les intégristes se démènent, défiant de plus en plus ouvertement l'autorité du Saint-Siège qu'ils rendent responsable de tous les maux. Leurs déclarations retentissantes ne diffèrent guère des messages des voyantes. Il semblerait qu'ils sont sur le point de lancer une attaque décisive. Les masques tombent. On ne brûle ses vaisseaux que quand on a de bonnes raisons pour le faire. Ils sont en train de passer de la guérilla à l'insurrection. De nombreux signes convergent : atteintes aux personnes physiques, menaces par voie de presse, vaticinations télévisées, films, prolifération d'une littérature apocalyptique, occupations d'églises. Personne n'entreprendrait un tel tir de barrage sans se préparer à l'assaut. Vous ne pensez pas, mon Père ?

Hans Meyer mâchonnait un crayon.

– Je veux bien vous suivre, Éminence. Cependant nous avons de nombreux correspondants à travers le monde, y compris dans la République islamique. Jusqu'à présent, nous n'avons pas recueilli l'ombre d'un indice allant dans le sens que vous présupposez. Les incidents que vous évoquez ne sont pas neufs.

Videgarai sourit.

– Je ne doute pas une seconde de la fiabilité de votre réseau d'information, mon Père. Mais, au risque de vous sembler alarmiste, je me permets d'insister ; ce qui se passe est préoccupant. Ce n'est pas parce qu'un secret ne transpire pas qu'il n'existe pas. Ce que vous dites me conforterait plutôt dans mon idée. Un complot se trame. Il n'est pas l'œuvre d'un groupuscule d'illuminés, mais d'une organisation puissante et déterminée.

Très calme, il se tourna vers le Pape :

– Il faut agir, Votre Sainteté. Demain, il sera peut-être trop tard.

Jean XXIV, au comble de l'énervement, rétorqua.

– Agir, Éminence. Mais comment ? Je ne me vois pas ameutant l'opinion, alertant la police. Je me ridiculiserais. Je suis d'accord avec le Camerlingue. Ces meurtres sont l'œuvre d'un malade mental. Qu'allez-vous imaginer ? Des hordes sauvages envahissant le Vatican ? Insensé. Je suis sidéré par vos théories extravagantes. Vous nous avez habitués à plus de sagesse et de discernement, Éminence.

A mesure qu'il laissait parler son exaspération, le Pape se reprenait. Visage de marbre, lèvres serrées, menton saillant, l'air buté. Un récif sur lequel se briserait n'importe quel argument. Vieillard obstiné, il préférait le confort présent à un avenir incertain.

Janice Bergen fit une ultime tentative :

– Nous ne pouvons demeurer passifs, Votre Sainteté. A supposer même que Son Éminence se trompe, le pire ne doit-il pas être envisagé ? N'est-il pas plus avisé de prévenir un danger, fût-il imaginaire, que de faire l'autruche ? Il est plus facile de revenir en arrière, si rien ne se produit, que de réagir une fois le mal fait. Permettez au moins à Son Éminence de poursuivre son enquête. Qu'aurions-nous à y perdre ?

– Vous venez de décrire la paranoïa, Madame, grommela Fumagalli.

Videgarai dévisageait paisiblement le Pape. Celui-ci céda :

– Tout en étant persuadé, Éminence, que vous allez gaspiller un temps précieux, je consens à ce que vous poursuiviez votre enquête. Mais *ufficioso, non ufficiale*. Je ne veux pas de scandale. Pas de gros titres dans la presse.

Videgarai s'inclina.

– Si vous le souhaitez, Éminence, proposa Hans Meyer, je mettrai mes services à votre disposition.

Videgarai le remercia d'un sourire.

Jean XXIV se leva. Les autres l'imitèrent, la réunion était terminée. Parvenu à la porte de la salle des Congrégations, Fumagalli s'effaça pour laisser passer Videgarai.

– Bonne chasse, ironisa-t-il.

Celui-ci le remercia d'un geste brassant l'infini. Janice Bergen le rejoignit.

– Si je puis vous être utile en quoi que ce soit, Éminence, n'hésitez pas à m'appeler.

– Merci, Madame. J'aurai sans aucun doute besoin de vous.

L'Uccisore [8] était étendu sur un divan en Skaï vert. Les notes pimpantes et joyeuses d'une Sinfonia de Boccherini emplissaient l'air et réjouissaient son âme de truand. Lorsqu'il n'était pas en mission, il s'abandonnait aux délices de l'orgasme musical. Il soulevait son troisième verre de grappa verte lorsque le pictophone carillonna un accord parfait de Vivaldi. L'écran demeura sombre.

– *Pronto.*

– L'oiseau s'est envolé, prononça une voix sèche et déformée. Néanmoins, vous vous rendrez à Mengara. Vous éliminerez sa famille. Cela ressemblera à un accident. Elle devra bien sortir de sa tanière. Vous avez carte blanche sur les moyens.

– Tous les moyens ?

– Tous.

– Et si je la repère ?

– Comme les autres.

– Vous pouvez me faire confiance.

– Un acompte de cinq mille euro a été versé sur votre compte suisse ce soir.

– C'est très aimable à vous.

Fin de la communication.

L'Uccisore se frotta les mains. Depuis qu'il avait été engagé par son mystérieux correspondant, son niveau de vie s'était considérablement amélioré.

Le lendemain matin, dès l'aube, il se mit en route.

---

8. Assassin.

Cité du Vatican
Jeudi 21 janvier 2020

– Alors, Éminence, les avez-vous convaincus ? s'inquiéta monseigneur Cafarelli.

– Pas vraiment, Claudio. Pas vraiment. A l'exception de Janice Bergen et de Hans Meyer, les autres se sont raccrochés à la thèse du tueur fou.

– Vous leur aviez tout relaté dans le détail ?

– Je leur ai donné autant de précisions que possible sans toutefois faire référence à Remio et Sam Wood.

– Et nous nous inclinons comme des enfants de chœur ?

– Le Saint-Père a concédé que nous poursuivions l'enquête.

Cafarelli avait l'air hargneux du chien auquel on essaie d'arracher son os.

– Une indulgence, quoi ! C'est sa semaine de bonté ! Un tueur fou ! Comme ça les arrangerait ! Pas d'histoires ! Surtout pas d'histoires. Mais ça va leur éclater à la figure. Les... !

Il aurait voulu provoquer le Cardinal, mais celui-ci se taisait. Il se contentait de regarder son secrétaire en souriant.

– Je me fierais davantage à Janice Bergen, Éminence, reprit Cafarelli sur un ton mineur.

– Pourquoi, Claudio ?

– Parce que Meyer est un Jésuite.

Le Cardinal éclata de rire.

– Allons ! Claudio, tous les Jésuites ne sont pas des Machiavel comme vous le sous-entendez.

– Bien sûr ! Mais celui-là en est un. Il tourne en fonction du vent. Sans quoi, il ne serait pas directeur de l'*Osservatore*...

– Vous êtes excessif. Hans Meyer est un honnête homme. Je crois qu'il en a assez de ne pouvoir écrire ce qu'il pense. Si le Général des Jésuites le lui permettait, il démissionnerait. Mais, je suis d'accord avec vous. Prudence. Aussi l'utiliserons-nous comme disciple avant de le promouvoir au rang d'apôtre.

Un éclair de gaieté passa dans le regard de Videgarai.

– Vous ne seriez pas un tantinet jésuite, Éminence ?

– Quand c'est nécessaire, Claudio. Uniquement quand c'est nécessaire. *Ad maiorem Dei gloriam.*

Cafarelli poussa un soupir.

– Poursuivre l'enquête par nous-mêmes. Que pouvons-nous entreprendre ? Nous ne sommes pas équipés pour ce genre d'opération.

– Et moins il y aura de personnes dans la confidence, plus notre efficacité augmentera. Ce qui restreint notre champ d'action. Cependant nous avons obtenu un premier succès, Claudio, en empêchant un nouveau meurtre. D'un autre côté, en informant le Sacré Collège, j'éprouve la nette impression de m'être découvert. D'avoir fait le jeu de quelqu'un. C'était peut-être une erreur. J'aurais pu solliciter un entretien privé avec le Saint-Père, mais je craignais de l'affoler. J'ai donc préféré le mettre au courant en présence des autres. Il fallait les impliquer.

Le Cardinal réfléchissait tout haut.

– Si les comploteurs savent ce que nous savons, est-ce un avantage ou un inconvénient, Claudio ?

– Cela dépend de leur plan, Éminence. Si ces assassinats constituent une manœuvre sur un échiquier, le prochain coup sera dicté par notre réaction, quelle qu'elle soit, et ainsi de suite jusqu'à ce que... le Pape soit mat. Comme nos adversaires sont maîtres du jeu, c'est donc un avantage.

– Nous avons joué en escamotant Giannalia Baldato. Quelle pièce vont-ils déplacer maintenant ?

– Je gagerais un fou, Éminence.

Videgarai dévisagea Cafarelli avec anxiété.

– Un fou, Claudio. Je pense que vous avez raison. Ils doivent se découvrir, donc ils lancent un fou. Le jeu devient de plus en plus dangereux. C'est un risque à courir.

Une heure du matin sonnait au clocher de l'église Santa Maria dei Angeli. L'ombre de l'Uccisore se glissa silencieusement le long de la viale Corte. Maître dans l'art du déguisement, il avait adopté la dégaine d'un clochard : perruque poivre et sel pouilleuse, deux chewing-gums calés dans les joues, tenue loqueteuse. Pendant la soirée, il avait guetté ses victimes. L'un après l'autre, les membres de la famille Baldato avaient regagné leur domicile ; deux jeunes filles d'abord, le père ensuite. La mère avait fait une brève apparition lorsqu'un quidam s'était présenté à la porte. Le compte y était. Il examina la maison dans le détail, nota l'emplacement des portes et des fenêtres, et enregistra ces informations dans sa mémoire. Satisfait, il s'en fut.

A la dérobée, il revint à sa Matra stationnée deux rues plus loin. Du coffre, il retira une bouteille de gaz qu'il emporta. Les lumières qui s'étaient éteintes aux étages vers vingt-deux heures l'avaient assuré que chacun dormait. Il ne lui fallut que quelques secondes pour forcer la serrure et s'orienter vers la cuisine. Coup de lampe électrique. Jubilation. Le fourneau fonctionnait au gaz. Il fixa son dispositif. Aucun expert, si habile qu'il soit, ne réussirait à détecter l'origine du sinistre, tant sa bombinette était ingénieuse. Il était déjà au volant de sa voiture lorsqu'une explosion terrifiante ébranla le quartier. L'Uccisore n'avait aucun état d'âme. Il venait simplement d'achever le travail pour lequel on le payait. Il tuait avec la même conscience professionnelle qu'un médecin mettait à guérir. Tout en roulant vers Pérouse, il savourait les accents lyriques de la *Gran Partita* de Mozart.

– Enfin ! Remio. J'ai des tas de choses à te raconter. Figure-toi...
– Sam, écoute-moi. C'est terrible.
Le visage de Remio était grave et tendu.
– Qu'est-ce qui se passe ? Tu en fais une tête.
– Ils ont assassiné ses parents et ses deux sœurs.
Saisi par la nouvelle, Wood demeura muet. Remio lui-même paraissait tellement ému qu'il éprouvait de la peine à poursuivre.
– Cette nuit, leur maison a été soufflée par une déflagration.
– Ce n'est pas un accident ?
– Explosion due au gaz, disent les flics. Impossible de ne pas établir de relation avec Giannalia. La coïncidence est flagrante. Ils l'ont ratée. Ils éliminent donc sa famille pour la débusquer. C'est aussi limpide que monstrueux. Elle est près de toi ?
– Elle dort encore. Faut-il la réveiller ?
– Non. Surtout pas. Maintiens-la aussi longtemps que possible dans l'ignorance. Je redoute sa réaction. Comment va-t-elle ?
– Elle s'acclimate doucement. Ce n'est pas encore le grand amour, mais elle est moins agressive qu'au début. Elle s'est mise à lire. Cela dit, il est totalement utopique de vouloir lui soutirer autre chose que bonjour ou bonsoir. Mais évidemment, cette horreur va tout changer. Pauvre fille. Quels salauds ! Que faire ? Comment lui annoncer un truc pareil, Remio ?
– Lit-elle les journaux, regarde-t-elle la télé, lui as-tu donné une radio ?
– Pas de radio. Elle parcourt les journaux. Le soir, après le dîner, elle traîne devant la télé. Des conneries américaines. J'ai tenté quelques programmes plus intéressants, mais en vain. Au bout de quelques minutes, elle bâille et décampe sans péter un mot.
– Il n'y a plus de journaux. La télé est en panne. Tu me suis, Sam ?
Wood fourragea dans sa tignasse.
– Ça va être difficile à lui faire avaler, j'aime autant te le dire.
– Débrouille-toi. Invente n'importe quoi.
– Je vais essayer. Mais je ne garantis rien. Quand elle s'y met,

ça barde. J'ai déjà eu deux ou trois occasions de la voir à l'œuvre. Ce n'est pas de la tarte !

– La guerre est déclarée, Sam. Tu dois être plus vigilant que jamais.

– Depuis qu'elle est ici, je ne dors que d'un œil. Mais tu te rends compte qu'on ne pourra pas lui cacher indéfiniment la vérité.

– Il faut tenir jusqu'après l'enterrement. Si elle l'apprend, elle fera tout pour y aller et c'est ce qu'ils attendent. Je m'amène dans trois jours. Nous lui parlerons à ce moment-là.

– D'accord, Remio.

Décidément, cette histoire prenait une méchante tournure. Sam se mit en quête du revolver que Remio lui avait remis. Où l'avait-il donc fourré ? Dans le tiroir de sa table de nuit. Il se servit un grand verre de rye. « La vie, pensa-t-il, est une pure saloperie. » Du mouvement à l'étage lui apprit que Giannalia était levée. Il allait devoir se composer une attitude normale. « Pauvre chérie ! Quand elle saura, ça va sentir mauvais dans le landerneau. »

II

KYRIE, ELEISON

– Ils ont joué, Éminence.

– Oui, Claudio, comme vous l'aviez prévu, ils ont déplacé leur fou.

La voix du Cardinal tremblait d'émotion.

– J'ai commis une lourde erreur. Jamais je n'ai supposé qu'ils s'en prendraient à sa famille.

Son visage était livide, sous le choc. Des larmes perlaient au coin de ses yeux. Cafarelli le sentait sous l'emprise d'un séisme intérieur. Dieu sait si, à maintes reprises, les expressions infinies de la férocité humaine avaient été évoquées dans ce bureau. Confronté au mal, Marchangelo Videgarai manifestait la tristesse, l'indignation, jamais l'amertume, ni le découragement. Mais aujourd'hui, Cafarelli avait en face de lui un patron inconnu, révolté, écœuré, ulcéré. Le mal l'atteignait dans sa chair. Lentement, son émotion reflua sous le coup d'une rage froide.

– Cet acte atroce, impardonnable, est un *casus belli*.

– Le comble, Éminence, c'est que la police est déjà en train de conclure à un accident. Complicité ou incompétence ?

– Ils ne possèdent pas nos informations, Claudio. Aujourd'hui nous mesurons les adversaires que nous affrontons. Ils doivent se sentir forts, protégés, soutenus, faute de quoi, ils ne se seraient pas risqués à massacrer ces malheureux. Ce carnage sera vengé.

Il avait presque crié cette dernière phrase. Après un long silence, il reprit d'un ton plus posé.

– Avez-vous des nouvelles de Remio ?

– Votre neveu arrivera dans la soirée.

– Priez également Janice Bergen de se joindre à nous. Entretemps, j'aurai revu le Saint-Père et effectué une nouvelle tentative pour le convaincre. Mais je crains, hélas, qu'elle ne soit vaine.

– Nous ne recourons pas aux médias, au pouvoir politique, aux services secrets, Éminence ?

– Nous sommes peu crédibles, Claudio. Des indices, pas de preuves. Par ailleurs, ils ont dû infiltrer pas mal de milieux. Qui sait jusqu'où s'étendent les ramifications de cette machination ? Nous sommes peu nombreux, incompétents, mal armés, mais apparemment les seuls à les avoir repérés.

– Je ne comprends pas, Éminence, ce qui vous rend si affirmatif. Qu'est-ce qui vous fait croire à un complot d'envergure ?

– La conjoncture y est favorable : Jean XXIV n'est-il pas l'avant-dernier pape ? Vu son âge, il est nécessairement assez proche de sa fin.

– Vous ne prenez pas ces balivernes de Malachie pour argent comptant, Éminence ?

Cafarelli l'avait déridé. Il sourit.

– Pas plus que vous, Claudio. Mais d'autres y croient ou font semblant d'y croire. Les prophéties sont extensibles en fonction des intérêts de ceux qu'elles servent opportunément. Pour revenir à votre question, il y a donc la conjoncture, des indices congruents avec l'hypothèse du complot et enfin une intuition persistante. Si j'additionne les trois, j'obtiens une certitude morale.

– Pourriez-vous déjà mettre un nom sur les auteurs de ce complot ?

Le Cardinal éclata de rire.

– Je ne suis pas « *Deep future* [1] », Claudio. Je n'ai qu'un simple soupçon, mais récurrent.

Cafarelli perçut qu'il n'en dirait pas davantage. Il n'insista donc pas.

Janice, Remio et Claudio attendaient que le Cardinal prenne la parole. Ils le devinaient tendu, irrité, mais résolu.

– Le Saint-Père n'a rien voulu entendre. « C'est un accident, m'a-t-il répliqué. Pourquoi vous obstinez-vous à contredire la police ? Vous faites une fixation. » Il était déjà au courant, sa réponse était préméditée.

– Nous voilà bien isolés, Éminence. Sur qui pouvons-nous compter ? s'enquit Janice.

Videgarai fit mine de calculer sur ses doigts.

– Quatre, Madame. Un de plus que les mousquetaires, mais aussi nombreux que les cavaliers de l'Apocalypse.

Janice découvrait avec étonnement l'humour du Cardinal, qu'il n'avait guère l'occasion d'exprimer dans la solennité des réunions du Sacré Collège. D'autant plus que Jean XXIV était aussi désopilant que feu Pie XII. Elle s'en réjouit. « Le rire est le soleil de la conversation », pensa-t-elle.

---

1. *Note de l'auteur* : Le cardinal fait allusion à un ordinateur diseur de bonne aventure.

68

– Qu'en est-il de Giannalia, demanda Cafarelli en se tournant vers Remio.

Celui-ci résuma son entretien pictophonique avec Sam.

– Qui est Sam ? s'inquiéta Janice.

Remio le lui expliqua.

– L'auteur de *Sniper*. Quelle coïncidence ! J'ai détesté ce roman. Je trouve le cynisme trop facile et si peu constructif.

– C'est vrai, rétorqua Remio. C'est un bouquin d'homme.

– Pourquoi toujours ces distinctions sexistes, répliqua Janice remuée dans sa fibre féministe. Remio s'amusait.

– Je vous mets au défi, chère Madame, de courir les cent mètres en neuf secondes cinquante-neuf centièmes.

Janice s'apprêtait à rabrouer l'impertinent lorsque le Cardinal leva la main en signe d'armistice. Janice acquiesça d'un hochement de tête et maîtrisa son agacement.

– Je passe, monsieur le journaliste. J'en reviens à Sam Wood. N'est-il pas imprudent de laisser Giannalia chez cet homme âgé ? Déterminés, les tueurs finiront par trouver sa cachette. Comment Wood pourrait-il la protéger ?

– Elle est en lieu sûr. S'ils avaient eu connaissance de sa retraite, ils n'auraient pas massacré sa famille.

– Admettons que vous ayez raison. Ne devons-nous pas redouter d'autres actions criminelles ? Dès qu'ils constateront leur échec, ils entreprendront autre chose. Et puis comment se comportera Giannalia lorsqu'elle saura ?

Le Cardinal intervint.

– Nous ne pouvons écarter une telle éventualité, Madame. Mais la sauvegarde de Giannalia est prioritaire. Si la mort de ses parents est une tragédie, la sienne constituerait une perte irréparable : elle est notre unique lien avec la bande de conspirateurs. Peux-tu garantir sa sécurité absolue à Frascati, Remio ?

– Je le pense, mon oncle, même si je n'en jurerais pas. C'est affreux à dire, je compte sur l'impact de la mort des siens pour lui faire accepter qu'elle est la cible de tueurs impitoyables.

– Je suppose que tu vas assister à l'enterrement. Emmène quelques amis sûrs avec toi. Le ou les assassins seront présents. C'est une certitude.

– J'y serai, mon oncle, en compagnie de trois copains du journal auxquels je communiquerai l'indispensable.

– Merci. Nous risquons d'être entraînés dans une spirale de violence. Nous devons en être bien conscients. J'ignore jusqu'où tout cela ira.

Les têtes s'inclinèrent.

– Claudio, vous allez travailler sur ordinateur ; effectuez le relevé des hauts lieux intégristes, des communautés réelles ou virtuelles, des personnalités concernées ; dressez la liste des attentats, occupations d'églises de ces deux dernières années ; mentionnez avec précision les endroits, les noms, les dates, bref, tout ce que vous pourrez trouver. Faites-vous aider par madame Bergen et Hans Meyer bien qu'il soit jésuite. Remio, peux-tu t'arranger pour que le *Corriere* publie un ou une série d'articles concernant la menace d'un complot intégriste ? Pas d'allusions à nos voyantes. Il faut provoquer l'émoi dans la termitière. Peut-on se fier à ton directeur ?

– Carlo Mancini est un type bien. Noceur, râleur, tyrannique, mais honnête jusqu'au bout des ongles. Tu retournes le couteau dans la plaie, mon oncle : je paierais dix ans de salaire pour être l'auteur de ces articles. Évidemment, c'est impensable. Quelle poisse de s'appeler Videgarai !

– Tu auras ta chance plus tard. Quand tout sera fini, tu en tireras un best-seller.

Le regard du Cardinal s'éclaira brièvement d'une lueur malicieuse, mais très vite il redevint grave.

– Gardez confiance, conclut-il gravement.

Ils quittèrent le Palais Apostolique à pas lents, Cafarelli, l'iconoclaste, Janice, la féministe amidonnée, Remio, le play-boy. Ils auraient aimé y demeurer encore un moment. Marchangelo Videgarai avait embrasé leurs âmes ; ils avaient entendu leur annonciation.

L'Uccisore actionna le signal du pictophone.

– L'enterrement aura lieu à Mengara le vingt-cinq à dix heures. Vous y serez. Si elle se montre, vous achevez votre travail. Rendez-vous invisible. La police et des envoyés du Vatican seront certainement sur place.

– Et si elle n'est pas là ?

– Dans ce cas, vous rentrez chez vous et vous attendez mes instructions.

Fin de la communication.

« Si ça se trouve, pensa-t-il, telle que l'affaire se présente, j'ai du boulot pour un petit temps. » Il augmenta le volume de son PC. La gaieté simple et saine d'une sonate de Corelli le baignait d'une agréable torpeur. Il ferma les yeux. Son corps en suspension flottait dans une clairière à la fraîche verdure. Comme autrefois lorsque sa *mamma* le berçait en chantonnant une romance, il oscillait entre veille et sommeil. La musique, c'était sa drogue à lui.

Les quatre cercueils avaient été déposés sur un catafalque au centre du chœur de Santa Maria dei Angeli. L'église était comble. Proches, amis, voisins, notables, journalistes, curieux, on était venu de loin pour suivre les obsèques. Bien avant la levée des corps, un embouteillage monstre avait paralysé la ville. Depuis les visions de Giannalia, le nom de Baldato était connu et Mengara était devenu un lieu de pèlerinage. En déployant une pompe obsolète, la municipalité avait donné dans le kitsch : faune ensoutanée de noir, de rouge, de mauve se mouvant solennellement, comme si le mauvais goût était de mise lorsqu'on voulait honorer la Sainte Vierge. De la *tragedia dell'arte*. Les caméras de la télévision s'attardaient sur un suisse chamarré, une poitrine décorée, un grand uniforme. Pendant que s'étalait ce faste d'un autre âge, les commérages allaient bon train. Pourquoi la Vierge avait-elle permis ce carnage ? Pourquoi accomplir en faveur de la fille un miracle qu'elle refuse aux autres membres de la famille ? L'étonnement fut encore plus vif lorsqu'on s'aperçut de l'absence de la voyante. Beaucoup de citoyens s'étaient déplacés, certains même avaient pris une journée de congé, en prévision d'un événement inouï, pourquoi pas une résurrection des morts. Un plumitif recueillait les confidences d'une illuminée : la *piccola santa* n'aurait qu'une parole à prononcer et, tout comme Lazare sortant du tombeau, les défunts jailliraient de leurs bières. Mais hélas, elle jouait la fille de l'air. Que se passait-il ? Quelques rationalistes émettaient l'hypothèse selon laquelle Giannalia, présente dans la maison lors de l'attentat, n'avait pas survécu ; le clergé, en manque de merveilleux, avait subtilisé son cadavre. Une jeune femme au visage extatique, très entourée, soutenait avec obstination qu'elle avait vu l'âme de la martyre s'envoler vers le ciel. « Car c'est une martyre », témoignait-elle. Dans un tout autre registre, un dominicain qui avait réendossé la bure en raison des circonstances démontrait à grands effets de manche que Dieu en personne avait programmé cette catastrophe aux fins d'éprouver la sainteté de la voyante. A un Ave Maria de là, un politicien de gauche mentionnait la mafia : ces crimes constituaient un avertissement à l'Église pour non-paiement d'échéances. Vint le moment de l'homélie. Le curé évoqua longuement la pédagogie divine, incompréhensible aux hommes, mais conforme aux voies du Seigneur. « Toujours aussi impénétrables, ces fameuses autoroutes du paradis. Je ne serais pas autrement surpris qu'il y ait une inextricable pagaille à l'arrivée chez saint Pierre », confiait à son voisin un guignol prêt à rire de tout.

Remio observait ce cirque d'un œil torve. Bien que neveu d'un cardinal, il n'en était pas moins agnostique. Après un passage chez les Jésuites, il avait décidé que l'enseignement religieux ne reposait sur aucune base solide, mais ressortissait plutôt au prestige magique des mythes. Son oncle l'avait laissé libre de penser ce que bon lui semblait. Si Remio respectait les croyants sincères, il se gaussait de ceux qui se livraient à la comédie de la foi, comme c'était le cas aujourd'hui. Cependant, il se souciait moins du ridicule de cette cérémonie que de sa mission. Trop de monde. Comment dénicher des individus louches au milieu d'une telle cohue ? A l'instar de ses amis, il se déplaçait régulièrement. Un micro minuscule collé sur un bouton de chemise lui permettait de communiquer avec eux. Jusqu'à présent ils n'avaient repéré que des flics en civil. Pourtant, cela ne faisait aucun doute, ils étaient là, guettant leur proie.

Durant l'offrande, alors qu'il se tenait appuyé contre un pilier du transept nord, Remio eut soudainement son attention attirée par un petit vieux qui lui faisait face et qui dévisageait les membres de l'interminable procession. L'organiste jouait du Bach, semblat-il à Remio. Le petit vieux se comportait d'une manière étrange : tantôt il avait l'œil fixé sur ceux qui baisaient la patène, tantôt l'air égaré comme en état de ravissement. A certains moments, il se réveillait et se remettait à examiner les nouvelles têtes, à d'autres il déconnectait. Sans qu'il pût justifier son intuition, Remio sut que c'était un des tueurs. L'aiguille dans la botte de foin. Après l'avoir photographié, il se glissa dans la file des fidèles qui regagnaient leur place. « Le petit vieux, à droite de l'officiant. A distance. Faites gaffe. Pas de connerie. Je me goure peut-être, mais celui-là, il ne faut pas le lâcher, quoi qu'il arrive. »

« *In paradisum deducant te Angeli.* » Le cortège funèbre franchit le porche tandis que le tempo lugubre du glas cadençait la marche des porteurs. Une pluie fine tombait. Un à un, les cercueils furent glissés dans les corbillards recouverts de couronnes et de gerbes de fleurs. Leur dernier devoir accompli, les morts s'en allèrent vers leur demeure d'éternité, salués par les applaudissements d'une foule émue. Sur le parvis, le flot humain s'écoulait lentement. Bientôt, la place de l'église fut noire de monde. A peine le convoi disparu, les conversations s'animèrent ; le ton monta jusqu'à former une nappe sonore d'où émergeaient incidemment des éclats de voix, des éclats de rire. Le petit vieux sortit parmi les derniers. Il leva le nez vers le ciel, se coiffa d'un chapeau à larges bords et ouvrit son parapluie. Il s'engagea dans une rue latérale. Remio encouragea ses amis à ne pas le perdre de vue et alla récupérer au pas de course sa Fiat garée assez loin du centre-ville. Il n'y avait que deux accès à Mengara, soit le nord vers Gubbio, soit le sud vers Pérouse. Si c'était bien l'un des assassins, il y avait fort à parier qu'il soit venu de Rome. Malgré l'intensité de la circulation, Remio parvint au croisement d'où partait la route vers Pérouse. « Alors quoi, bordel ! Qu'est-ce que vous foutez ? » « On l'a paumé. » « Vous êtes vraiment des cons. » Silence navré. Furieux, le cœur battant, il se tint en embuscade sur une aire de parking. Il se rongea les sangs pendant un bon quart d'heure. Le petit vieux n'était peut-être qu'un inoffensif citoyen de Mengara. Il en était à se décourager, lorsqu'une Matra verte apparut dans son champ de vision. Il ne s'était pas trompé. Cette Matra sport ne concordait pas avec l'allure modeste du personnage. Plutôt un bolide pour les jeunes, les rupins ou les truands. Frémissant d'excitation, Remio attacha sa ceinture et s'élança à sa poursuite. « Je le tiens. Grouillez-vous. Direction Pérouse. Matra verte. Filez-moi le train. » « Compris, mec. On y va. » Bientôt, il aperçut la Volvo des copains sur son écran. La chasse s'organisait et promettait d'être palpitante. Bien qu'il n'eût aucune expérience dans l'art de la filature, il avait vu suffisamment de films policiers pour savoir qu'il convenait de garder une bonne distance entre lui et la Matra. « Nous sommes sur la bonne piste. Ne me serrez pas de trop près. » « D'accord, Sherlock. » Peu avant Pérouse, « le petit vieux » prit à gauche, la S75, vers Foligno. Certes pas le chemin le plus court vers Rome. Treize heures. Allait-il s'arrêter pour déjeuner ? Par bonheur pour Remio, le chauffeur de la Matra respectait scrupuleusement les limitations de vitesse. Si, d'aventure, la fantaisie le prenait de rivaliser avec un champion automobile, sa vieille guimbarde serait vite larguée. Mais sans doute ne souhaitait-il pas se faire remarquer par les radars omniprésents de la police routière. A quelques kilomètres de Foligno, la Matra bifurqua à droite et emprunta une route déserte. Remio était perplexe. Et s'il rentrait simplement chez lui ? Il semblait invraisemblable qu'un sicaire habitât un tel bled. Quoique... Remio était passablement inquiet aussi : les deux voitures qui se suivaient étaient aussi visibles qu'un nez rouge sur la face enfarinée d'un clown. Il ralentit. « On laisse aller. Sinon, il va nous repérer. » « OK, patron. » La Matra était stationnée sur la piazza della Libertà. Au premier coup d'œil, on se serait cru en plein *Cinquecento* ; des palazzi, une église baroque, au centre la statue en bronze oxydé d'une célébrité antique. Remio s'enfonça dans une ruelle et s'arrêta devant une droguerie. La Volvo l'imita. Bref conciliabule. « Qu'est-ce qu'on fait ? » « Magne-toi, Giuseppe, fonce. » Giuseppe Cirrea était un solide gaillard d'une trentaine d'années, champion d'informatique et commis à la rubrique sportive du *Corriere*. En quelques enjambées, il fut sur la piazza. Tandis qu'il en faisait le tour avec la mine d'un touriste affamé en quête d'un restaurant, ses pas l'amenèrent devant une trattoria dont il feignit de consulter le menu affiché à l'extérieur. Il entraperçut le « *vecchiotto* » attablé près de la fenêtre. Un garçon prenait sa commande. Giuseppe s'éloigna, l'air déconfit, comme si les prix dépassaient ses moyens. « Alors ! Tu l'as repéré ? » « Il bouffe, le pépère, pendant que nous on se les gèle. » Remio le calma. « Achetez-vous un casse-dalle vite fait. » Soudain, il s'écria : « As-tu noté sa plaque, Giuseppe ? » « Je n'y ai pas pensé. J'y vais. » Un instant plus tard, il rappliqua. « Roma, lança-t-il tout réjoui, on est dans le bon. » Remio acquiesça avec soulagement. Les deux autres l'entendirent à peine, tant ils étaient absorbés par la ration de pain et de mortadelle qu'ils tentaient d'avaler. « C'est du chewing-gum ce truc. Et maintenant, quelles sont les consignes ? », graillonna Roberto Brancardi, nerveux fluet, intellectuel un rien boutonneux, grand éreinteur de navets cinématographiques. « On reste peinards. Dès qu'il repart, on remet ça. » « Si c'est un professionnel, Remio, tu ne crois pas qu'il nous a déjà flairés ? » bredouilla Nino Bontempi, bon gros placide, bricoleur, échotier de son état, incurable éboueur (peu de poubelles romaines avaient de secret pour lui). « Je table sur la vanité de notre bonhomme. Ce genre de type est tellement persuadé de son immunité qu'il ne s'imagine pas se faisant pincer. Il considère son déguisement comme une encre sympathique », répondit Remio. Les trois compères s'esclaffèrent. « Tu lis trop de polars », se gaussa Cirrea. « C'est pas tout ça, reprit Remio, je vais me planquer dans une encoignure... » Ils l'interrompirent en chœur : « Un rastaquouère dans une encoignure. » « Vous pouvez toujours rigoler. Mais il est hors de question qu'il nous sème.

Sitôt que je vous fais signe, vous sautez dans votre bagnole. Vu ? » « On préférerait sauter autre chose qu'une bagnole », brailla Bontempi en tapant sur ses cuisses boudinées.

Une heure passa. Soudain Remio dégringola la ruelle et bondit dans sa Fiat. Brancardi leva le pouce en signe de connivence. Remio laissa la Matra prendre de l'avance avant de démarrer. Ils se retrouvèrent sur la route de Foligno. Ils contournèrent la ville ombrienne. Direction Terni. Des paquets de nuages assombrissaient l'atmosphère ; une pluie de plus en plus dense rendait la conduite malaisée. L'œil rivé sur la masse confuse de la Matra, Remio, tendu comme une corde de violon, ressentit le besoin impérieux d'une cigarette bien qu'il ait cessé de fumer depuis trois ans. La Matra projetait des trombes d'eau dans son sillage. Chaque fois que ses feux de position disparaissaient au détour d'un virage, Remio accélérait, appréhendant de la perdre. Puis il la retrouvait à une centaine de mètres devant lui, comme si son conducteur l'avait attendu. Ils traversèrent Spolete à faible allure. Quelques bornes plus loin, la Matra tourna brutalement à gauche. « Qu'est-ce qu'il fout, Nom de Dieu ! » Remio freina. La Volvo se rapprocha. « A gauche toutes, les gars. » « On a pigé », hurla Cirrea. Braquage à gauche. Miaulements de pneus. Un panneau signalait qu'on se dirigeait vers Monteluco. La route s'élevait en lacets. Le relief était de plus en plus tourmenté. « Qu'est-ce qu'il fabrique ? », râla Remio. « Au sommet, le panorama doit être unique, mais par ce temps de chien, en plein hiver, l'horizon est certainement bouché. » La pluie redoublait encore d'intensité, à mesure qu'ils zigzaguaient entre des escarpements de plus en plus raides. La visibilité ne dépassait guère cinquante mètres. Par deux fois, Remio freina à bloc afin d'éviter des fondrières. Un début de panique l'envahit. « Et si on était en train de tomber dans un traquenard ? » A peine s'était-il fait cette réflexion qu'il sentit le contrôle de la Fiat lui échapper. Le temps de distinguer une silhouette floue se découpant au-dessus d'une sombre masse rocheuse et il plongea dans le décor. En un éclair, défila sur l'écran de son imagination le jeu de quilles de l'enfance de son grand-père. Transformé en boule de bois, il se voyait rouler vers un boqueteau. La Fiat percuta violemment une yeuse et s'immobilisa. De la fumée s'échappa du capot disloqué. Remio eut l'impression que le volant s'enfonçait dans sa poitrine. « Je porte pourtant ma ceinture. » Puis tout se brouilla dans son esprit et il perdit connaissance. Ses copains, témoins de « l'accident », se ruèrent à son secours. Remio était affalé sur son siège et ils le crurent mort pendant quelques instants. Ils arrachèrent la portière. Brancardi déboutonna la veste fourrée de Remio et posa la main sur son cœur. Ouf ! Il vivait.

Cirrea poussa une exclamation : « Son pneu avant droit est crevé. » « On verra ça plus tard, dit Brancardi. Ne le touchez pas. Je vais appeler une ambulance. »

Le médecin chef, Ugo Portolan, s'efforçait de rassurer le cardinal Videgarai sur l'état de son neveu. C'était un vieil échalas vermoulu, imbu de sa science. Chaque fois qu'il déglutissait, sa pomme d'Adam proéminente faisait l'ascenseur le long de son cou décharné. Il chuintait des mots savants avec une grande autosatisfaction. En présence du Cardinal, le buste légèrement incliné vers l'avant, il s'exprimait avec obséquiosité.

– Deux côtes fracturées, quelques lésions superficielles, un hématome bénin, Éminence. Par bonheur, votre neveu portait sa ceinture et ses amis l'ont secouru immédiatement. Il n'a donc rien de réellement grave, mais je ne puis me prononcer sur d'éventuelles séquelles psychologiques.

– Sur ce plan, rien à craindre, Professeur, Remio est un coriace.

– Je vous crois volontiers, Éminence. Cependant, les organismes les plus résistants peuvent présenter des troubles psychiques longtemps après avoir été commotionnés. Je ne cherche pas à vous alarmer, mais il conviendra de demeurer vigilant.

– Vous avez toute ma confiance, Professeur. Je suis persuadé que mon neveu est entre de bonnes mains. Puis-je le voir ?

– Bien sûr, Éminence. Mais je vous demande de ne pas rester trop longtemps. Il est encore faible et sous l'effet des sédatifs que nous lui avons administrés.

En apercevant son oncle, Remio s'épanouit. Il était étendu sur un lit de fer et un large pansement encerclait son thorax.

– Il m'a raté, mon oncle, dit-il d'un ton enjoué.

– De peu, cher Remio. Comment te sens-tu ?

– Comme une momie dans son sarcophage. A part une migraine persistante et, sitôt que je lève le petit doigt, une douleur aiguë dans la poitrine, je suis en pleine forme.

Il essaya un rire mais ne réussit qu'à produire une grimace.

– Pour ce qui est de rigoler, il faudra encore un peu d'entraînement. Cela dit, on me traite comme un prince et, ce qui ne gâte rien, les infirmières sont jolies.

Portolan intervint.

– Les lésions costales sont toujours douloureuses. Demeurez le plus immobile possible. Vous irez mieux dans une semaine.

– Je vous remercie pour votre sollicitude et votre compétence, Professeur. Pourriez-vous nous laisser seuls un moment ? demanda le Cardinal d'une voix ferme.

Le médecin chef sortit sans ajouter un mot, vexé.

– « Les lésions costales sont toujours douloureuses », parodia Remio. Son oncle sourit.

– Raconte-moi lentement ce qui s'est passé.

Remio relata son expédition avec force détails.

– Tu l'as pris en photo et tu as le numéro de sa plaque. Cela devrait nous permettre de l'identifier.

– Il était déguisé et sa plaque est sans doute fausse. Restent la Matra verte et la balle que Giuseppe a extraite du pneu.

– Je me charge de ces deux indices. Qu'est-ce que tes amis ont déclaré à la police ?

– Ils ont affirmé qu'il s'agissait d'un accident.

– Bien. Sont-ils discrets ?

– En tant que témoins, ils ont dû comprendre que la situation n'était pas comique. Je suis certain qu'ils n'en parleront à personne, même si la tentation du scoop les tarabuste. Ils ont l'air comme ça d'une bande de joyeux lurons, mais ce sont des gars sûrs et efficaces.

Apaisé sur ce point, le Cardinal restait toutefois préoccupé.

– Une question, Remio. Hier, tu as failli perdre la vie. Je ne te tiendrais aucune rigueur si tu te retirais et reprenais une activité normale. Tu as déjà fait plus que je ne t'en demandais.

– L'aventure ne fait que commencer, mon oncle. J'ai hâte de connaître la fin de l'histoire.

Videgarai lui caressa le front avec tendresse.

– Tu es le meilleur neveu du monde, Remio.

Portolan entrouvrit la porte. Il passa sa tête de gallinacé déplumé dans l'entrebâillement.

– Éminence, vous aviez promis... coqueta-t-il avec la grâce d'un périscope.

– Encore une seconde, Professeur. Merci.

La porte se referma.

– Je vais confier à Janice la délicate mission de parler à Giannalia. Elle trouvera les mots justes et empêchera une réaction excessive de sa part.

– Bonne idée, mon oncle. Mais de ce côté, je ne suis qu'à moitié rassuré. Cette fille est dure à la détente. Bienheureux celui qui me délivrera de ce fardeau. Aïe ! fit-il en esquissant un rire.

– A la grâce de Dieu ! Une dernière chose avant de te livrer au Professeur qui doit s'impatienter dans le couloir. Je t'ai fait amener ici de Spolete en grand secret. Reste quand même sur tes gardes.

– Mes copains du *Corriere* se relaieront à mon chevet. Ils seront même armés. Tu vois. Ne t'inquiète pas. J'ai pensé à tout.

Le Cardinal le regarda affectueusement.

– Je constate que tu devances mes intentions. Tes amis constituent un paravent idéal. Personne ne s'étonnera de leur présence. Maintenant, il faut que je me sauve, sinon le Professeur va m'éjecter, tout cardinal que je sois. Je reviendrai demain.

– Vous avez été repéré. C'est très fâcheux pour vous. Vous savez ce qu'une telle maladresse peut vous coûter.

– Je ne comprends pas. J'avais pris les précautions habituelles. Je m'étais déguisé en vieillard inoffensif.

– Quand vous êtes-vous aperçu qu'on vous filait ?

– A Bevagna. Je déjeunais dans une trattoria. Un type est venu rôder devant la vitrine. De toute évidence, il s'intéressait davantage à ma personne qu'au menu. En réalité, ils étaient plusieurs, répartis en deux voitures. Je les ai attirés dans un endroit isolé et j'ai tiré dans le pneu de la première voiture. Le type a été salement amoché.

– Ensuite ?

– J'ai suivi à distance l'ambulance jusqu'à Spolete. Les trois autres sont partis en début de soirée. J'ai modifié mon aspect et me suis renseigné à la réception de l'hôpital.

– Vous avez son nom ?

– Remio Videgarai.

Silence interminable.

– Vous êtes toujours là ?

– Oui. Est-il gravement atteint ?

– Je l'ignore.

– Poursuivez.

– Je me suis planqué. Vers deux heures du matin, une ambulance est arrivée. Je me suis approché. On emmenait un jeune homme en civière. Supposant qu'il s'agissait de ce Videgarai, j'ai pris le parti de suivre l'ambulance.

– Et alors ?

– A l'heure qu'il est, il se trouve à Saint-Camille et c'est bien lui. Faut-il l'éliminer ?

– Surtout pas. Vous avez commis assez d'erreurs. Vous auriez pu le semer sans lui tirer dessus. Il détient le numéro de votre plaque.

– Aucune importance. Elle est fausse. Quant à la Matra, je m'en débarrasse aujourd'hui même.

– Je vous appellerai quand j'aurai besoin de vous. Mais enfoncez-vous bien dans la tête qu'à la prochaine bavure, vous irez vous réincarner dans un mulet.

Fin de la communication. L'Uccisore fit un bras d'honneur à l'écran.

Cependant, il n'était pas très fier de lui. Une semblable mésaventure ne lui était jamais arrivée. Ses coups étaient préparés avec le plus grand soin. Qu'est-ce qui avait bien pu foirer ? Il avait beau repasser le fil des événements, il ne voyait pas à quel moment il s'était trahi. Humilié par ce camouflet et désemparé par les menaces de son interlocuteur, il chercha le réconfort dans la grâce rêveuse d'un concerto de Vivaldi.

– Je veux sortir de cette baraque. Me balader. Voir des gens. Je deviens dingue. Vous m'entendez. J'en ai marre.

L'atmosphère était électrique. Sam avait épuisé toutes ses ressources argumentaires. Il mâchonnait un cigare éteint. Lui aussi en avait par-dessus la tête. Assez des scènes, des cris, des invectives. Depuis trois jours, il s'était montré infiniment plus patient qu'en soixante années d'existence. Mais cette fois, la coupe était pleine. Bordel ! Il perdit tout contrôle.

– C'est ça. Mets les bouts, salope. Casse-toi. Tu m'emmerdes. Et si tu te fais descendre au coin de la rue, je m'en contrefous. Tu n'es qu'une sale bonne femme égoïste comme les autres. On vous a inventées dans le seul but de nous faire chier. Tu me fais chier. Tu entends.

Il déversait à grands coups de gueule l'exaspération accumulée depuis que la fille était installée chez lui. Pour la première fois, il la tutoyait. Les consignes de Remio concernant la télé, les journaux avaient mis le feu aux poudres. Trois jours d'enfer.

Le visage de Giannalia se décomposa. La réaction du vieil écrivain la suffoquait : personne ne s'était jamais permis de l'insulter aussi grossièrement. Bien qu'elle possédât une langue acérée, elle resta bouche bée, ne sachant que répondre à cette volée de mots verts. D'ailleurs, Wood ne lui en laissa pas le temps, il s'en fut dans son bureau, claquant la porte avec une violence inouïe. Trois minutes plus tard, elle vint frapper.

– Monsieur Wood, Monsieur Wood, je vous en prie. Ouvrez-moi.

Il ouvrit. Se tenant dans l'embrasure, il la toisa du haut de son mètre quatre-vingts. Il ricana.

– La nuit dernière, j'ai fait un horrible cauchemar, vous étiez ma fille.

Giannalia éclata en sanglots.

– Je suis si malheureuse. Vous ne pouvez pas savoir comme je suis malheureuse.

Pris de pitié, Sam regretta sa foucade. « Pauvre petite fille perdue et qui ignore qu'elle est orpheline », pensait-il au moment où le pictophone se manifesta. Janice Bergen en personne.

– Quoi ! Qu'est-ce que vous me racontez ? Un attentat. Il s'en est tiré de justesse. Le numéro de l'hôpital. Oui. Je note. Cet après-midi. Bien. Je vous attends.

Giannalia s'effraya de la pâleur de Sam.

– Qu'est-ce qui se passe ?

– Remio a été blessé.

D'un coup, toute sa fureur le reprit.

– Tout ça, c'est de votre faute et de vos visions à la con. S'il meurt, je vous étrangle.

Blanche comme une morte, elle se laissa tomber dans un fauteuil délabré. Malgré sa colère, Sam perçut qu'elle était sur le point de dire quelque chose d'important. Se contraignant au calme, il s'assit en face d'elle, son regard planté dans le sien.

– Alors ? murmura-t-il.

Elle leva vers lui un regard paniqué, comme si elle oscillait au bord d'un gouffre, saisie par le vertige. Après s'être mouchée, elle articula péniblement.

– Il n'y a jamais eu de visions. On m'a payée pour voir.

Dix jours que Sam espérait cet aveu. Il avait fallu que Remio frôle la mort pour qu'elle prenne conscience de l'énormité de ses mensonges.

– Pourquoi avez-vous accepté ?

– Parce que la somme était coquette et que je voulais qu'on parle de moi.

– Et vous ne vous êtes pas demandé pourquoi des gens dépensaient autant d'argent pour vous faire voir ? Vous n'avez pas imaginé, ne fût-ce qu'un instant, que leurs intentions pouvaient être criminelles ?

– Oui. Non. En fait, je m'en moquais éperdument. J'en avais ras le bol de ma vie étriquée : je supportais de plus en plus mal de ne pouvoir acheter ce dont j'avais envie. Mes compagnes de l'université portaient des vêtements à la mode, roulaient dans des voitures de sport, sortaient avec des hommes formidables. Moi j'étais pauvre, donc moche. Vous, l'écrivain célèbre, vous ne connaissez pas la saveur amère de cette humiliation quotidienne, le regard des autres qui vous dépouille deux fois : non seulement on est pauvre, mais on n'est que pauvre. Chaque fois qu'on me répétait que mes parents se saignaient à blanc pour payer mes études, j'avais des tentations homicides. Une fois, j'ai été invitée chez une comtesse. J'étais mal fagotée, gauche. Un supplice. Le pire, c'était de sentir qu'on faisait semblant de ne pas remarquer que j'appartenais à un autre milieu. Alors, quand l'argent tombe du ciel, il faudrait être idiot pour le refuser. Je me suis persuadée que tout le monde triche et que les riches sont les tricheurs les plus malins. Puis, je me suis aperçue qu'on marchait dans mes visions. Je n'ai pas osé reculer. J'ai donc répété mes salades à qui voulait les entendre. Même à l'Évêque. Tant et si bien que je suis devenue une vedette. On m'écrivait. On m'adulait. On me touchait. Je suis passée à la télé. J'étais grisée au point d'en devenir mythomane. L'attitude de mes admirateurs me confortait. La vie est si lamentable qu'un petit miracle n'est pas à dédaigner. C'est ainsi que j'ai justifié ma lâcheté. Je suppose que vous allez m'engueuler. Vous en avez le droit. Je me suis conduite comme une dinde.

– Vous êtes une femme intelligente, Giannalia. Comment n'avez-vous pas redouté que la vérité éclate un beau matin ? Et alors, quelle dégringolade ! L'humiliation suprême.

– Évidemment que je redoutais la catastrophe. Mais je flottais comme dans un rêve. Une Cendrillon en transit vers le prince charmant. Débile. Remio n'est pas trop gravement atteint, j'espère ?

– Non. Heureusement. Quelques côtes cassées. Nous en apprendrons davantage tout à l'heure. Une certaine Janice Bergen, qui est madame quelque chose au Vatican, vient de Rome. Vous l'avez aperçue sur l'écran.

Wood hésita, partagé entre l'envie de pictophoner à Remio et de profiter de l'opportunité pour annoncer à Giannalia la mort des siens. Elle avait avoué sa faute, n'était-il pas logique de lui en montrer les abominables conséquences ? Mais cette logique s'appropriait-elle à son cas ? Sa réaction était-elle prévisible ? Attendre Janice Bergen ? Mais, qui sait, tout à l'heure ses dispositions auraient peut-être changé ? Mû par une forme de vanité, Sam se décida, tout en se disant qu'il commettait une erreur. Il lui prit les mains.

– Giannalia, écoutez-moi... Vos parents... vos deux sœurs...

Sam ne savait comment tourner sa phrase. Il bégayait d'émotion.

Les yeux de Giannalia s'agrandirent comme si elle devinait ce qu'il allait lui révéler.

– Il leur est arrivé quelque chose ?

Sa voix tremblait.

– Leur maison a explosé.

– Et ils sont...

– Oui. Je suis désolé. Tous les quatre.

Son visage devint gris. Elle s'évanouit.

Janice prêtait une oreille attentive au récit de Sam ; la confession suivie de l'atroce vérité.

— Elle s'est trouvée mal. Puis elle est montée dans sa chambre, sans un mot. J'ai voulu l'accompagner, mais elle s'était déjà enfermée. Pendant longtemps, je l'ai entendue pleurer.

— Nous allons essayer de la réconforter. Elle doit se sentir seule et terriblement coupable.

Ils grimpèrent à l'étage, frappèrent à plusieurs reprises, l'appelèrent en vain.

— Il faut enfoncer cette porte, Monsieur Wood.

Sam prit un court élan et la porte craqua comme du bois mort. La pièce était vide. Froid intense. Fenêtre ouverte. Giannalia s'était volatilisée.

Abbaye de l'Immaculata
Journal secret du frère Enzo
Samedi 30 janvier 2020
Trois heures après le couvre-feu

Le frère Léon a été chassé de la communauté. Il est parti tôt ce matin. Les départs se passent toujours aux aurores, comme les exécutions capitales. Heureux homme. Barracuda a stigmatisé Léon et profité de l'occasion pour nous exhorter à la chasteté. *Studium perseverans castitatis*[2]. « La véhémence des appétits sexuels écarte des biens spirituels... Ce n'est pas un hasard si nous fêtons aujourd'hui sainte Martine, vierge et martyre », a-t-il sécrété dégoulinant de miel, les mains jointes sous son grand pif, les yeux levés au ciel. Et d'en référer à saint Augustin. Ce pieux hypocrite a osé appeler Adéodat (don de Dieu !) l'enfant qu'il avait eu de sa maîtresse, dont il s'est bien gardé d'ailleurs de nous révéler le nom. La pauvre créature serait retournée en Afrique en faisant le vœu insensé de ne plus connaître (au sens biblique !) aucun homme. Quant à notre Père de l'Église, il s'est réfugié sous l'aile surprotectrice de sa mère, sainte Monique ! saint Augustin donc : « Les désordres de la chair répandaient un épais brouillard, qui me cachait, ô mon Dieu, la lumière sereine de votre vérité. » « Dans notre moderne Babylone, s'est lamenté Leonardo, les hommes et les femmes, surtout les femmes, *magnae peccatrices*, se livrent sans pudeur au stupre comme des bêtes. » Perpétuelle démonisation des femmes, comme si les hommes étaient des naïfs offerts en pâture à des succubes échevelées. L'unique Vierge Marie échappe aux anathèmes sexistes de Barracuda. Nous devons être comme des anges. *Angelica puritas*. Condition incontournable pour devenir des *homines novi* (s'entend, des invertébrés, gentils, et dépendant d'une autorité « paternelle »). Leonardo s'est un jour exclamé pendant que je me confessais : « Est-ce que je ne suis pas votre papa ? » Papa Leonardo et Maman Marie, on n'est pas sortis de l'auberge, ou plutôt de la crèche ! Une fois délivré de la glu libidineuse, le moine s'envole vers les hauteurs. « La seule passion salutaire est la passion des cimes », affirma-t-il sans rire. Ensuite, avec force

---

2. La recherche persévérante de la chasteté.

détails peu ragoûtants, il a décrit toutes les vilaines maladies menaçant les copulateurs. Soudain, il s'est écrié : « Les savants qui ont
découvert le vaccin contre le sida seront damnés ! » Pendant une
heure, il a poursuivi sa harangue, s'attardant avec une complaisance
équivoque sur les avatars du *tactus*. Les moines doivent éviter toute
forme d'attouchements entre eux, l'*amplexus* [3] faisant exception à
cette règle, puisqu'il est permis lors des grands moments de la vie
monacale, les vœux, la prêtrise. Le spectacle des novices pratiquant
le handball (le foot est interdit pour des raisons évidentes) dans des
tenues (baptisées costumes de sport) évoquant les maillots de bain
de « la belle époque » confine au burlesque. Si l'un des joueurs
heurte involontairement un coéquipier, il se trouve toujours un hur-
luberlu pour crier « *tactus* ». Barracuda a conclu ce cours d'éducation sexuelle à rebours par un apologue saisissant. « J'imagine
un honnête père de famille qui, durant sa vie entière, s'est conformé
aux préceptes évangéliques et qui, dans un moment d'égarement,
entre dans un bouge *(sic)*, en ressort et tombe mort. Où va son
âme ? » Les voûtes néogothiques de la salle du chapitre firent un
long écho à cette question ontologique. « Où va son âââââââme ? »
« *Jube, Domine benedicere* », lâcha le vieil Anselme comme un
pet. Ignorant l'incongru, Leonardo adopta une attitude mussoli-
nienne : il croisa les bras très haut, tendit son menton en galoche
et poussa un cri rauque : « En enfer ! » Sa croix pectorale rebondit
sur sa poitrine. Le verdict sans appel produisit un effet décolorant
sur ces pauvres hères. Crainte et tremblement. Un bruiteur aurait
pu accompagner la dernière réplique de l'Abbé d'un grésillement.
Barracuda s'était levé. Avant de sortir, la main déjà posée sur la
poignée de la lourde porte, il se retourna brusquement : « Je suis à
la disposition de ceux qui souhaitent se confesser. » La solennité
des lieux conférait un relief aggravant aux péchés de la chair que
chacun traînait comme un pesant fardeau. Hypocritement, je me
suis aligné avec les autres devant ses appartements. Après que je
lui eus avoué quelques mauvaises pensées, il m'a donné l'absolution en posant sa main sur mon épaule : « Frère Enzo, n'oubliez
jamais que la chasteté constitue notre armure contre le démon. »
La sexualité de Leonardo m'intrigue. Il serait « moinophile » que
cela ne me surprendrait guère. Il a une façon de regarder Ireneo
qui autorise les supputations les plus scabreuses. Sans conteste, un

---

3. Embrassement.

cas intéressant pour les disciples, de moins en moins nombreux, paraît-il, du docteur Freud. Il y aurait à enquêter sur ses rapports avec sa mère. Il a dû trembler de perdre son amour et s'être rassuré en faisant preuve d'une disponibilité totale. Même au vingt et unième siècle, il existe encore des hommes qui confondent la « vocation » avec l'instinct de conservation de la *mamma*. Des tas de clercs sont des « Joseph » en impuissance de leur mère.

Retour sur le frère Léon. Hier soir, après complies, il m'a glissé un billet. Je l'ai sous les yeux : « Frère Enzo, je pars demain. Je ne le regrette pas. Ireneo a menti. Pourquoi ? Quoi qu'il en soit, je n'ai jamais ouvert la porte de sa douche. Je n'ai pas voulu me défendre, cela n'aurait servi à rien. Leonardo me cherche depuis longtemps. C'est bien comme ça. L'Immaculata était un bagne pour moi. Je tiens à vous remercier car, contrairement aux autres, vous avez toujours été bon avec moi. Et puis, je devine en vous une révolte contre le tyran. C'est pourquoi je vous avertis. L'Abbé manigance des trucs qui n'ont rien à voir avec la vie conventuelle. A Dieu. Courage. Léon. » Il avait ajouté un étrange post-scriptum : « Un souterrain part du bureau de Leonardo. J'ignore où il va. Il y a eu beaucoup de travaux ces dernières années ! Si vous consultez les plans de l'abbaye, vous n'en trouverez nulle trace. Et pour cause. Bizarre, non ? »

Pas si bête que ça, Léon. C'est toujours la même chose : on découvre les gens quand ils s'en vont. On les avait fichés, et puis on réalise trop tard qu'ils ne correspondaient aucunement à l'idée simpliste qu'on s'en faisait. Bonne vie, cher Léon. Que Dieu te garde ! Tout de même, ce souterrain ! Sa distraction proverbiale était sans doute une manière de se donner de l'air. Que Leonardo traficote des choses « pas très catholiques », je le crois volontiers. Il aurait viré Léon à cause du souterrain. Pourquoi pas ? J'en aurai le cœur net. J'ai une dette envers Léon, mon côté veule. C'est peut-être pour cette raison que je suis encore ici. Maintenant, une bonne pipe à sa santé, fenêtre ouverte, évidemment. Tiens ! Comme c'est curieux, on dirait un bruit d'hélicoptère. Qu'est-ce qu'il fait froid ! Zut ! Le briquet de Gino est vide. Le seul endroit du monastère où on peut trouver des allumettes, c'est la sacristie. Elles sont donc régulièrement volées, à la grande fureur d'Alberico. Allons-y comme un sioux.

Le commissaire Aurelio Graziani repoussa l'épais dossier de l'attentat de Fiumicino qui avait causé la mort de vingt-six passagers en provenance de Francfort. Une énigme de plus qu'on n'éluciderait jamais. Depuis des années, les frappes aveugles se multipliaient et la plupart demeuraient impunies. On ne comptait plus le nombre de groupuscules terroristes qui sévissaient dans la Confédération. Europol avait beau se doter des moyens de répression les plus performants, posséder le système informatique le plus moderne, la criminalité ne cessait de croître. Quand d'occasion, on parvenait à remonter une filière, elle aboutissait invariablement à des gros poissons, politiciens, capitaines d'industries, gourous invisibles. Et l'enquête se terminait dans l'antichambre d'un pouvoir. Si la justice était corrompue, que dire de la police ? Une lutte continue, pire que la guerre des gangs, sévissait entre ses différents services, chacun accusant l'autre d'incompétence et de complicité. Les flics appartenaient à la catégorie de ceux dont l'espérance de vie était la plus courte. Les murs du hall d'entrée du BERC, Bureau Européen de Recherches Criminelles, s'ornaient des portraits de héros tombés au champ du déshonneur. La majorité d'entre eux avaient été liquidés pour délit de zèle intempestif. On chuchotait même en aparté que le BERC n'était pas étranger à ces exécutions dignes de la mafia. Les poursuites judiciaires ressemblaient à des courses d'obstacles sans ligne d'arrivée. Aussi beaucoup d'affaires étaient-elles classées sans suite. On ne savait plus très exactement à quelle Thémis se vouaient des avocats qui, non contents de défendre leurs clients dans les règles, obtenaient des non-lieux à n'importe quel prix. Un monde basé sur la rage du profit avait engendré des mafieux en col blanc, invulnérables, qui contrôlaient les milieux financiers de la planète. Tout, y compris la liberté d'un meurtrier, se négociait à la bourse des honorables sociétés. Quand on s'adressait à une autorité quelconque, la probabilité de se trouver en présence d'une arsouille excédait largement les cinquante pour cent. Partout, le mal suintait comme sur la sueur au front d'un mourant.

Graziani soupira. Il avait beau mettre la lumière sous le boisseau, la rumeur navrante de la platitude l'atteignait comme le vent passe sous la porte d'une vieille masure. Il s'éveillait chaque matin avec une gueule de bois. Tout chez lui était gris, ses cheveux, son visage, son regard, son haleine, ses vêtements, son âge – il rôdait aux alentours d'une cinquantaine abrutie – gris de corps, gris d'âme. Une journée fastidieuse de plus. Des rapports, peu d'actions efficaces. Des réunions, guère de décisions utiles. Il retira ses lunettes. Affligé d'une myopie estimée à vingt dioptries, il ne se résignait pas à subir l'onéreuse intervention qui l'aurait débarrassé de cette infirmité. Il repoussa son siège. A la manière d'un shérif américain, les mains derrière la nuque, il allongea ses jambes sur le bureau. Il ne travaillait que depuis sept ans au BERC, mais il se sentait las, impuissant, démotivé. Ras-le-bol métaphysique. Entré dans la police par idéal, il décomptait à présent les jours qui le séparaient de sa retraite : encore onze ans à tirer, quatre mille dix-sept jours. Il consulta sa montre. Dix-sept heures douze. Dans quarante-huit minutes, il regagnerait son studio douillet de la via Aurelia, son « repoussoir » où il vivait en célibataire depuis que son amie, Bianca, l'avait quitté, un matin de juillet deux mille dix-huit. Sa rêverie cafardeuse l'entraîna du côté de cette femme qu'il avait adulée. Adulée sans raison, songeait-il en cette fin d'après-midi. Les relents de sa présence maléfique stagnaient encore dans son vieux cœur un an et demi après l'événement. Pris de passion, comme d'aucuns le sont de boisson, il lui avait attribué toutes les grâces, Aphrodite et Athéna réunies en une déesse. Mais un jour, peu avant sa disparition, elle lui avait lancé tout à trac : « Je ne t'ai jamais désiré. » Ce n'était pas vrai, mais qu'elle l'affirme avec une telle désinvolture avait suffi à le dessiller. Elle s'était donc laissé aimer pendant dix ans, sans contrepartie. Elle l'aimait bien, elle ne l'aimait pas. D'un coup, il la vit telle qu'en elle-même : égocentrique, terre à terre, primaire, colérique, grégaire. Leur liaison devint orageuse ; elle lui reprochait de ne pas être « un homme complet », de ne pas être « pur », d'être vicieux. En réalité, dans le vocabulaire de cette salope, « complet » équivalait à ingénieur-sportif-bon baiseur, « pur » à mystique-culbuteur virtuel. Comme il n'était ni l'un ni l'autre, elle le réduisait à un vicieux-incomplet-indésiré, mais néanmoins ami. Tout l'exaspéra désormais chez elle : sa façon de lécher sa nourriture, son rire sans humour, sa voix stridente, sa prétention d'avoir toujours le dernier mot, sa conversation prosaïque et insignifiante, son habitude de se regarder dans les miroirs, et surtout son himalayenne bonne conscience, son impératif catégorique fonctionnant à l'autojustification permanente. Dégrisé, il conçut qu'il avait vécu à la périphérie de cette femme, sans atteindre sa boîte noire. Après son départ, il se sentit dépêtré. Depuis cette expérience amère, il avait tourné à la misogynie comme le vin au vinaigre. Des collègues féminines tentèrent des approches, attirées par son charme automnal. Mais comme il les réduisait toutes à un unique parangon, Bianca, il décourageait leurs avances par une ironie cinglante et une froideur calculée. Une assistante de police lui ayant décoché le célèbre adage comme un trait fielleux : « La femme est l'avenir de l'homme », il lui avait répondu du tac au tac et sans lever la tête de ses papiers : « L'avenir de l'homme, c'est la mort. » Aurelio Graziani allait donc l'amble de sa vie. Il avait cependant un violon d'Ingres, l'Égypte ancienne qu'il devait, hélas ! contempler de loin. En effet, l'État islamique avait effacé la « jahiliyya », l'âge de la « barbarie et des faux dieux », les pyramides n'étaient plus qu'un tas de pierres, la vallée des Rois, une « carrière » de sable rebouchée ; le tourisme était interdit. Bien qu'il fût athée, l'idée de la réincarnation l'obsédait. Cette hantise lui servait de prétexte à l'invention de romans. Il s'était fabriqué un avatar [4] sur Crossworld, téléporté par ses soins sous Ramsès II, époque où il jouait un rôle important. Le soir, son ordinateur au repos, survolant un pays mythique où le soleil, Râ, transmutait en or ce qu'il embrasait de ses rayons, il s'enluminait le mental de fresques représentant des scènes de gloire et d'amour. Il en devenait psychotique : argousin minable le jour, noble ramesside la nuit. S'il vivait en démotique, il rêvait en hiéroglyphe.

Six heures. Enfin. Il s'apprêtait à rentrer chez lui lorsqu'il se souvint que Remio lui avait demandé de passer le voir, un accident l'empêchant de se déplacer. Ennuyeux contretemps, mais Remio était un ami. En diverses occasions, ils avaient échangé des tuyaux, permettant à l'un de procéder à des arrestations, à l'autre d'écrire un article à sensations. Graziani lui devait notamment son titre de commissaire : un réseau de trafiquants de drogue démantelé suite à une information confidentielle fournie par le journaliste lui avait valu cette promotion inespérée.

---

4. *Note de l'auteur* : L'avatar est un personnage qu'on créera soi-même, par CD-Rom interposé, avec lequel on explorera le deuxième monde, le monde virtuel. Cette technique devrait être vulgarisée vers 2010, 2015.

Remio n'était pas encore au mieux de sa forme ; il se mouvait péniblement tout en plaisantant sur son état.

– Tu vois, Aurelio, je m'entraîne. Courbatu comme un croulant, je prends de l'avance sur mon gâtisme futur.

Le policier souriait en regardant son copain, d'ordinaire alerte et dynamique, se déplacer comme un automate en manque de piles de rechange. Sorti de l'hôpital depuis peu, Remio confectionnait deux bloody mary.

– Qu'est-ce qui t'est arrivé, pauvre vieux ? Une blonde t'a flanqué par la fenêtre ?

Remio s'esclaffa. Il reprit rapidement son sérieux. Graziani qui le connaissait bien flaira du gratiné.

– Je ne t'aurais pas dérangé pour des bricoles. D'abord, ce n'est pas un accident. On m'a tiré dessus. Ou plutôt on a tiré sur ma bagnole. Mais comme j'étais dedans, j'ai pu faire amplement connaissance avec un chêne aussi marrant que ton percepteur. Ensuite, ce n'était pas le banal acte d'un voyou, mais un attentat délibéré. Un type qui me veut beaucoup de mal car j'ai compris ce que je n'aurais pas dû comprendre.

Fort de l'aval du Cardinal, il lui fit un récit détaillé des événements, en suivant l'ordre chronologique. A mesure que sa narration progressait, l'expression du Commissaire se faisait de plus en plus perplexe. Quand il eut terminé, Graziani se gratta la tête. Il se passa un long silence avant qu'il demande :

– T'as une idée de ce qui pourrait relier ces meurtres ?

– J'y viens. Mon oncle est convaincu qu'ils font partie d'un complot contre l'Église, peut-être même contre la Confédération. Je t'ai déjà parlé de lui. Ce n'est pas un homme à verser dans le cinoche. Il est toujours très calme et c'est bien la première fois que je le sens angoissé. Son attitude est un argument de poids, Aurelio. Si je fais appel à toi, c'est parce que tu as accès au fichier central du BERC, mais aussi parce que sans ton aide, il sera impossible de localiser Giannalia Baldato. Par ailleurs, tu sais aussi bien que moi pourquoi nous ne recourons pas à la poulaille officielle. S'il s'agit d'un complot d'envergure, des flics sont dans le coup et ils s'empresseront de relever le pont-levis.

Aurelio hocha la tête en signe d'assentiment.

– C'est, hélas, la bordélique vérité.

Un débat intérieur l'agitait : s'il apportait son concours à Remio, sa petite vie peinarde serait sérieusement perturbée, son instinct l'avertissant qu'il s'embarquerait dans une aventure à haute température. D'autre part, c'était pour lui une occasion d'exister enfin au superlatif. Vivre, se bagarrer, mourir ? Pourquoi pas ? Sa décision était prise.

– D'accord. Je marche avec toi.

Cet après-midi où il fut renversé par une voiture, l'ex-frère Léon, de son vrai nom Dino Campi, demanda l'heure à un passant. Il avait rendez-vous à dix-sept heures avec un ancien condisciple de collège qui lui avait promis un boulot dans son entreprise de papiers peints. Depuis qu'il avait quitté le monastère, il logeait chez sa sœur. Amanda n'avait pas accueilli le revenant avec enthousiasme. Elle était venue le chercher à la gare, mais lui avait immédiatement laissé entendre qu'il n'était pas question qu'il vienne troubler son univers. Elle l'hébergerait jusqu'à ce qu'il se trouve un appartement, son maigre salaire de postière lui permettant à peine de subvenir à ses propres besoins. Néanmoins, elle l'aiderait à se refaire une conduite. Léon l'avait remerciée avec effusion ; il l'embêterait le moins longtemps possible et s'en irait sitôt qu'il aurait déniché un emploi. Ce qui ne saurait tarder. Il avait des relations.

Dès l'aube Léon arpentait sa ville natale. Avide de tout revoir, le quartier de son enfance, la Consolata, les rues encombrées, la via Roma, la piazza San Carlo, avec délice il humait l'atmosphère viciée de Turin. Il était passé en quelques jours de l'étiage à la crue et son imagination débordante superposait la beauté à la laideur. La ville qu'il concevait était celle qu'il avait emportée avec lui vingt-deux ans auparavant. En fait, cette mégalopole connaissait tous les embarras des conurbations du vingt et unième siècle : pollution, bruit, encombrements, saleté, architecture utilitaire. Mais Léon lui attribuait les apparences du paradis perdu. Tout lui semblait admirable : les *bambini* sur le chemin de l'école, les coups d'avertisseur impérieux d'automobilistes excédés, les vitrines achalandées des magasins, l'allure des femmes, l'arôme de *l'espresso*, le ciel bleu par-dessus les toits. Non, il ne regrettait rien, hors d'avoir été s'enterrer dans cette abbaye maudite, d'y avoir été traité en paria. Mais la joie est d'autant plus grande que la douleur a été plus intense. Et puis tout cela, c'était du passé. Léon était bien résolu à rattraper le temps perdu. Son esprit s'emballait ; une épouse, un chez-soi, deux chérubins, un travail traçaient désormais les grandes lignes de son avenir. Ah ! Qu'il avait fantasmé pendant sa réclusion ! Voilà que l'iconographie de ses fables s'animait soudain pour l'enfant qu'il n'avait cessé d'être. Comme il était reconnaissant à Leonardo de sa bêtise, à Ireneo de sa duplicité. Bienheureux les cons, le royaume des ténèbres leur appartient ! Libre ! Enfin libre ! Son bonheur était à l'aune de ses frustrations. Immense. Un matin dans le duomo San Giovanni, agenouillé devant le mandylion, cette relique qui n'en finissait pas de livrer ses secrets, il avait exalté le Seigneur d'un Magnificat fervent. Dino Campi nageait dans l'euphorie.

Cet après-midi donc, il demanda l'heure à un passant, l'humeur au zénith. Le déjeuner pris dans une trattoria de la via Garibaldi avait été succulent ; il s'était gavé d'une saltimbocca relevée de sauge accompagnée de tagliatelles aux épinards, arrosée d'une bouteille de Buttafuoco dell'Oltrepo, un tiramisu comme dessert. Une cuisine bien différente de la tambouille de l'Immaculata dont l'ordinaire se composait de pâtes gluantes, de fromage aigre, de pain rassis, de légumes bouillis et de potages fourre-tout. Jamais de viande, ni de poisson, ni de vin, ni de bière, de l'eau plate à tous les repas ; le matin, une lavasse infâme surnommée café. Lorsqu'on n'était pas en carême, c'est-à-dire d'avril à septembre, mis à part la quantité, le menu ne variait guère ; tout au plus, quelques œufs et quelques fruits agrémentaient-ils la table pendant l'été. Le palais embaumé, Léon songea avec commisération à ses anciens codétenus. Un soleil d'hiver invitait à la musardise. Deux heures encore avant son rendez-vous. Il alluma une Nazionale qu'il inspira goulûment. Ce plaisir aussi lui avait cruellement manqué au monastère. Mais, même à cette minute exquise, fumer lui paraissait un sacrilège, tant les réflexes conditionnés de la règle régissaient son inconscient. En proie à une ivresse quasi mystique, il marchait au milieu d'un décor de vraies demeures, de vrais humains. S'imprégnant de chaque détail, son œil visionnait un monde neuf. Parvenu à l'extrémité de la via Garibaldi, il s'orienta en direction du centre historique, projetant une flânerie sur les quais du Pô. Il était attendu non loin du parco del Valentino. Alors qu'il s'engageait sur la via Giuseppe Verdi, son attention fut attirée par la devanture d'une librairie située de l'autre côté de la rue. Il contourna les travaux qui obstruaient une partie de la chaussée et s'avança en souriant, sans s'inquiéter de la circulation. Une voiture dont le moteur tournait au ralenti démarra brutalement avec un vacarme étourdissant. Hypnotisé, Léon la vit venir sur lui. Avant qu'elle le heurte, il eut le temps de penser : « C'est trop injuste. » Il fut tué sur le coup. Des passants accoururent. Bientôt, un cercle humain entoura son corps désaffecté, formant une couronne de silence au milieu de l'effervescence. Au moins avait-il connu quelques jours heureux ! Le chauffard avait disparu depuis un moment lorsqu'un quidam remarqua : « Il ne s'est même pas arrêté, le fumier ! »

– Tu as été imprudente, *cara mia*, et te voilà bien malheureuse, s'apitoya la contessa Beatrice Della Rovere.

Elle avait écouté la confession de Giannalia. Assise dans une bergère en tapisserie, buste raide, mains couvertes d'éphélides brunâtres, jointes sur ses genoux, elle paraissait sortir d'un tableau de Piero Della Francesca. Mince, menue, vêtue de soie blanche, un collier d'émeraudes sur la poitrine. Toutefois, c'était son visage qui évoquait le célèbre peintre : un visage blanc cassé, lisse, inexpressif. Elle avait des cheveux argentés retenus par un bandeau ocre, deux yeux bleus pâles filtrant à travers des paupières à demi baissées, un nez droit, un bouche charnue, le menton rond. Lumière-matière. Demeurée seule dans le vaste palazzo Della Rovere comme une infante en robe de parade, elle avait survécu à tant de morts, un époux, trois enfants, un petit-fils, qu'elle avait gagné la sérénité des initiés auxquels plus rien ne peut leur arriver puisqu'ils ont tout enduré. Des êtres détachés auxquels la vie s'accroche comme par défi. Elle se mouvait en apesanteur, tant il y avait de vide autour d'elle, déjà en instance d'éternité.

Daniella, une copine de cours de Giannalia, était sa petite-fille. Le temps d'un été de vacances, Giannalia avait apprécié la sagesse tranquille de la Contessa. Aussi, quand elle apprit son infortune, après une errance de quelques jours, elle vint chercher refuge auprès d'elle. La veille, complètement désemparée, elle avait sonné à sa porte martelée. La Contessa l'avait reçue sans lui poser de questions. Après une longue nuit de repos, un petit déjeuner copieux, Giannalia lui avait tout raconté sans rien omettre de sa honte, ni de sa douleur.

– Cet homme, celui qui t'a payé pour voir, le reconnaîtrais-tu ?

– Difficile à dire, Contessa. Un samedi d'octobre de l'année dernière, un inconnu m'a pictophoné. Il s'est présenté comme étant Nino Carletti, correspondant de *L'Écho de Mengara* et m'a dit qu'il faisait un reportage sur les jeunes aux études. Je n'ai pas eu l'à-propos de me renseigner au journal. Si je l'avais fait, j'aurais appris que, s'il y avait bien un Carletti à *L'Écho*, il n'était pas occupé par un tel reportage. Mais le pseudo-Carletti semblait convaincant. Sans méfiance, je me suis rendue dans un café de la ville. Comment dire, il avait une tournure insignifiante. Le type entre deux âges qu'on oublie cinq minutes après son départ. Pendant un moment, nous avons parlé des problèmes des jeunes, de l'université, des bandes, du chômage. Il savait y faire. Avec le recul, je dirais que c'était un professionnel de la manipulation S'il avait vendu des encyclopédies, je me serais certainement laissé embobiner. Puis, l'air de rien, il m'a demandé si j'avais envie de gagner de l'argent, beaucoup d'argent. Je suis tombée des nues. Je me souviens m'être fait la réflexion que c'était un drôle de journaliste. Il m'a alors parlé d'un canular : *l'Écho de Mengara* voulait sonder les convictions religieuses de la population. A l'aide d'arguments somme toute solides, il m'a démontré que les apparitions de la Madone avaient toujours impressionné les gens. J'ai éclaté de rire, il a fait chorus. Je dois ajouter que je n'ai pas la foi. Peut-être ne l'ignorait-il pas ? Il avait dû faire sa petite enquête avant de me contacter. J'ai marché dans sa combine avec une naïveté que je ne m'explique pas encore aujourd'hui. Ou plutôt oui, je me l'explique, l'argent évidemment, et aussi la volupté de la mystification. Désolée, chère Contessa, mais je hais les bourgeois de Mengara, suffisants et mesquins. Alors, leur faire un pied de nez m'a paru une belle manière de me payer leur tête. J'ai donc eu les visions dont « Carletti » m'avait dicté le contenu, effrayant à plaisir. Et j'ai connu la notoriété. Pendant plusieurs jours, on n'a parlé que de moi. J'ai été assaillie de toutes parts. Vénérée comme une sainte. C'était à pleurer de rire si ce n'était... lamentable.

La Contessa la dévisageait en souriant.

– En effet, j'ai lu tout cela dans *La Stampa*. J'étais très sceptique, je dois te l'avouer, *cara mia*. Les manifestations du ciel m'ont toujours laissée de marbre. Je suis une fidèle vieux jeu. Je crois volontiers aux miracles de l'Évangile, mais les hallucinations des bergères, ça non. Même Lourdes m'indiffère. Tu vois, ma petite Giannalia, tout le monde n'a pas été trompé par tes « visions ». Mais, dis-moi, combien t'a-t-il donné ?

– Dix mille euro, Contessa. Vous concéderez qu'il était tentant de profiter d'une telle aubaine.

La Contessa s'étonna :

– Dix mille euro pour une blague organisée par une feuille de chou locale ! C'est fort, non ? Ça ne t'a pas mis la puce à l'oreille, sachant que les journaux raclent les fonds de tiroirs pour survivre ?

Giannalia afficha un air penaud.

– J'étais chavirée, Contessa. Je jouissais de l'instant présent. Tout cela était si inattendu, si nouveau, si passionnant.

– *Carpe diem* et après moi les mouches, commenta cyniquement la Contessa. Mais je te comprends, ma chérie, même si j'émets quelques réserves au sujet de ton intelligence.

– Cela n'avait rien à voir avec mon intelligence, mais plutôt avec mes complexes, mes récréations clandestines. Le Père Noël, quoi ! Même un prix Nobel doit avoir son jardin d'enfants. Vous ne partagez pas mon avis, Contessa ?

La Contessa riait de bon cœur.

– Tout à fait, ma petite. Même une contessa a son jardin d'enfants comme tu dis si bien. Et ensuite ?

– Ensuite, ce fut le coup de téléphone du cardinal Videgarai, la mise sous séquestre chez Sam Wood.

– Sam Wood, le romancier ? J'ai adoré ses livres. C'est quelqu'un !

– Oui, je crois. Cependant j'étais tellement obnubilée par ce qui se passait, que je n'ai guère eu le loisir de m'intéresser au grand homme. En fait, je n'avais jamais entendu parler de lui. Je ne suis pas grande lectrice, chère Contessa. Cela dit, il a l'air d'un ours, mais c'est un brave type. Grande gueule, mais bon cœur. En ce qui me concerne, quand j'ai su qu'il y avait d'autres « voyantes » et qu'elles avaient été assassinées, j'ai paniqué.

– Pourquoi n'as-tu pas tout révélé à ce moment-là ?

– J'ai crâné par peur du scandale. J'imaginais déjà la consternation de mes pauvres parents lorsqu'ils apprendraient mes exploits.

– Ta famille, Giannalia, comment avait-elle réagi ?

– Pas très bien. Je sentais chez eux une perplexité grandissante. Un jour, ma mère qui avait beaucoup de bon sens – je ferais bien désormais d'en prendre de la graine – m'a interpellée : « Si tu as menti, Giannalia, il vaudrait mieux l'avouer, sinon tu nous déshonoreras tous. » J'ai quitté la pièce en hurlant de rage. Si j'avais pu deviner que...

Elle éclata en sanglots. La Contessa lui prit les mains.

– Tu ne pouvais pas savoir dans quel pétrin tu t'étais mise, ma chérie. Mais pourquoi t'es-tu enfuie ?

– Lorsque Sam m'a appris l'affreuse vérité, j'ai eu soudain conscience de l'énormité de ma faute. Je me suis sentie tellement coupable que j'ai été à deux doigts de me supprimer. Coupable, anéantie. Il n'existe pas de mots pour décrire mon état d'esprit.

Plus aucun point de repère. Trou noir complet. J'ai agi mécaniquement, comme un zombie. Je crois que je suis passée par la fenêtre. Depuis huit jours, je pleure, je déraille.

– Tu as dû te nourrir, dormir.

– J'ai pris des trains, dormi dans des gares, avalé des sandwiches. A la fin, je me suis souvenue de vous et me suis dit que vous ne me repousseriez pas.

– Tu as bien agi, *cara mia*. Maintenant, il faut songer à l'avenir. Tu es toujours en danger de mort, tu es le dernier témoin. Mais tu dois réparer ton erreur. Tu vas vivre pour venger les tiens, pour dénoncer. Tu n'es pas d'accord avec moi ?

– Oui, Contessa. Tout à fait d'accord. Mais comment ?

– Pourquoi ne pas aller trouver ce Cardinal ? C'est un homme ouvert, paraît-il. Tu pourrais aussi essayer de joindre ce journaliste du *Corriere*. Comment s'appelle-t-il déjà ?

Giannalia rougit légèrement.

– Remio.

– Oui, ce Remio. Quoi qu'il en soit, tu résideras ici aussi longtemps qu'il te plaira. Avant toute chose, tu dois te refaire une santé. Cependant, pourquoi ne pas les avertir tout de suite que tu es ici ? Ils doivent se faire du souci à ton sujet.

– Je crois que je vais pictophoner à Remio. Je me sens plus à l'aise avec lui.

La Contessa souriait.

– Il faudra te contenter d'un téléphone antédiluvien : je ne me suis jamais fait à l'idée que n'importe qui puisse entrer chez moi en composant un simple numéro. Je le regrette pour toi, car je parie que Remio est beau garçon.

– Gentil surtout.

Giannalia rougit pour la deuxième fois.

– Le téléphone se trouve là-bas à côté de la statue de Judith. Tu as ses coordonnées ?

Giannalia retira un carnet de son sac, le feuilleta distraitement et composa le numéro. La Contessa ne fut pas dupe : elle le connaissait déjà par cœur.

– Remio Videgarai ?

– Lui-même.

– C'est Giannalia.

L'Uccisore regagna son domicile après s'être restauré. L'inaction lui pesait. Il était anxieux. Son commanditaire ne s'était plus manifesté depuis une semaine. Son récent échec l'avait-il décidé à s'adresser ailleurs ? Auquel cas, il avait tout à appréhender. Ces gens n'étaient pas des amateurs, ils élaguaient les branches inutiles. Il exerçait un métier lucratif, mais à hauts risques ; « réussis ou meurs » était la devise des tueurs à gages. En aucune circonstance, au cours d'une carrière pourtant bien remplie, il ne s'était senti menacé, même à l'époque où il servait de petite frappe à la *Camorra*. Mais le silence présent était lourd de menaces. Cependant, à peine eut-il jeté un coup d'œil sur son écran qu'il se sentit rasséréné ; un message s'inscrivait : « Soyez chez vous à seize heures. »

— Je vous accorde une dernière chance. La fille Baldato se terre à Urbino au palazzo Della Rovere chez une contessa. Le Vatican va certainement tenter de la récupérer. Intervenez avant.

— Et j'en fais quoi ?

— Vous l'amènerez à l'endroit que vous savez. Un avion vous attend sur le terrain.

— Pourquoi si loin ?

— Contentez-vous d'obéir.

— Quelle sera la suite du programme ?

— Vous resterez là-bas jusqu'à ce que vous receviez l'ordre de rentrer.

— Cette contessa ?

— Nous aviserons plus tard. A partir d'aujourd'hui, les instructions vous seront transmises sur le réseau Crossworld. Mot de passe : « Patmos. »

L'Uccisore respira. Ce coup-ci, il réussirait, même s'il devait y laisser sa peau. Question d'honneur. Une Canzonetta de Monteverdi s'éleva ; il s'abandonna au plaisir de cette musique cristalline. Les affaires reprenaient. Il avait une confiance indéfectible en son étoile.

Monseigneur Cafarelli pénétra dans le bureau du Cardinal, la mine soucieuse.

– La presse de ce matin nous réserve une surprise, Éminence.

Videgarai lui lança un regard interrogatif.

– L'article de Mancini est excellent. Sous le titre « Le grand complot », il dénonce l'intense activité intégriste. Il a compris ce que nous attendions, il ne fait aucune allusion aux voyantes. Il lut.

– « On peut raisonnablement se demander si les intégristes appartiennent à une nébuleuse au mobile apparent : déstabiliser l'Église... Une pieuvre de Dieu, qui recrute parmi les déçus, les jeunes (des commandos de la vie chrétienne). Un cancer qui envahit le corps mystique tout entier. Inquiétant à une époque où l'homme a besoin d'une religion de paix et non guerrière... »

Mais le meilleur reste à venir :

« Le pouvoir spirituel est particulièrement dangereux quand il se considère comme étant parfait. Or, la perfection est inhumaine, utopique, parce que l'homme navigue entre des contraires : s'il aspire au divin, il n'y accède jamais. L'intégriste usurpe la place de Dieu par sa prétention de tout savoir, de tout légiférer... En réalité, l'intégriste est un païen qui, à l'instar de n'importe quel sectaire, prend Dieu en otage. Ce qui l'intéresse, ce n'est pas le royaume de Dieu, mais son royaume à lui... Il pose la question et donne aussitôt la réponse. Pas d'espaces pour les incertitudes... La charia n'est pas d'origine divine, elle justifie la tyrannie d'une oligarchie pseudo-religieuse ; elle anéantit le progrès, détruit les petits bonheurs et nie les aspirations les plus élevées... L'intégrisme est un mal. C'est un des visages de "La Bête" qu'il prétend combattre. Nous observons depuis des années les ravages du fondamentalisme islamiste, nous constatons comment, en fort peu de temps, les merveilles de l'Égypte pharaonique ont été rasées, l'admirable civilisation musulmane balayée au nom de principes archaïques et barbares. D'aucuns s'efforceraient d'instaurer un régime semblable dans la Confédération. Avons-nous le droit de rester les bras croisés... » ? La fin est du même ordre, Éminence. Il m'étonnerait beaucoup que cet article ne soulève pas des vagues.

Le Cardinal opina.

– Vous parliez d'une surprise, Claudio ? Je n'en vois pas dans la bonne prose de Mancini.

– Je voulais parler de l'éditorial d'*Ora Undecima*, le torchon d'extrême droite. Écoutez ceci, Éminence, c'est signé Alberto Pozzi : « Une ère nouvelle se lève sur l'humanité. Sodome et Gomorrhe seront ruinées. Seuls les justes survivront. Exterminés ceux qui " par les manœuvres de La Bête, petits et grands, riches ou pauvres, libres et esclaves, se feront marquer sur la main droite ou sur le front [5] ". " Mais un pasteur surgira de la nuit, un envoyé de Dieu, le Messie du vingt et unième siècle, Petrus Romanus, non le dernier pontife comme le prétendait Malachie, mais le premier d'une lignée qui conduira l'humanité à son terme, la rencontre avec le Seigneur des purs. Il prendra la tête de la croisade des élus. Léviathan vaincu, les disciples d'Escobar défaits, les antéchrists ne feront plus obstacle à la gloire de Dieu. Les trompettes pourront sonner aux quatre coins de l'univers. L'enfer se refermera sur les damnés de la terre... " » Et caetera. Qu'en pensez-vous, Éminence ?

– C'est de la même veine que le message des voyantes. Nous connaissons cette littérature. Le moment de sa publication n'est certes pas innocent. Le loup sort du bois. La Bête contre La Bête. Et ce n'est hélas pas le titre d'un roman. Pozzi sème la panique et prépare les esprits à un coup d'État. Le mythe du libérateur miracle. Je pense que l'affrontement approche, Claudio. Mancini a parfaitement raison : on est en train d'essayer d'« islamiser » la Confédération. Bon. Je vais une nouvelle fois entreprendre le Saint-Père. Ces deux articles tombent à point nommé. Je lui conseillerai de contacter le Président Van Gelder. S'il n'y consent pas, je le ferai moi-même. Nous sommes au service de l'Église, Claudio, et non du Pape.

– Vous ne croyez pas à son infaillibilité, Éminence ?

Le Cardinal sourit face à cette question perfide.

– Le Pape est infaillible, Claudio, aussi longtemps qu'il ne se trompe pas.

Cafarelli ne put contenir son hilarité. « Décidément, songea-t-il, il me surprendra toujours. »

– Vous espérez vraiment les convaincre ?

– Non. Je ne les convaincrai pas. Mais j'aurai suivi la voie officielle avant d'en emprunter une autre.

---

5. Apocalypse XIII, 16-17.

Le ton du Cardinal ne permettait aucune interprétation ambiguë de ses propos. Il enchaîna.

– J'ai également une surprise, Claudio. Giannalia a réapparu. Elle s'est réfugiée chez une contessa à Urbino, d'où elle a téléphoné à Remio hier pendant que vous étiez à Civitavecchia. La récollection s'est-elle bien passée, votre auditoire suspendu à vos lèvres ?

Cafarelli éclata de rire.

– Difficile de séduire la communion des saints du troisième âge, Éminence. Que faisons-nous pour Giannalia ?

– Remio étant encore indisponible, j'ai demandé à Janice d'y aller. Elle doit déjà être en route.

– Une femme seule, n'est-ce pas imprudent ?

– Elle est accompagnée par deux collègues de Remio qui avaient participé à l'expédition de Mengara. Ayez l'obligeance de demander une audience au Saint-Père pour aujourd'hui même, Claudio.

Ils rallièrent Urbino dans les Marches de la Toscane. Le palais ducal dressait devant eux sa façade en briques rouges. En cette fin de matinée, la lumière crue du soleil de janvier conférait à la majestueuse bâtisse une élégance sévère. Cependant, la rude beauté de cette architecture ne captiva guère les occupants de la Mercedes. A peine Giuseppe Cirrea eut-il stoppé la voiture qu'ils se précipitèrent vers le palazzo Della Rovere. Quand le maître d'hôtel, vieillard noueux comme un chêne centenaire, le visage évoquant un ivoire ancien, astiqué, ganté de blanc, mais le crâne bandé, et qui présentait les signes de l'affolement le plus complet leur ouvrit la porte, ils comprirent qu'ils étaient arrivés trop tard.

La Contessa les reçut dans un vaste salon encombré de meubles surchargés de vases, de potiches, de photos. Elle semblait consternée. Du récit qu'elle leur fit d'une voix trahissant une vive émotion, il ressortait qu'un homme était venu tôt durant la matinée, s'était présenté comme un employé de la municipalité, dépêché afin de relever les compteurs de gaz. Alors qu'Hilario, le maître d'hôtel, s'engageait sans méfiance dans l'escalier étroit menant aux caves, un coup sur la tête l'avait envoyé valdinguer au bas des marches. Le bandit avait alors fait irruption dans les appartements de la Contessa. Sous la menace d'un revolver, il l'avait forcée à le conduire à la chambre où dormait la pauvre petite. Après l'avoir réveillée sans ménagement, il l'avait obligée à s'habiller. La jeune femme s'est laissé emmener sans opposer la moindre résistance. Elle paraissait anesthésiée. Le temps pour la Contessa de réaliser la situation, le faux employé du gaz et sa victime avaient disparu.

Cirrea et Bontempi tremblaient de rage rétrospective ; s'ils l'avaient eu sous la main en cet instant, ils auraient réduit en charpie l'auteur du rapt. En dépit de sa propre angoisse, Janice tentait de consoler la Contessa culpabilisée par son impardonnable incurie ; après avoir entendu les révélations de Giannalia, elle aurait dû prévoir cet enlèvement, la faire protéger. Tandis que la Contessa se reprochait ses manques, Cirrea demanda pertinemment comment ils l'avaient localisée aussi rapidement et organisé son kidnapping. Janice acquiesça. Par téléphone, elle prévint le Cardinal.

Après avoir repris ses esprits, la Contessa rapporta à Janice les confidences de Giannalia, ses fausses visions, la grosse somme d'argent, son errance, ses remords : « La pauvre chérie était complètement perdue lorsqu'elle a sonné à ma porte. Après son coup de fil à ce journaliste, je n'ai songé qu'à la dorloter pour qu'elle s'apaise. Funeste erreur de ma part. » Janice eut beau lui répéter que quiconque aurait agi comme elle en pareilles circonstances, aucun argument ne lui ôtait de l'idée qu'elle portait une écrasante responsabilité dans ce drame. Janice se sentait démunie devant les problèmes de conscience de la Contessa.

De la description qu'en firent la Contessa et son maître d'hôtel, il s'avéra que le malfaiteur était de petite taille, plutôt mince, d'allure jeune. Il avait un visage pâle, la peau grenelée et des joues gonflées comme s'il était affligé d'un double abcès dentaire. Cirrea nota ces précieuses indications. A contrecœur, mais parce qu'ils ne pouvaient rien faire d'autre, ils décidèrent de rentrer à Rome, non sans avoir conseillé à la Contessa de se tenir sur ses gardes : elle était devenue un témoin gênant. N'était-il pas plus avisé qu'elle aille se mettre au vert ? Celle-ci leur fit de vagues promesses ; la perspective de devoir découcher ne l'enchantait guère. « Les vieux sont prisonniers de leurs habitudes », leur dit-elle en guise d'excuse. Malgré son désarroi présent, la Contessa avait une forte personnalité ; ils la quittèrent donc, persuadés qu'elle se remettrait dans les plus brefs délais du choc qu'elle avait encaissé. Ils lui laissèrent leurs coordonnées et lui souhaitèrent bonne chance.

Le retour fut morose. Après avoir échangé quelques impressions désabusées, chacun s'enferma dans le mutisme. Cirrea conduisait, Bontempi dormait sur le siège arrière, Janice méditait. A quoi avait-elle consacré sa vie jusqu'à cette heure ? Elle avait milité pour la cause des femmes, elle avait accédé à un poste élevé au Vatican d'où, avait-elle imaginé, elle aurait le pouvoir de faire changer les choses. Elle avait dû déchanter rapidement ; rien ne changeait ou si peu. La phallocratie cléricale ne disparaîtrait pas de sitôt. Chaque fois qu'elle participait à une réunion avec les dignitaires de l'Église, elle percevait la gêne des uns, la condescendance des autres. A l'exception du cardinal Videgarai, le seul à se comporter naturellement avec elle et à écouter ses avis, l'aréopage des éminences la considérait comme un meuble encombrant, mais dont on n'était pas en mesure de se débarrasser. Le cardinal Doyen Paolo Dezza en particulier ne pouvait pas la souffrir. Il était le plus virulent de ses détracteurs, ne manquant jamais d'insinuer qu'elle était une intruse et une intrigante. Quant au Saint-Père, il jouait le jeu d'une cohabitation rendue nécessaire afin de plaire au deuxième sexe, puisque les femmes désertaient les églises. Bien qu'elle fût là depuis peu, Janice se demandait si elle ne devait pas démissionner plutôt que de cautionner par sa présence les actes d'une gérontocratie masculine. Elle était lasse d'entendre son nom cité comme exemple de l'ouverture de l'Église. Même ceux qui la méprisaient en privé exploitaient sa fonction dans leurs discours publics. Les récents événements l'avaient profondément ébranlée et ramenée vers elle-même. Non seulement elle était maintenant décidée à s'accrocher, ne fût-ce que pour aider le cardinal Videgarai, très isolé au sein de la curie, mais elle désirait modifier son comportement. Aussi longtemps qu'elle serait une entité asexuée, se méfiant de l'optatif, tremplin du péché, elle vivrait à l'impératif et à l'infinitif : discutez, proposer, rédigez, signer, discourir, taisez-vous, inaugurez, se montrer, recevoir, soyez raisonnable, voyager. Pas de contacts avec les larmes, la sueur, l'anxiété, le désespoir des hommes. Pas d'immersion dans la vie quotidienne. Avec une naïveté affligeante, elle avait cru qu'il suffisait de dénoncer le mal pour le contrer. En fait, songeait-elle en traversant une campagne désolée, les anathèmes, loin de l'affaiblir, le confortent. En le clouant au pilori, on lui accorde une existence à part, il prospère alors en serre, déconnecté du réel. Apparenté à un absolu, il contamine par la fascination qu'il exerce. La beauté du diable. La tactique consiste à l'infiltrer sans bruit. Elle jeta un coup d'œil à Cirrea. Et les hommes ? N'était-elle pas « misandre » ? A force de les vilipender, elle avait fait le vide autour d'elle. Un symbole n'est pas humain ; et elle était un symbole. Comme une handicapée du cœur, aussitôt qu'elle ressentait un élan de tendresse ou de désir pour l'un d'entre eux, elle réprimait ce sentiment comme s'il s'agissait d'un crime de « lèse-féminité ». Telle une amazone, elle s'était tranché le sein aux fins de mieux lancer ses flèches. Elle ne se détendait jamais comme une chauve-souris au repos, la tête en bas. Voilà qu'elle s'apercevait qu'elle n'avait aucune vie privée, pas de loisirs hormis le bel canto, les conférences et les concerts, loisirs obligés des prix de vertu. « Janice, tu es la contrefaçon d'une femme, se dit-elle. Observe comment tu t'habilles, comme une nonne. Mais c'est terminé. Je vais être moi-même. Que j'existe enfin ! »

Une nouvelle Janice voyait le jour sur le chemin de Rome. Elle défit son chignon et laissa couler une chevelure abondante sur ses épaules. Elle regarda Cirrea en souriant et murmura : « Et si on causait. » Ébahi, Cirrea fit une embardée et manqua de plonger dans le Trasimène qu'ils étaient en train de longer.

Malgré la tempête qui sévissait sur la ville depuis quelques heures, une meute de journalistes attendait le cardinal Videgarai à sa sortie du Vatican. Comme chaque soir, il regagnait son trois-pièces de la Trinità dei Monti. Lorsqu'il avait reçu le chapeau, il avait refusé d'occuper le logement de ses prédécesseurs sur la piazza della Città Leonina. A peine eut-il franchi la porte du palais du Saint-Office que sa voiture fut assaillie. « Éminence, que pensez-vous de l'article de Mancini ? Y a-t-il un complot contre l'Église ? Pouvez-vous citer des noms ? Est-ce que vous désavouez *Ora Undecima* ? Croyez-vous aux prédictions de Malachie ? Que va faire le Saint-Père ? Est-il exact qu'il veut abdiquer ? Comptez-vous faire une déclaration ? » Par la vitre baissée, le Cardinal répondit en souriant qu'il ne ferait aucun commentaire, mais qu'il ne manquerait pas de les tenir informés si l'actualité le commandait. Il leur conseilla par ailleurs de se mettre à l'abri s'ils ne voulaient pas attraper une méchante grippe. Imperturbable, sous les flashes des paparazzi, il manœuvra au milieu d'un concert de cris, de questions et d'interjections, se dirigeant par la via Santo Uffizio vers la piazza Pio XII et de là en direction de la via della Conciliazione.

Son entretien avec Jean XXIV avait tourné court. Lorsqu'il avait déposé sur son bureau les articles de Mancini et de Pozzi, le Pape les avait repoussés d'un geste agacé. « J'ai lu ces divagations, s'était-il écrié. Quand les journalistes sont en manque de sensations, ils écrivent des sornettes. » Videgarai s'était évertué à lui démontrer que les affirmations de Mancini n'étaient pas dénuées de tout fondement, que les délires de Pozzi confirmaient par l'absurde la thèse du complot ; si ce n'était pas le cas, comment interpréter les vaticinations incendiaires d'*Ora Undecima*. Irrité, le Pape martelait son bureau du poing : « Il n'y a de complot que dans votre imagination, Éminence. Vous êtes le seul à le prétendre. Votre obstination est exaspérante. » Après s'être ainsi emporté, Jean XXIV s'était calmé momentanément. « Des crimes, des attentats, il y en a tous les jours ; si nous devions chaque fois y voir les signes avant-coureurs d'une révolution, nous vivrions en état de psychose permanente. » Il s'énervait à nouveau. « Vous êtes paranoïaque, Éminence. » Puis l'orage s'éloignant, Videgarai reprit point par point tous les éléments dont il disposait. Malgré la rigueur de son raisonnement et la profondeur de sa conviction, le Pape ne fut guère convaincu. Quand, à la fin de l'audience, le Cardinal lui conseilla de contacter le président de la Confédération, la colère du Pontife ne connut plus de bornes. « Je refuse de me ridiculiser. Contacter le président. De quoi aurais-je l'air ? Si je vous ai autorisé à poursuivre votre enquête, ce n'est pas pour vous entendre débiter toutes ces fables. Écrivez des romans, Éminence. En ce qui me concerne, j'ai en charge le bien de l'Église universelle et non une maison d'édition. Demain, j'annoncerai au monde une Année Sainte pour 2021. C'est à sa préparation qu'il convient de consacrer nos énergies et non à nous tracasser pour de pseudo-voyances. Cette fiction de complot n'a que trop duré ; je vous somme de mettre un terme à ces vaines investigations. »

Le Cardinal s'était incliné. Mais dès cet instant, il sut qu'il désobéirait à l'ukase de Jean XXIV, qu'il ne désarmerait pas, qu'il continuerait seul sa longue marche vers la vérité.

III

GLORIA IN EXCELSIS DEO

Abbaye de l'Immaculata
Journal secret du frère Enzo
Samedi 6 février 2020
Deux heures après le couvre-feu

Fête de saint Tite, fidèle disciple de saint Paul. *Nisi granum frumenti...* si le grain ne meurt en terre. Le thème de l'homélie de l'Abbé Général, Dom Clément, un ex-Belge, arrivé hier soir en grand arroi pour faire la visite. Nous l'attendions à l'entrée du monastère. Après s'être extrait de sa voiture, il s'est avancé vers nous, suivi de son secrétaire, nous a bénis de sa main potelée, et a déclaré : « Je pense que vous êtes une bonne communauté, mais nous examinerons cela de près. » Leonardo maniait la brosse à reluire. Le spectacle de sa flagornerie compensait largement l'heure passée à grelotter de froid. Les visites de l'Abbé Général constituent toujours des moments importants de la vie monastique. Des changements s'ensuivent et chacun redoute de voir ses petites habitudes chamboulées. Dom Clément est un poussah, solennel et doucereux ; chauve comme un œuf de Pâques, visage en massepain, rose, comme le cul d'un angelot, il exsude l'eau bénite par tous ses pores. Dans sa région, on l'a affublé du sobriquet « witte duif », ce qui signifie, paraît-il, en flamand « le pigeon blanc ». Allusion à sa certitude de vivre en communication permanente avec le Saint-Esprit et aux décisions à l'emporte-pièce dont il est coutumier, les unes découlant de l'autre ; l'Esprit souffle où il veut. Il considère autrui comme un djinn soumis à « sa magie d'initié ». Ce *missus Dominici* s'identifie à son maître chassant les marchands du temple. Il n'éprouve aucun scrupule à démettre un abbé, expulser des moines, fermer des monastères, bouleverser les structures et les horaires. Cet histrion justifie ses décisions en reniflant le doigt tendu vers le ciel : « Ce n'est pas moi, c'est lui. » Un brave moine qui portait ombrage à son abbé fut fermement incité par Clément à accepter une charge de prieur dans une autre abbaye. Une fois sur place, celui-ci découvrit qu'il avait été abusé : il était aide-sacristain. Profondément choqué par le procédé déloyal, il écrivit à Clément pour lui faire part de son mécontentement. La réponse ne se fit pas attendre. « Mon bien cher fils, il est exact que l'arrangement de vos tâches est assez imprévu étant donné la perspective dans laquelle j'avais fait appel à votre générosité. En sorte que c'est ensemble que nous accueillons les voies providentielles. Je comprends que vous éprouviez un certain regret ; pourtant, la grâce vous aura été donnée – j'en ai la ferme conviction – de trouver le Seigneur dans sa venue inattendue. L'obéissance et les événements sont des maîtres de sa main. Ne vous étonnez pas, vos supérieurs obéissent aussi à ce que le Seigneur leur dit parfois inopinément à travers des situations concrètes. Il n'y a là rien qui puisse vous faire craindre une atteinte même légère à la *probitas* de l'Ordre. Mon fils, quand le Seigneur vient à nous de pareille manière, c'est toujours le signe d'un grand amour. Il travaille ainsi à nous transformer. Je prie à cette grande intention en lui confiant toute l'espérance qu'en son nom je mets en vous. » Je ne me souviens plus comment ce petit chef-d'œuvre d'hypocrisie ecclésiastique est tombé entre mes mains, mais je sais qu'en le lisant, je me suis demandé si l'auteur n'était pas un Jésuite. Le sommet est atteint lorsque Clément exhorte ce malheureux à ne pas douter de la *probitas* de l'Ordre alors que c'est bien de la sienne dont il est question.

Les cartes de ses visites ne sont jamais des amphigouris ; trop de relâchement, pas assez de silence, de prière, de travail ; trop de sommeil et de nourriture, pas assez d'obéissance et de mortifications. A ce propos, cet adipeux ne prend pas ses repas avec la communauté, il se fait servir dans ses appartements ; il serait au régime. Bien qu'il aurait pu se payer une cure de *fats hunter*, il se préfère visiblement en gastéropode. Il ausculte sa santé avec la même méticulosité que les âmes de ses administrés. L'abbé Clément s'exprime en ahanant de l'intérieur à coup de soupirs affligés comme s'il portait tous les péchés du monde sur ses épaules grassouillettes. Ce comédien est un émérite simulateur de componction. Dans les prochains jours, il m'incombera de me soumettre une fois de plus à l'épreuve du compte de conscience. Mais je suis blindé. Je sais comment manœuvrer cette portion de plum-pudding. Il faudra surtout veiller à encenser Leonardo, que Clément porte aux nues. L'an passé, alors qu'un dégourdi esquissait un soupçon de critique à l'égard de Barracuda, l'Abbé Général l'avait interrompu sèchement : « C'est moi qui ai nommé votre Abbé, c'est Dieu qui l'a choisi. Vous êtes animé par un préjugé défavorable qui est le signe de l'esprit malin. » Il lui avait collé un *octiduum* [1] en guise

---

1. Retraite de huit jours.

116

de pénitence. Un moine averti en vaut quatre. En réalité, je n'ai pas grand-chose à craindre, Leonardo ne me bêchera pas trop. Ne m'a-t-il pas promu ?

Et de fait. Il y a trois jours, Eusebio, le cerbère de Leonardo, son secrétaire, quoi ! m'a notifié que celui-ci me convoquait. Je me suis creusé les méninges : « Qu'est-ce qu'il pouvait bien me vouloir ? Quels poux me cherchait-il ? » En me rendant chez lui, j'émettais les hypothèses les plus pessimistes ; je me suis hâté lentement, inventoriant la liste de mes secrets inavouables. Je tremblais à l'idée de le trouver en train de feuilleter ce journal, véritable délit d'initié. Soudain, un frisson de terreur me transperça, Clément avait annoncé la nomination imminente d'un exorciste. L'horreur coefficient n. L'un d'entre nous allait devoir se former à détecter l'odeur de soufre. Pitié, pas ça. J'étais donc dans les transes lorsque j'entrai dans son bureau. Il pictophonait. Je me prosternai. Il me fit signe de me relever. Il parlait en allemand, langue qui m'est inconnue. Quelques instants plus tard, il mettait fin à la conversation avec un interlocuteur, invisible pour moi vu la disposition de l'écran. Lèvres retroussées, il me décocha un sourire tout en dents. Le pire allait s'abattre sur ma tonsure. « Frère Enzo, me dit-il sans préambule, à partir d'aujourd'hui, je vous confie l'hôtellerie. Le père Amadeo ne convient plus à cette fonction. Son âge l'a rattrapé. » Il avait ricané ces derniers mots dans l'espoir que j'enchaînerais en stéréophonie. Cette manière qu'il a d'ironiser sur le dos des absents est exaspérante. En dépit de mes efforts pour demeurer imperturbable, il parvient à me rendre complice « de ses bons mots ». Le serviteur ne peut s'abstenir de rire des lazzi de son maître. Je suppose qu'il agit de même avec les autres. Il aurait affirmé en présence du frère Angelo : « Le frère Enzo, il faut se le farcir. » Cet aimable con !frère s'empressa de me répéter cette peu flatteuse appréciation. J'ai lu quelque part qu'Hitler procédait de la même manière avec ses collaborateurs. Depuis cet incident, son antre évoque pour moi une chambre à gaz. Un antre trois étoiles, s'entend ; le contraste entre ses appartements et les cellules de moines est décoiffant : luxe, calme et modernité. Les meubles anciens avoisinent le matériel informatique le plus sophistiqué ; sur un mur, des travées de livres édifiants, sur l'autre, il s'offrirait, jase-t-on, des excursions virtuelles, pas nécessairement pieuses. Une installation musicale à la pointe du progrès. Derrière lui, une photographie de dimension, on le voit en orant devant la Vierge noire de Czestochowa. Tout un programme. Il a poursuivi. « Amadeo vous mettra au courant. Le frère Arturo reprendra votre charge à la bibliothèque ainsi que votre commentaire du Nuage d'Inconnaissance. Vos nouvelles attributions exigeront de vous détachement et discrétion. Vous me ferez un rapport hebdomadaire de vos activités. Ne perdez jamais de vue qu'un hôtelier est un peu la vitrine d'une abbaye. » Il s'esclaffa bruyamment avant de conclure : « Son produit en promotion. »

J'étais donc hôtelier. Alors là pour une surprise, c'en était une de taille. Si je m'étais attendu à cela. Par ailleurs, Leonardo doit me tenir pour un *minus habens*, faute de quoi il ne m'aurait pas désigné à ce poste clé. Ces réflexions ont de quoi relativiser l'événement. Cela dit, dans une abbaye, l'hôtelier occupe une position privilégiée. Il n'a pas tort, le monstre, quand il dit qu'il est en vitrine : il constitue une espèce de trait d'union entre le monde extérieur et les claustrés. C'est un personnage très apprécié des autres moines, il est informé de ce qui se passe au-dehors, et même au-dedans. Son rôle consiste à accueillir les visiteurs, à veiller à leur confort, à s'entretenir avec eux, à les confesser, les conseiller, à animer des retraites, à gérer. Bref, il jouit d'une exceptionnelle liberté de mouvement et de parole. Comme il est moins tenu par les obligations monastiques, les devoirs de son emploi en font un religieux à part. Tout en prêtant une oreille distraite aux recommandations du vieil Amadeo, un authentique saint homme, je découvrais les êtres avec ravissement. Mon bureau, le premier de ma vie, une pièce spacieuse peinte en couleurs claires, agrémentée de trois larges fenêtres donnant sur un cloître planté de cyprès. Une bibliothèque fournie en œuvres « *ad usum laicorum* ». Et puis, ô merveille, un PC. L'ambiance moelleuse tranchait avec les autres lieux de l'abbaye. Leonardo avait décrété en accord avec Clément que la température ne dépasserait pas quinze degrés. « Jésus-Christ est en agonie... » Évidemment sa suite, celle de l'Abbé Général et l'infirmerie (quand même) étaient chauffées par un système autonome.

Depuis l'époque de Barnabé, je n'avais ressenti une telle euphorie. Bien sûr, il me faudrait répondre de mes actes devant Barracuda, mais je me savais suffisamment habile pour le berner. Enzo ferait un hôtelier idéal, un ilote sans reproche.

Voilà trois jours que j'exerce mes nouvelles responsabilités. Je suis sidéré par la foule qui hante céans. Une faune très internationale. Ma méconnaissance des langues étrangères me gêne grandement. Amadeo parle cinq langues. Cette affluence m'étonne d'autant plus que peu d'hôtes assistent aux offices. A l'exception de trois retraitants, les autres défilent sans s'attarder. Ces messieurs-dames ne sont pas des miséreux : les grosses cylindrées alignées dans la cour attestent de leur aisance financière. Interdiction d'ins-crire ces mystérieux visiteurs dans le registre. Ils viennent ici inco-gnito, dans le seul but de rencontrer Leonardo. Polis, mais guère diserts. Je les reçois, les installe dans leur chambre. Mon interven-tion s'arrête là. Eusebio assure la suite des opérations. A quoi rime tout cela ? Je me suis renseigné auprès d'Amadeo : ce remue-ménage dure depuis des mois. Aussi me suis-je appliqué à relever les numéros des plaques d'immatriculation. Foi d'Enzo, j'en aurai le cœur net.

Avant d'exercer une nouvelle charge, un moine doit faire une confession générale écrite. Je suppose que Barracuda utilise ce document envers et contre tous les droits du pénitent. Manière d'inféoder celui qu'il élève. Dignité gangrenée. C'est une combine à haute tension, comme dirait Gino qui n'hésite jamais à faire un petit jeu de mots. Pratique périlleuse qui demande d'être versée dans l'art d'avouer des faiblesses qui sont le pendant des vertus qu'on cultive ; il est des péchés qui reflètent une belle âme, il en est d'autres qui trahissent la médiocrité.

« Confession générale du 3 février depuis mon entrée au monas-tère. Vis-à-vis du Seigneur, je fais souvent preuve de tiédeur, d'indocilité aux appels. Je manque de recueillement, d'effort dans la prière, je néglige les exercices spirituels, je recherche l'évasion. Le Seigneur ne me suffit pas. Si je fais preuve d'une obéissance imparfaite, parfois contrainte, de manque de charité envers mes frères, je prononce trop de jugements négatifs, de paroles aigres ou impatientes. Sur le terrain de la chasteté, j'ai quelques imagina-tions : il m'est arrivé de me toucher, d'éprouver une tendresse équi-voque pour l'un ou l'autre frère plus jeune. Peut-être ai-je fait des confessions sacrilèges. Retours sur moi-même. Vanité, désirs de briller en médisant, voire en mentant. Manques de mortification, de discrétion. Paresse pour ce qui sort de la routine. Manque d'humilité. Je suis vite froissé. Je ne supporte pas la supériorité d'autrui. Beaucoup d'imperfections et un manque de conformité entre les intentions et les actes. En conclusion : je suis loin de la sainteté dont je rêvais au début de ma vie religieuse. Cependant d'échec en échec, peut-être me suis-je épuré et suis-je devenu davantage un instrument docile entre les mains du Seigneur ! »

Voilà le poulet que je lui ai offert, bardé de l'indispensable contrition propre à ce genre de vocalises. Je joue au modeste, à l'épuceur de conscience et le comble, c'est qu'il s'en moque éperdument et que moi, je lui raconte n'importe quoi. Peu lui chaut de régner sur des saints pourvu qu'il règne. Il est certainement convaincu de ma sincérité, alors que je le trompe ; je suis persuadé de sa fourberie, alors qu'il imagine que je suis dupe. Rocambolesque imbroglio vieux comme l'Église. Je renonce à rédiger la vraie confession qui me ferait éjecter illico presto : l'entreprise dépasse mon potentiel d'humour.

Ce matin, après la messe conventuelle célébrée par l'Abbé Général, j'ai encaissé un fameux choc. Un industriel du Nord m'a montré un entrefilet de *La Stampa Sera*, un quotidien turinois : un certain Dino Campi, ancien moine de l'Immaculata, avait été renversé par un chauffard et tué sur le coup. Ma douleur ! Pauvre Léon. Il n'aura pas profité longtemps d'une liberté si chèrement acquise. « Un accident », écrivait le journaliste. Sa légendaire distraction lui avait-elle joué un mauvais tour ou l'avait-on carrément supprimé parce qu'il avait découvert ce qu'il n'aurait pas dû ? Le souterrain ? Sa mort suspecte représente pour moi une motivation supplémentaire à débrouiller l'écheveau de ces étrangetés. Même s'il est dangereux, c'est patent, de fourrer son nez dans les affaires de Barracuda, je courrai le risque. Ma vie ne compte pas. Venger Léon, n'est-ce pas là une belle cause ? *Dies irae, dies illa.*

Ce soir, à la fin du repas, Leonardo a instruit la communauté de la mort de Léon avec des trémolos dans la voix. Clément s'est ensuite fendu d'une oraison funèbre sans complaisance. L'ex-frère Léon avait subi le sort que méritaient les concupiscents. Dieu l'avait foudroyé. « On ne se moque pas impunément du Seigneur. » Le cher homme venait de mourir pour la deuxième fois. Assassiné à Turin, damné à l'Immaculata. Les salauds se portent bien. Adieu l'ami, tu resteras dans ma mémoire comme un ange égaré au purgatoire. Pour moi, tu es parti en héros. Au service de quelle cause ? Voilà ce que j'ignore encore.

Je ne loge pas à l'hôtellerie. La règle l'interdit. Chaque soir, après complies, je regagne ma glacière. Quant à mon journal, je préfère, pour des raisons de sécurité, le rédiger dans ma cellule. J'ai aménagé une cachette sous le plancher. Gildas devrait être très malin pour l'y dénicher... et il n'est pas très malin. Maintenant que je suis hôtelier, je n'aurai plus de problèmes d'allumettes quand je veux m'offrir une bonne pipe. « Léon, vieux frère, tu es dans le cœur de Dieu ; aide-moi à survivre et à voir clair. »

120

La pluie continuait de tomber à verse sur la Ville Éternelle. Remio, remis, dînait en compagnie d'Aurelio dans une pizzeria de la piazza Della Minerva en face du Panthéon. Il ne décolérait pas depuis l'enlèvement de Giannalia. Il aurait soulevé des montagnes pour la retrouver. Le Commissaire avait mené son enquête avec célérité et avait identifié le « petit vieux » à l'aide de la photo prise à Mengara et du témoignage de la Contessa.

– Il s'appelle Marco Buco. C'est un repris de justice mafioso né à Agrigente, il y a trente et un ans. Sa dernière adresse connue : 15 viale Roma à Frosinone. Il n'y loge évidemment plus. J'ai lancé un avis de recherche. Résultat des courses : 22, viale Giotto à Anagni. Des voisins ont assuré à un collègue du coin qu'il voyage beaucoup. Il paraît qu'il est représentant de commerce. La couverture idéale. Du genre plutôt taiseux. Je suis convaincu que c'est notre homme. Il est d'ailleurs absent pour le moment. Je l'ai fait mettre sous surveillance. Il est sur Crossworld. Nous interceptons tout : ce qui entre, ce qui sort. Dès qu'il réapparaîtra, nous le prendrons en filature. Son compte en banque est normal, mais ça ne veut rien dire : si c'est un vrai truand, il aura planqué son magot au soleil.

– Tu es un chef, Aurelio. C'est notre seule piste. Il ne faut absolument pas qu'il se doute de quoi que ce soit. Nous utiliserons ce rat pour dégoter le fromage. Qu'en est-il des propriétaires d'*Ora Undecima* ?

– Un consortium international. J'ai relevé une dizaine de noms. Assurément des prête-noms. Aucune personnalité parmi eux. J'en déduis que les commanditaires effectifs souhaitent demeurer anonymes. Bizarrement, ce journal tourne à perte. Trente mille lecteurs à peine et, toutes proportions gardées, il fonctionne comme le *Washington Post*. Deux cents appointés, je ne te dis que ça. Des correspondants dans le monde entier. C'est donc un organe de propagande, une boîte aux lettres, une raison sociale pour couvrir des opérations nauséabondes ; le tout généreusement arrosé par des grandes pointures.

– Il serait intéressant d'aller faire un tour du côté des prête-noms. Ils nous permettraient peut-être de remonter la filière.

– D'accord. Je m'y attelle. Si la piste Buco est la bonne, on passera à l'offensive.

– Pas tant qu'ils tiennent Giannalia. Je suis très inquiet, Aurelio. Sitôt qu'ils l'auront interrogée, ils la tueront. Si ce n'est déjà fait.

– A moins qu'ils ne se servent d'elle comme une monnaie d'échange ou un moyen de pression. Je pense qu'ils vont la garder un peu, ce qui nous laisse du temps.

– Dieu t'entende ! Mon oncle partage ton opinion.

– D'après ce que tu m'as raconté, il serait très isolé au milieu des pontes du Vatican, même le Pape ne le suivrait pas ?

– Je m'interroge, Aurelio : quand tout le monde est aveugle, c'est qu'il y a un virus quelque part.

– Tu n'imagines quand même pas que le Pape est dans la combine ?

– Jean XXIV est probablement honnête, mais faible. Non, je pense à d'autres types de protections, pas uniquement ecclésiastiques.

– Crois-en ma vieille expérience. L'embrouille attire la malhonnêteté. Plus rien ne fonctionne normalement. Comme la mauvaise herbe, l'argent a tout envahi. Tu as beau sarcler, cela repousse.

– Évitons de broyer trop de noir : cela nous ébrécherait le moral. Regarde, par exemple, l'article de Mancini. On en parle partout. Tu me diras que c'est la sensation du jour et qu'il sera oublié demain. Je continue toutefois à croire, et je te prie de ne pas rigoler, que les peuples sont sains. Mais ils devraient arrêter de fumer.

Graziani le dévisagea l'air perplexe.

– Qu'est-ce que tu veux dire ?

– Le fumeur est intoxiqué, mais dès qu'il met fin à son tabagisme, il retrouve progressivement une sensation de fraîcheur interne comme s'il sortait d'un tunnel.

– Il est plus facile d'arrêter de fumer que de persuader son voisin de le faire. Or l'intoxication est ambiante, généralisée.

– Correct. Aussi, est-ce par petites touches qu'il faut procéder. Nous devons démêler ce sac de nœuds. Si on y parvient, on aura éclairci un coin du ciel.

– Heureusement, les gens en ont assez de toutes ces malversations orchestrées par des fumiers de plus en plus nombreux. Ils sont las de ne pouvoir respirer. Je rêve que le baril de poudre explose un de ces jours.

– A nous d'allumer la mèche, Aurelio.

Ce soir, le commissaire Graziani se sentait en veine de confidences. La bonne chère, un Chianti classico, l'amitié de Remio l'incitaient à s'épancher.

– Quand Bianca m'a quitté, j'ai cru que le monde s'effondrait. Jusqu'à cet instant cette pécore m'avait tenu la tête hors de l'eau alors que mon métier de flic me faisait vomir. Du jour au lendemain, je me suis retrouvé seul : son départ m'avait dépouillé de mes derniers grammes de courage. Je suis devenu un fonctionnaire du néant, amer et asocial. J'ai connu la déprime en permanence. Quand ce genre de décadence frappe un homme de cinquante ans, le risque qu'il végète en attendant la mort est réel. Je ruminais sans relâche : « Bianca, un leurre ; mon travail, un fourvoiement. J'aurais pu être archéologue, écrivain, professeur, artisan. Tout a échoué. » Puis lentement, entre le pont et la rivière, je me suis senti plus libre. Aujourd'hui je me dis qu'il faut parfois errer sur des routes secondaires pour se trouver un jour à l'endroit précis à partir duquel ta vie démarre. On mûrit dans le brouillard pour une mission à venir. Tu te réveilles un matin en ayant quelque chose à faire. C'est l'heure de vérité : soit tu marches et tu deviens quelqu'un à tes propres yeux, soit tu te recouches et tu te dissipes dans le futile. Je me demande si ce matin n'est pas arrivé.

Il se tut. Faisant tourner son verre dans la lumière, il observa la robe du vin avant d'en avaler une gorgée. Remio contemplait son copain avec autant de sympathie que d'étonnement. Il ne l'avait pas encore entendu disserter aussi longuement.

– Santa Madonna, tu m'ébahis. Je ne te savais pas philosophe.

Graziani sourit d'un air penaud, un peu honteux de s'être ainsi livré.

– Le malheur rend philosophe. Mais ne t'étonne pas. Je ne suis qu'un flic. Ta surprise vient du fait qu'entre nous, on rigole, mais qu'on ne parle pas de soi. Tiens ! Que sais-tu des copains ? Au fond, que sais-je de toi ? Tu vois, les amis, c'est un no man's land, un banc où on fait une pause. Entre eux, il existe comme un code, une omerta des emmerdes. On ne se cherche pas de misères mutuelles en étalant les siennes. La pudeur est la garantie d'une amitié de longue durée. En amour, on se dit tout et on finit par se casser. L'amitié, c'est plus tranquille. Mais voilà, je crois bien que j'avais besoin d'une purge. Je suis tombé sur toi. Excuse-moi.

– Ne t'excuse pas. J'en suis au même point. A nous deux, on va les avoir, ces ordures.

– Il faudra que j'aie la foi. Tous les matins, en me rasant, je jette un œil sur ma dépouille : regarde-toi, vieux débris. Débranche ton sonotone, tu n'es plus dans le coup.

— Tu l'as dit tout à l'heure. C'est le vrai décollage. Il n'y a pas d'heure, ni d'âge. Attache ta ceinture, c'est tout ce qu'on te demande.

Après le repas, le patron, un gros rougeaud, leur servit deux grappas, offertes par la maison. Graziani alluma une Nazionale. Le policier reprenait le dessus.

— Mes états d'âme allaient me faire oublier deux faits importants. D'abord j'ai la preuve que ton PC est sur écoute, ce qui expliquerait la rapidité avec laquelle Giannalia a été localisée.

— Comment est-ce possible ? Pour mettre un PC sur écoute, il faut l'accord des autorités.

— Évidemment. Je me suis renseigné. Cet accord n'a pas été donné. Mais on pirate très facilement une installation de l'extérieur. Il suffit d'être outillé.

— Dans ce cas le pirate est toujours là ?

— Oui, mais très difficile à détecter. La seule solution, c'est de couper ton appareil et de le reprogrammer. Appelle un spécialiste.

— C'est râlant. Je vais me débrouiller. J'ai un copain au *Corriere*, Nino Bontempi, un génie de l'informatique. C'est un des gars qui m'avait accompagné à Mengara. Tu évoquais deux faits ?

— Oui. J'ai fait analyser la balle avec laquelle Buco a tiré sur ta voiture. Elle provient d'un fusil ultra-moderne, un Stone, la nouvelle arme des GI. Pas commode de s'en procurer une et pas donnée, la petite merveille. Notre coquin a donc des relations. Si je rassemble tous les éléments en notre possession, j'obtiens une organisation occulte et structurée. Buco est un pion. Des équipes étanches, des types isolés qui reçoivent des ordres et les exécutent.

— Nous, on est des francs-tireurs. On va pratiquer la guérilla. Je ne sais pas si tu te souviens de la tactique de Fabius Cunctator contre les invincibles Carthaginois dont on nous rebattait les oreilles au collège : il apparaissait, frappait et s'évanouissait dans la nature. « Pour être efficace, être imprévisible », disait-il.

Aurelio regarda plus attentivement Remio. De fait, il avait changé. Quelque chose de dur, une force et une détermination nouvelles l'animaient. Soudain, le Commissaire s'écria :

— Où avons-nous la tête ? Nous avons commis une erreur en venant dîner ici au vu et au su de tous. Ils doivent nous guetter.

— En toute hypothèse, ils ne nous liquideront pas. Ce sont nos fréquentations qui les intéressent. Ils sont au courant depuis longtemps que nous nous voyons. Évoluons au grand jour pour le normal et déguisons-nous en taupe pour l'insolite.

– Tu es bien optimiste ! Si on les gêne, ils nous tueront.

– Moins nous leur donnerons l'impression d'avoir peur, plus ils nous prendront pour des idéalistes. Rien de plus bête et de plus prévisible qu'un idéaliste. On s'en fiche, Aurelio. Tu ne partages pas mon avis ?

– Je te reçois cinq sur cinq. Tu as raison. On s'en moque. A la vie, à la mort. Quelle différence ?

– On va commencer par retrouver Giannalia. Et puis, vieux flic, n'oublie pas que vendre chèrement sa peau, c'est aussi la défendre.

Remio souleva son verre de grappa.

– A l'aventure, Aurelio.

– A tes amours, Remio.

La réponse médusa le journaliste.

Carlo Mancini, le cou ceint d'une minerve, tenait une conférence de presse dans les locaux du *Corriere*. Il s'expliquait sur les événements du soir précédent. En rentrant chez lui, il avait été victime d'une sauvage agression. A peine avait-il posé le pouce sur la fenêtre de lecture pour accéder à son domicile que deux costauds avaient surgi de l'ombre. Tabassé, matraqué, assommé, il s'était retrouvé à l'hôpital. Avant de perdre connaissance, il avait entendu l'un des voyous murmurer à son oreille : « La prochaine fois, tu la boucleras définitivement. »

« Pourriez-vous les identifier ? Existe-t-il un lien entre cette agression et votre article ? Poursuivrez-vous votre campagne de presse contre les intégristes ? Quelle est l'opinion de la police ? Cherche-t-on à vous museler ? Aviez-vous reçu des menaces auparavant ? Redoutez-vous l'avenir ? » Mancini, qui souffrait mille morts tant son corps était contusionné, s'efforçait de répondre à cette salve de questions. Non, il serait incapable de reconnaître ses assaillants ; oui, il avait été menacé par des messages électroniques anonymes ; évidemment, il existait un lien entre son article et les coups qu'il avait reçus. « Quant à la police, avait-il ajouté en ricanant, elle enquête, mais s'oriente vers un acte crapuleux à classer dans les archives de la criminalité urbaine impunie. » On ne lui avait rien volé, ni portefeuille, ni microlog [2]. Non, ils n'avaient pas tenté de le tuer, il s'agissait d'un simple avertissement. Mancini avait conclu en affirmant que, quoi qu'il lui en coûte, personne n'empêcherait le quotidien de continuer sa mission d'information. Si on le supprimait, d'autres prendraient la relève.

Le soir même, les Romains s'arrachèrent l'édition spéciale du *Corriere*. Sous le titre provocateur « Le retour du fascisme », Mancini dénonçait sans ambiguïté la conspiration de brigades noires qui projetaient de mettre l'Église et la Confédération à feu et à sang afin d'instaurer l'ère d'un Big Brother réactionnaire.

L'après-midi, il s'était entretenu avec Remio et le cardinal Videgarai. Celui-ci lui avait fourni suffisamment d'éléments pour étayer

---

2. *Note de l'auteur* : Il s'agit d'un micro-ordinateur bracelet-montre.

ses assertions. Tout en lui parlant en confidence, il l'exhorta à faire montre de patience en ne révélant rien de l'assassinat des voyantes, ni de l'attentat de Mengara, ni de l'enlèvement de Giannalia. Ce devoir de réserve avait pour but de maintenir la pression et de semer la confusion chez l'adversaire. C'était juré, le *Corriere* aurait l'exclusivité lorsque tout serait terminé. Mancini était sorti de l'entrevue confondu par la personnalité de l'oncle de Remio et décidé à respecter ses directives. Aussi, son article en disait trop et trop peu, mais c'était secondaire : le brûlot était lancé dans l'opinion.

Dès le lendemain, les autres journaux firent chorus, amplifiant les maigres précisions apportées par le *Corriere*. Ce fut un beau charivari. Une volée de moineaux s'abattit sur Mancini ; on ne cessait de l'interviewer, de le filmer, de le photographier. Tantôt on le présentait comme un preux, tantôt comme un martyr. Au milieu du concert de louanges et de commisérations, il y eut, bien sûr, des notes discordantes. Ainsi, *Ora Undecima*, dont les propos venimeux furent relayés par les journaux d'extrême droite, traçait un portrait peu avantageux du rédacteur en chef du *Corriere* ; on stigmatisait sa vie privée tumultueuse, ses relations douteuses, son penchant pour la boisson, son amour des péripatéticiennes, son goût pour le lucre et le sensationnel, son caractère emporté et tyrannique, son athéisme. C'était, somme toute, un gredin, un poseur, un fabulateur, un mécréant, un pourri digne de tous les opprobres. Et c'était un individu si peu recommandable qui s'instituait donneur de leçons et affolait les honnêtes citoyens au moyen de discours irresponsables. « Quand on ne parle pas de lui, inférait-on de ces prémisses, Mancini invente des scoops. Il se préfère en minerve qu'en minable. »

A soixante ans passés, Carlo Mancini en avait vu d'autres. Aussi décida-t-il de ne pas polémiquer vainement avec les vermines d'*Ora Undecima*, même si certains points de leur réquisitoire étaient conformes à la réalité : ils disaient le vrai pour prouver le faux. C'était notoire, il avait des maîtresses, qui n'étaient pas toutes des putes, il ne lésinait pas sur l'alcool, il aimait l'argent, il était vaniteux. Quant à son tempérament, ce n'était pas sans motif qu'on le comparait à celui d'un pitbull. Nonobstant ces défauts, il n'avait jamais trempé dans la moindre combine : professionnellement, il n'avait pas les mains sales. Ce Piémontais possédait un flair infaillible pour détecter les magouilles et une plume acérée pour clouer les responsables au pilori. Talents qui lui avaient valu son poste et nombre d'inimitiés. Sa longue carrière durant, on l'avait injurié, dénigré, on avait essayé de l'intimider, de l'acheter, mais jamais il n'avait eu à subir des représailles physiques. Cette correction représentait une première qui, loin de le déstabiliser, confortait sa certitude d'avoir donné un coup de pied dans une fourmilière. Il arborait donc sa minerve comme un trophée. « Le minable se rebiffe », ironisait-il.

A l'heure de la sieste, un communiqué du Vatican vint encore augmenter la pagaille. Tout en formulant des vœux pour le prompt rétablissement « de notre bien-aimé fils Carlo Mancini », le Saint-Siège ne cachait pas son irritation devant des allégations fantaisistes propres à nuire à l'Église. Il était indécent de propager des contre-vérités, même si la bonne foi de leur auteur n'était pas mise en question ; il fallait vérifier ses sources avant de publier des informations aussi alarmantes. « Les Catholiques, heureusement, ont du bon sens et l'église demeurera au milieu du village. » Le Vatican démentait donc de la manière la plus formelle les rumeurs d'un complot.

Quant aux responsables politiques et judiciaires, ils se confinaient dans un mutisme total qui donnait libre champ aux supputations les plus contradictoires.

Plus intéressante fut l'attitude de l'*Osservatore,* qui reproduisit sans commentaires l'article du *Corriere* en parallèle avec le communiqué du Vatican. Cette absence de prise de position ne manqua pas d'intriguer ; Hans Meyer laissait croire que tout n'était pas erroné dans ce qu'écrivait Mancini.

Cette folle journée s'acheva par un coup de théâtre : le conseil d'administration du *Corriere* suspendait le rédacteur en chef de ses fonctions pour faute grave. Aussitôt connue, la sanction prise contre le héros de l'actualité provoqua des mouvements divers un peu partout. Des ouvriers d'usine débrayèrent, des groupes se formèrent qui se rendirent au *Corriere* en guise de protestation, des sittings s'organisèrent aux carrefours, des pétitions circulèrent, réclamant sa réintégration immédiate. A leur sortie par la porte Sainte-Anne, les dignitaires de l'Église furent conspués. Les premiers incidents éclatèrent aux abords de la place Saint-Pierre lorsqu'une bande d'excités, aux cris de : « *Mancini, Mancini... Farabutti, Venduti* » se mit à expédier des projectiles improvisés contre la façade de Maderno. La police intervint durement. Ressentie comme une provocation, la brutalité des forces de l'ordre transforma les échauffourées en combats de rues. Des quidams furent emmenés aux fins de vérification d'identité, les blessés emportés par des ambulances. Toute la nuit, la ville retentit des hurlements de sirènes, d'éclatements de pétards, de la cacophonie des avertisseurs, de cris et de chants guerriers. En réalité, personne ne comprit au juste pourquoi une décision somme toute banale avait déclenché une telle ébullition. Fallait-il y voir l'illustration d'un mécontentement latent auquel la destitution de Mancini servait d'exutoire ? Toujours est-il que, lorsque les agitateurs nocturnes eurent regagné leurs pénates, les navetteurs du petit matin les remplacèrent et l'effervescence reprit vigueur.

A dix heures, la place Saint-Pierre était noire de monde et ce n'était pas pour acclamer le Pape. La police était débordée. De mémoire de Romain, on ne se souvenait pas d'un pareil rassemblement sur ce lieu sacré pour huer la hiérarchie catholique. Le Vatican n'était plus cette citadelle inexpugnable qui n'avait de comptes à rendre qu'à... Dieu ; il lui faudrait désormais s'expliquer avec les hommes. Plus inquiétant, on entendait, éparses, des imprécations à l'encontre du Saint-Père : « *Satana, empio, antechristo, irresponsabile, impotente, cornuto...* » Ces dernières amabilités ressortissant davantage au vocabulaire des supporters de la Lazio qu'à une quelconque objectivité. Des extrémistes tentaient visiblement de récupérer l'indignation collective. La masse reprenait ces apostrophes en chœur et bientôt s'éleva une longue litanie de malédictions scandées avec une belle unanimité, résultant de la promiscuité et de l'absence d'esprit critique. Cette tempête dura jusqu'à ce que le cardinal Fumagalli se montre à la loggia delle benedizioni. Il était exactement midi. Un chahut indescriptible salua son apparition. Il commença à s'exprimer sans se soucier du vacarme. Lentement, le silence se fit. Que disait-il au juste ? « Nous condamnons l'agression dont Carlo Mancini a été victime ; nous allons entreprendre des démarches pour qu'il retrouve son poste. En accord avec les autorités compétentes, nous ouvrirons une enquête concernant les rumeurs de complot. Le Saint-Père partage la détresse des hommes et des femmes en mal d'espérance. Mais il vous adjure de conserver votre calme et de reprendre une vie normale. Le cardinal Videgarai a été chargé par le Pape de s'occuper de cette pénible affaire. Que le Seigneur nous aide en ces temps d'épreuves. » Le nom du Cardinal produisit un effet magique : l'embellie succéda à l'ouragan. Quelques lazzi fusèrent encore çà et là : « *Amatore, buffone, arlecchino, mentitore, commediante...* » La foule se dispersa. Les plus déterminés formèrent un cortège bruyant qui encombra le centre-ville au début de l'après-midi. Il y eut quelques incidents, mais minimes par rapport à ce qui s'était passé la veille.

La déclaration du cardinal Fumagalli avait été rédigée au cours du conseil restreint entourant le Pape depuis l'aube. Après moult palabres et tergiversations, on s'était accordé sur un texte qui ne relevait nullement d'une unité de vues, mais d'un compromis dicté par les circonstances. Jean XXIV avait introduit les débats en insistant sur l'urgence d'une solution. La pâleur grisâtre de son visage, les cernes sous ses paupières, sa voix hésitante témoignaient de son désarroi. Les événements l'avaient impressionné au point qu'il parut enclin à souscrire à n'importe quel arrangement pourvu que le désordre cessât. Cependant, en dépit d'un contexte lourd d'inquiétudes, les intérêts particuliers et les animosités continuaient comme auparavant de l'emporter sur le bien commun. A peine la séance ouverte, Babuski s'en prit violemment à Hans Meyer, incriminant sa connivence avec le *Corriere*. Meyer se défendit d'un ton méprisant en alléguant que les faits donnaient raison à Mancini. Pelligrini reprocha à Videgarai d'être comptable de l'agitation : en se refusant à démentir les bruits, il avait encouragé les médias à diffuser des balivernes. Silencieux comme un cierge, le Préfet de la Congrégation pour la Doctrine de la Foi répondit par un imperceptible haussement d'épaules. Paolo Dezza accusa Janice Bergen d'initiatives intempestives. Qu'entendait-il par là ? Il affichait bêtement sa misogynie à l'aide de griefs imaginaires. Pour ce vieillard gâteux dont le crâne était parsemé de mouchetures brunâtres et qui sentait déjà le cadavre, le sexe féminin était prédestiné à la malignité et à la lascivité. Janice Bergen et Marchangelo Videgarai s'abstinrent de participer à ces querelles de chiffonniers, attendant patiemment que l'on en revienne aux vrais problèmes. Quant à Fumagalli, il observait ces passes d'armes d'un œil amusé. Alors que les vociférations montant de la place Saint-Pierre augmentaient en intensité, le Pape céda soudain à la colère. Il hurla que cela suffisait et exigea que l'on portât remède à l'émeute ; cette hyperbole dénotait sa panique. Ensuite, il ordonna sèchement au cardinal Videgarai de se prononcer. Celui-ci indiqua paisiblement que le courroux avait atteint un degré tel que l'on pouvait appréhender les pires débordements si on ne satisfaisait pas aux revendications. Janice ajouta que plus on atermoyait, moins on se donnait de chances de résoudre la crise. Hans Meyer approuva ces avis sans réserve. Les deux clans se révélaient au grand jour. Les uns allaient décider par opportunisme, les autres par amour de la vérité. Fumagalli, qui se confinait dans un rôle d'arbitre, rédigea une note qu'il présenta en maugréant que la sagesse consiste à lâcher du lest quand on ne peut agir autrement. Le Pape le remercia avec effusion et l'autorisa, non sans s'être assuré de l'approbation du cardinal

Videgarai, à la proclamer sans tarder. Pelligrini suggéra qu'il revenait à Videgarai d'affronter ces enragés. Sa popularité, susurra-t-il perfidement, constituait un gage supplémentaire pour une issue heureuse. Babuski opina énergiquement. Alors que le Pape hésitait sur la suite à donner à ces recommandations, Janice demanda d'un air innocent qui était à l'origine de la suspension de Mancini et s'il fallait en attribuer l'entière responsabilité au conseil d'administration du *Corriere*. Après un bref moment de flottement, Paolo Dezza la somma de s'expliquer : que cherchait-elle à prouver par ses insinuations ? « Ce n'est rien de plus qu'une question, Éminence », rétorqua-t-elle. Récemment nommée au Vatican, elle pratiquait déjà avec habileté l'art de la dissimulation qui ne réside pas dans le silence, mais dans l'utilisation subtile de suggestions floues et d'interrogations candides. Afin de couper court à de nouveaux démêlés, Jean XXIV chargea Videgarai d'enquêter sur un éventuel complot et pria Fumagalli d'aller faire sa déclaration.

Vers quinze heures, l'information tombait : Carlo Mancini était réintégré. La ville résonna de coups de klaxons victorieux. On se rassembla devant les locaux du *Corriere* pour ovationner le rédacteur en chef. Lequel se garda bien de se montrer, conscient des aléas de la démagogie. Au soir, tout était rentré dans l'ordre. Les Romains s'installèrent donc pour regarder leur émission préférée sur ETV2 qui depuis six mois battait tous les records de l'audimat : « *Tomorrow today* » animée par le médium Adalbert Spallmeister.

Claudio Cafarelli avait mal à l'âme. Tandis qu'il se rendait à son travail, le matin, une petite phrase lui trottait en tête : « L'espérance n'est pas un dogme, mais une source d'inspiration » ; il ne se rappelait plus à quel propos le Cardinal l'avait prononcée. Mais voilà qu'elle lui revenait, remontée des profondeurs de son inconscient, comme si elle répondait à son état d'esprit présent. Depuis un bon moment déjà, en fait depuis que toute cette histoire avait commencé, il éprouvait l'impression de plus en plus nette de faire fausse route. Jusqu'à la liquidation des voyantes, il avait accompli sa tâche de secrétaire avec un zèle industrieux, sournoisement heureux d'une occupation routinière correspondant à ses capacités et à ses convictions. Il était protégé par un blindage à l'épreuve des effractions et l'espérance n'avait jamais été la source de son inspiration ; pour qu'il en fût ainsi, il aurait dû être un homme intérieur. Il n'était qu'un homme d'emprunt qui affectait d'être animé par un rythme spirituel. Mais il était trop pragmatiste, trop sophiste pour s'abandonner à l'aventure de l'espérance. Aujourd'hui, il se sentait débordé, acculé à passer du rôle de spectateur à celui d'acteur ; sa nausée était motivée par sa répulsion face à l'obligation d'aller voir plus loin en lui-même et des conséquences qu'impliquerait la découverte de régions inconnues. Il redoutait une transformation de son être qui l'amènerait à quitter Sofia. Pour rien au monde il ne voulait renoncer à elle, mais il n'était plus très sûr de sa propre volonté. C'est avec anxiété qu'il avait observé les changements chez Remio, chez Janice. Même Hans Meyer, ce Jésuite froid, avait évolué. Une semblable métamorphose allait se produire chez lui, elle était sans doute déjà en cours, vu le trouble qui l'habitait. Il se découvrait victime d'une alchimie qu'il ne maîtrisait pas ; quelque chose en lui se tordait qui, en se détendant, allait l'expédier au-delà d'une frontière soigneusement tracée depuis longtemps. Mis à part ses scrupules à tromper le Cardinal par sa double vie, il n'avait jamais expérimenté avec une telle acuité combien le mensonge, lorsqu'il est contredit par les faits, peut se muer en incitant de vertu. Qu'il fasse demi-tour, qu'il saisisse Sofia par la main et l'emmène au large, peut-être échapperait-il à la fatalité d'un destin qui se précisait dangereusement ? Mais

133

non, comme une noctuelle attirée par la lumière, il savait qu'il se laisserait brûler. Il y perdrait ses ailes, il y gagnerait l'espérance. Ce n'était donc pas une fatalité, c'était une création.

Lorsqu'il pénétra dans le bureau du Cardinal, celui-ci le dévisagea et son regard transparent n'avait rien d'une absolution : c'était de la tendresse, comme s'il avait suivi à distance le cheminement de son combat intérieur. Cafarelli se tint devant lui comme un adolescent dont le père achève de lire le journal intime. Videgarai ménageait entre eux un espace blanc dans lequel, s'il le souhaitait, Monseigneur intercalerait les premières lignes de sa conversion. Même s'il le désirait intensément, il ne se résolut pas à soulager sa conscience du poids qui l'oppressait tant il appréhendait de ne plus être en mesure de se rétracter, une fois sa méditation traduite en mots. Il adopta donc l'attitude quotidienne du subordonné prenant langue avec son supérieur hiérarchique.

Le Cardinal sourit à cette pantomime défensive. Cafarelli s'adressa à lui sur un ton qu'il s'efforçait de rendre impassible, mais qui ne trahissait pas moins son malaise.

– J'admire, Éminence, votre sang-froid après la tempête.

– Paradoxalement, Claudio, nous avons progressé. N'avons-nous pas obtenu les pleins pouvoirs ?

– Certes. Mais nous sommes désormais condamnés à réussir. La roche tarpéienne...

– ... est proche du Vatican. Et puis après. Notre sort personnel importe peu. Nous serons peut-être renvoyés à la circulation : vous, Claudio, comme obscur tâcheron, moi comme curé de campagne. Il n'y a pas d'endroit où l'on ne puisse être soi-même. Les lieux et les fonctions ne sont essentiels que pour ceux qui n'ont pas d'âme. Et nous, Claudio, nous débordons d'âme, n'est-ce pas ?

Videgarai riait de bon cœur. Cafarelli encaissa ce coup inattendu avec d'autant plus de surprise que le Cardinal avait usé du verbe « déborder » qu'il avait lui-même employé dans sa rumination.

– C'est ce qu'on appelle de l'humour anglais, Éminence ?

– Assurément, Claudio. En attendant nos nouvelles affectations, travaillons. Avez-vous dressé la liste que je vous ai demandée ?

– La voici, plus longue et plus complexe que prévue. Elle reprend des écoles de théologie, des couvents, des communautés laïques, l'Opus Dei, des fraternités comme celle de Saint-Pie X, des institutions ecclésiales, mais aussi des nébuleuses œuvrant en sous-main : cela va de holdings financiers à des associations humanitaires, en passant par des groupements politiques et des mouvements de jeunesse. Des sectes à perte de vue – j'en ai recensé 378 –, des voyants, des néo de tous les genres : zélotes, templiers, cathares... et caetera. J'ai également pointé le Prieuré de Sion, les compagnons du Graal, de la Gnose, les croyants du Razès... Je vous fais grâce, Éminence, des communautés virtuelles accessibles sur Crossworld. Il y en a 6263. Tout est rassemblé dans ce dossier. L'impression dominante en tout cas est celle d'une toile tissée sur la planète et d'une idéologie d'extrême droite qu'on pourrait comprendre comme ceci : « un chef-un peuple de purs-un salut ». C'est aux États-Unis que la densité intégriste semble la plus forte, comme si elle concordait avec la richesse économique de ce pays. Nous cherchons l'épingle dans la botte de foin, à moins que la botte de foin tout entière... Cependant, il y a trop de groupes et d'associations diverses pour qu'il n'y ait qu'une tête.

– Je pense qu'il convient de distinguer une ou plusieurs organisations à buts autres que religieux des mouvances sincères obsédées par la fin. C'est un fait que seul le spirituel apparaît mobilisateur comme unique dépositaire du sens de la vie, alors que d'aucuns prédisent qu'on est aux portes de l'Apocalypse. Exploiter la soif d'une religion pure et l'angoisse de la mort, c'est comme exploiter les pauvres en faisant miroiter des dividendes fabuleux avec le peu d'argent qui leur reste. Aujourd'hui, c'est la panique et le besoin d'apurement qu'on exploite. C'est sans doute la première fois dans l'histoire de l'humanité qu'il y a une telle conscience collective de l'échec et de la nécessité de repartir à zéro. D'où le succès des intégristes qui proclament « ces deux vérités ».

– L'humanité aurait besoin d'une retraite, Éminence ?

– Que voulez-vous dire, Claudio ?

– Ne fait-on pas souvent retraite lorsqu'on perçoit sa vie comme un échec et qu'on désire remettre les pendules à l'heure ?

– Et le résultat dépend de la qualité de l'animateur et de la disponibilité du retraitant. Précisément, l'intégrisme est un animateur pervers qui ne respecte pas le rythme du retraitant. Aux antipodes, les manifestations en faveur de Carlo Mancini expriment un désir de liberté ainsi que la hantise d'une dérive à la manière islamique sur fond de besoin divin. Les dieux comme dernier recours.

– Mais pas n'importe quels dieux, Éminence, ceux du cœur.

– Des dieux du cœur, oui. Et cependant, les intégristes ont le vent en poupe, en dépit de leur dieu sévère, lointain, intolérant, insensible, perpétuellement outragé par le péché.

– Mancini n'écrivait-il pas pertinemment qu'un intégriste est un païen qui prend Dieu en otage ?

– Il a raison si l'on se place du point de vue de l'homme, dont les intentions ne sont jamais nettes. Tout en m'efforçant d'éviter le simplisme, je dirais qu'il y a globalement deux approches de Dieu, celle de la peur et celle de l'amour ; les deux se mêlant chez de nombreux croyants. La peur provient d'une espérance fébrile à forte consonance de culpabilité. La psychanalyse nous apprend que tout coupable est en quête d'un juge. Dieu est donc le juge par excellence. L'originalité de la peur réside dans le fait qu'elle est un des rares sentiments purs que nous éprouvions ; elle est sans arrière-pensée, viscérale. Avez-vous déjà connu la frayeur, Claudio, celle qui fait bleuir, transpirer à grosses gouttes ?

– Évidemment, Éminence. Maintes fois. Et vous, si je puis me permettre cette question indiscrète ?

– Comme vous, Claudio. Personne n'y échappe. Aussi humaine que l'erreur, la peur s'impose de l'extérieur. Faire peur est plus facile que faire rire. Il est donc aisé d'en profiter. Une fois les gens terrorisés, on les renvoie devant le juge suprême et puis, insensiblement, on les persuade qu'ils sont pardonnés ; on enrôle alors des fanatiques, de futurs purificateurs du mal. Mais du point de vue de Dieu, ce sont des croyants, et non des païens, pas des croyants idéaux, mais sincères. S'ils se trompent de dieu, Dieu, lui, ne se trompe pas sur la réalité de leur foi. Nous connaissons des hommes et des femmes qui ne pensent pas un mot de ce qu'ils affirment. Eux sont vrais. Mais je vous agace, Claudio ?

– Je ne dirais pas cela, Éminence, mais il est exact que j'adhère de plus en plus difficilement à ce type de discours.

– Quel type de discours, Claudio ?

– Celui qui profère que Dieu veut ceci, interdit cela, qu'il est ainsi ou autrement ; trois pour un, un pour trois. Le Fils de même nature que le Père ou seulement semblable au Père. Si j'osais, Éminence, ne le prenez pas en mauvaise part, je dirais que ce sont des fadaises. C'est exaspérant à la fin, depuis des siècles, et cela continue, on nous présente Dieu selon la conception de l'époque : un tyran matamoresque ou un copain permissif. Qui, du Père de l'Église au curé virtuel, peut se vanter de s'être promené à l'intérieur de Dieu ? Je suis las des dogmes promus au rang de vérités absolues par des hommes qui les justifient à partir de ce qu'ont écrit d'autres hommes sans qu'aucun lien rationnel ne les rattache à Dieu. Des malheureux ont payé de leur vie leurs objections au péché originel, à la Trinité, à l'enfer... Cette violence institution-nelle me reste au fond de la gorge. Il y a peu, vous m'avez encou-ragé à être sincère. Je viens de l'être, au risque de ne plus vous paraître ni catholique, ni même chrétien. Et cependant plus je décompresse...

Sa phrase demeura en suspens. Il se rendit compte tout à coup qu'il s'était mis à parler de plus en plus vite, il s'effraya de cet inhabituel débordement d'émotions. Cafarelli guettait un sourire plein de sollicitude et de compréhension, mais l'indignation dou-loureuse qu'il vit sur le visage du Cardinal l'affola. Il pensa : « Cette fois j'ai dépassé les bornes. Pour sûr, il va me renvoyer. » Videgarai glissa la main sous un tas de dossiers et en retira une chemise verte. Il l'ouvrit et se mit à lire.

– « Ceux qui croient ne pas croire, comme tous ceux qui appar-tiennent à une religion non chrétienne, peuvent espérer le salut éternel... Le principe du Christianisme, espérer pour le salut de tous, athées compris, doit nous rendre très prudents à l'égard de la vision d'un enfer populaire où souffre une masse de damnés, comme le proposait saint Augustin. Cette thèse du Jésuite Adolfo Marchetti fait scandale. Nous insistons auprès de la Congrégation pour la Doctrine de la Foi pour qu'elle soit condamnée. » Signé : Pelligrini, une vingtaine d'éminences et de théologiens.

Le Cardinal le regarda droit dans les yeux. Cafarelli, interdit, ne savait que dire. Il attendait qu'il poursuive.

– Moi aussi, Claudio, j'en ai assez. Nous sommes au vingt et unième siècle. De hauts prélats ont toujours pour slogan imbécile « hors de l'Église, pas de salut ». Ils n'ont rien appris : les droits de l'homme, l'ouverture, la solidarité, l'humilité, la shoah, la bonté, le sacrifice de Jésus... de vains mots. Je suis d'accord avec vous, Claudio. J'ignore qui est Dieu. L'unique vérité que je déduis de ma foi est qu'Il ne peut être qu'amour. C'est de là que découle le discours que je vous ai tenu.

Cafarelli n'avait jamais envisagé une seconde qu'un cardinal de Notre Sainte Mère l'Église pût éprouver les mêmes sentiments qu'un croyant de Prisunic. Mais il l'expérimentait tous les jours : Marchangelo Videgarai était une exception au milieu de la faune vaticane. Quelque chose en Monseigneur se réparait comme s'il se réconciliait avec un ennemi indicible. Il se détendit et repartit d'une voix apaisée :

– Et l'amour, Éminence, n'est-ce pas également un sentiment pur ?

Videgarai avait retrouvé son sourire tranquille.

– L'amour, Claudio, est le sentiment le plus ambigu qui soit. Il est impossible de distinguer l'amour de soi de l'amour d'autrui ; mais à l'opposé de la peur, il provient de l'intérieur, d'une nécessité confuse de partager, de se donner, de posséder.

Le Cardinal reprenait son raisonnement au point où l'interruption passionnée de Cafarelli l'avait laissé. Ce faisant, il l'associait à sa réflexion, enrichie par l'apport de son secrétaire.

– Quand l'amour de soi domine, il se transforme en haine ; nous observons ce dévoiement dans les couples qui se déchirent. Mais quand l'amour de l'autre prévaut, alors l'homme atteint au sublime.

– Et l'amour de Dieu ? Comment est-il possible d'aimer un être invisible alors qu'il est déjà si difficile d'aimer un être de chair ?

– Nous nous en sommes déjà entretenus, Claudio.

Cafarelli comprit que le Cardinal lui tendait une perche, mais, gagné soudain par la fièvre dialectique, momentanément abstrait de ses états d'âme, il ne lâcha pas prise.

– On lit chez les mystiques qu'il faut un cœur pur pour aimer Dieu. Comment un pauvre type comme moi, par exemple, pourrait-il avoir un cœur pur ? Aucun homme ne le peut. Tout au plus, certains s'illusionnent-ils sur leur limpidité.

– S'inquiéter d'avoir un cœur pur ressortit à l'égocentrisme. C'est la forme d'inversion des intégristes. Ils n'acceptent pas que les fautes et les erreurs soient vecteurs de sagesse. Mais cela dit, Claudio, il n'y a pas de pauvres types, ni vous, ni les autres, ni moi. Noblement des hommes, bêtement des hommes. La sainteté d'un être n'a rien à voir avec d'hypothétiques miracles, elle dépend de la qualité du regard qu'il porte sur lui et sur les autres. Un regard qui donne une chance, quels que soient les actes commis.

– Comment acquérir un tel regard, Éminence ?

– Par la contemplation, Claudio.

– Je vous avouerai que je n'ai jamais compris le sens de ce mot. Je ne me souviens pas avoir contemplé quoi que ce soit.

– Avez-vous déjà été amoureux, Claudio ?

Cafarelli sentit le sol se dérober, il rougit, il blêmit et sentit son esquif tanguer dangereusement. Le Cardinal poursuivit, imperturbable.

– Supposons que vous l'ayez été, vous auriez vécu l'extase qui consiste à faire le plein de l'être aimé. On se vide de soi, on se remplit de l'autre, on s'enivre. Phénomène hélas passager. Sa fugacité déçoit et frustre. La nostalgie du bonheur entrevu est ancrée dans la mémoire et le besoin persiste. Mais rares sont ceux qui retournent au paradis perdu.

Le Cardinal souleva ses deux mains, haussant les épaules en signe d'aveu d'impuissance.

– Vos propos, Éminence, sont très pessimistes à l'égard de l'amour humain.

– Je ne pense pas, Claudio. Mais tout ceci est de la théorie. A la limite, je disserte sur ce que je ne connais pas. Je crois que chaque couple invente sa manière d'aimer, plus ou moins bonne. La contemplation dont je parle est différente de l'amour humain, elle exige une disponibilité intérieure ; évacuer ses préoccupations immédiates, créer un espace de silence, faire place à une émotion, par le truchement de la nature, de l'art, de la poésie ou d'un texte évangélique, s'élever le long de ce lieu fragile et indicible jusqu'à la source de toute beauté, tout en étant conscient que l'on ne débouche dans la lumière qu'après un long chemin obscur. Cette description vous satisfait-elle, Claudio ?

– Elle satisfait ma raison, Éminence. Je comprends, je ne sens pas. J'ai toujours confondu ma propre voix avec l'éventuelle voix de Dieu. Je suis trop encombré. Comment pourrais-je faire le vide ? Mon bric-à-brac occupe tant de place.

Videgarai parut soudain impatient.

– Si vous éprouvez le désir de la contemplation, votre instinct vous guidera. Il n'existe pas de recettes. Bien. Nous avons autre chose à faire ce matin que de débattre d'ascétisme et de mystique. Vous ne pensez pas ? A moins que...

Il avait souri... Cafarelli tressaillit.

– A moins que... Éminence ?

– A moins que l'arbre ne cache la forêt.

– Là je ne vous suis plus, Éminence.

Le Cardinal éclata d'un rire clair. Il se dégageait de lui autre chose que l'indulgence. Éludant la question, il se contenta d'examiner son vis-à-vis avec innocence. Celui-ci ne résista pas à cette invite muette. Il comprit alors que si le Cardinal avait accepté cette discussion hors de saison, c'était dans le but de l'amener imperceptiblement à vider son sac. Tout en pestant intérieurement et en traitant Videgarai de « curé », il déverrouilla sa porte. Avec hésitation d'abord, puis en s'enhardissant, il avoua tout : Sofia, ses doutes, ses angoisses, le point de rupture où il était arrivé. Le Cardinal l'écouta sans l'interrompre. Parvenu au bout de l'exposé des symptômes de sa maladie, il se tut et attendit le diagnostic avec un sentiment de paix dont il ne saisit pas immédiatement la portée. La pluie crépitant contre les fenêtres conférait au silence, par sa musique monotone, une épaisseur duveteuse.

– Pourquoi voudriez-vous quitter Sofia ?

La réaction l'étourdit, tant elle était imprévisible. Une brusque bouffée de joie l'envahit. S'il avait osé, il se serait jeté dans ses bras. Et Claudio Cafarelli, le révolté, le cynique, le bourru, éclata en sanglots.

Après plusieurs heures d'une recherche informatique méticuleuse, ils déterminèrent une dizaine de sites intéressants. Une fastidieuse besogne attendait Remio et Aurelio. Rendez-vous fut pris avec Aloïs Van Gelder, le président de la Confédération. Mais pas pour demain, car il se trouvait aux États-Unis, plus précisément à Houston, où devait se produire un événement exceptionnel.

La Terre entière retenait son souffle. Ce samedi, si tout se déroulait comme prévu, la conquête spatiale ferait un grand pas en avant. A huit heures douze minutes trente-deux secondes heure locale, la fusée Iris V s'envolerait vers Mars emmenant six cosmonautes : quatre hommes, Steve Jones, Cliff Baker, Louis Perrin, Oleg Bounine et deux femmes, Ann Smith et Laura Bultmann. On en parlait depuis si longtemps qu'on avait fini par ne plus y croire. Avant de se lancer dans un voyage de trois cent seize millions de kilomètres, ils rejoindraient auparavant la station Alpha placée en orbite circulaire à quatre cent cinquante kilomètres de la Terre d'où, en raison de la quantité de combustible à emporter, s'effectuerait le vrai départ des navettes Arès 1 et Arès 2, habitée chacune par trois cosmonautes. Le raid durerait deux ans, cinq mois pour l'aller, deux mois d'exploration du sol de la planète rouge, un an et cinq mois pour le retour. L'ensemble des opérations coûterait quelque cent milliards de dollars US.

Remio et Aurelio s'étaient retrouvés chez Sam pour vivre à ses côtés cette journée historique. Depuis quelque temps, la santé du vieil homme s'était détériorée ; la fuite de Giannalia et son enlèvement l'avaient fortement ébranlé. Une fièvre tenace ne le quittait plus. Les médecins n'avaient pas encore réussi à diagnostiquer son mal. Sans doute, une détestable hygiène de vie trouvait-elle là son triste aboutissement. Sam était convaincu qu'il n'en avait plus pour longtemps. Étonnamment, il avait retrouvé une inspiration qui l'avait fui depuis des lustres, comme si la présence de Giannalia et la proximité de la mort avaient réveillé sa fibre littéraire. « On écrit un roman avec un stylo tordu », se plaisait-il à répéter en forme de boutade. Et voilà que, sous l'emprise de la souffrance, son stylo se tordait à nouveau. Il n'avait eu alors qu'à puiser dans la citerne pleine à ras bord de ses succès et de ses échecs pour étancher sa soif d'invention. Dès les premières pages, *Le Taxidermiste halluciné*, dont il avait lu le synopsis à un Remio enthousiaste, s'avéra riche en promesses de délires.

A la fin de son existence, un critique perd la raison à force d'appliquer des méthodes structurales aux textes. En représailles d'avoir perdu son temps à barbouiller des inepties, il écrit un roman, *Fiasco*, fresque sanglante dans laquelle il règle leur compte aux pontes de la sémiotique. Le refus unanime des éditeurs de le publier provoque chez lui une crise de démence meurtrière : devenu *serial killer*, il massacre avec un raffinement de cruauté tous ceux qui ont renvoyé son manuscrit. Déjouant les investigations de la police, il se cache dans un monastère abandonné où il empaille les cadavres de ses victimes sur lesquels il se livre quotidiennement à des actes de sadisme. En fin de compte arrêté et enfermé dans un asile, il recouvre la raison et rédige en un mois *Commedia*, une satire dont il est lui-même la tête de Turc. Il se convertit au bouddhisme et meurt dans la sérénité. Son œuvre posthume connaît un succès considérable.

... *Three, Two, One, Ignition.* A quatorze heures douze minutes, sous les yeux de la grande majorité des chefs d'État et de dix mille invités, Iris V s'éleva majestueusement vers le ciel clair du Texas. Une ovation salua son départ. Lorsque, quelques secondes plus tard, retentit la voix calme de Steve Jones, chef de l'expédition, ce fut pour tous un immense soulagement. La phase la plus délicate était passée. Il ne restait plus qu'à prier et à patienter. Les caméras fixes suivirent la fusée tout au long de son ascension. Quand elle disparut, les caméras de bord prirent le relais. Les six cosmonautes tout sourire agitaient la main pour saluer les milliards de téléspectateurs accrochés à leur écran. Pendant quelques minutes, chacun, d'un bout à l'autre de la planète, se sentit citoyen de l'univers. *Good luck* ! A dans cinq mois sur Mars, les amis !

Alors que l'on découvrait en gros plan le visage énergique d'Ann Smith, le bip du microlog d'Aurelio se manifesta. Il se retourna vers Remio : « Buco est rentré au bercail. » Ce message les ramena à la triste réalité. Jusqu'au moment où Iris V s'était arrachée à la pesanteur, ils avaient devisé gaiement. Malgré la solennité de l'instant, Remio ne parvenait pas à chasser Giannalia de son esprit, sans qu'il osât cependant se décider à analyser cette lancinante obsession et en tirer les conclusions auxquelles avait déjà abouti Aurelio. Lors même qu'il pensait continuellement à elle, il interprétait sa sollicitude comme de la pitié. Cette comédie qu'il se jouait inconsciemment masquait ses véritables sentiments. Il n'avait jamais été amoureux, non que les femmes ne l'attirent pas, mais il était mû par son instinct de conservation. Admettre qu'il avait pris un sérieux coup de soleil au contact, pourtant bref, de la charmante rebelle eût ressemblé à une capitulation. Il se défendait d'autant plus qu'il abhorrait les mièvreries du mélo. Ses copains le fuyaient comme la peste chaque fois qu'ils soupiraient pour les yeux d'une belle, son ironie cinglante exerçant des ravages sur leur psychisme chamboulé. Il s'était juré de ne jamais se laisser entamer par les affres de la passion et cela avec une détermination rendue plus farouche encore par les nombreux naufrages dont il avait été le témoin. Chaque épave recueillie, dont l'athlétique Cirrea qui avait passé une soirée à se lamenter dans son giron, consolidait sa ferme intention de ne pas tomber dans le panneau. « L'amour est un piège à cons », disait-il en manière de consolation aux traumatisés de la guimauve. Il n'éprouvait donc que de la pitié pour Giannalia, mais c'était une pitié diablement envahissante, comme en témoignaient ses songes nocturnes, ses réveils matinaux, bouche pâteuse et corps transi, ses distractions pendant le travail, son imagination emballée, sa douleur enfin à l'idée de ne pas la revoir vivante. A vrai dire, il donnait une définition inédite du mot « pitié ».

Remio et Aurelio prirent congé de Sam à la hâte. S'ils n'étaient guère rassurés sur son état de santé, par contre sa forme intellectuelle les avait surpris ; s'il devait avaler son extrait de naissance, il tirerait sa révérence dans un grand éclat de rire.

Pendant que Sam Wood entrait dans l'histoire, il convenait d'œuvrer à la place qu'y occuperait Giannalia Baldato, à condition que son temps de vie ne soit pas déjà écoulé. Il fallait donc surveiller Buco jour et nuit. Ce gangster ne ferait plus un mètre sans que Remio et Aurelio ne sachent en quelle direction. La radio continuait de déverser des informations sur Iris V, mais le charme était rompu, leurs esprits voyageaient davantage du côté de Giannalia que de la planète Mars. Et puis, ils ne l'ignoraient pas, ils s'engageaient sur un chemin tortueux, dangereux, au bout duquel les attendaient peut-être l'échec, la mort. Mais, pour des raisons distinctes, ni l'un ni l'autre n'en avait cure.

De la voiture, Remio avertit Mancini qu'il s'absentait pour une période indéterminée. Sans exiger aucune explication, celui-ci lui répondit qu'il partait en mission et que le journal couvrait toutes ses dépenses. « Ramène-moi du sensationnel », avait-il braillé avant de couper la communication. Quant au Commissaire, il avait prétexté une grippe virale : il ne serait pas au BERC lundi. « D'ailleurs tout le monde s'en fiche, rigola-t-il. Le lundi, la moitié des effectifs sont en vadrouille ; tu ne comptes plus les alités, les endeuillés, les indisponibles pour convenances personnelles. Les autres jours, ce n'est pas mieux. Il y a quelques années, un petit futé avait calculé que la différence entre les heures effectivement prestées et les salaires faisait perdre des sommes astronomiques à la Confédération. Tu sais quoi ? On l'a renvoyé. Il arrive parfois que tu ne trouves personne pour signaler que tu ne viendras pas. Mais y a pas de souci à se faire, les poulets veillent au grain. » Il avait pouffé de rire.

Remio fonçait sur l'A2. Direction Napoli. Son oncle leur avait recommandé la prudence. Cependant Remio n'avait perçu aucune inquiétude chez lui, comme s'il ne doutait pas d'une issue heureuse. Le visage de Giannalia s'interposa entre la route et sa pensée. Il la revoyait telle qu'elle lui était apparue à Mengara un soir de janvier, mutine, butée, provocante. Tout à coup, il se demanda s'il l'aimait. La question à ne pas se poser : une fois enregistrée dans « son disque dur », elle n'en finirait pas de revenir le tarauder comme un taon. Et elle ? Au fond, l'avait-elle seulement remarqué ? La voix d'Aurelio l'arracha à sa rêverie : « Pas si vite, *amico*, tu vas nous expédier dans le décor. » Remio ralentit. L'évocation de la farouche Toscane avait machinalement commandé à son pied d'accélérer. Bientôt ils bifurquèrent vers Anagni. Quelques minutes plus tard, ils se garaient viale Giotto. Le collègue d'Aurelio les attendait avec une impatience non déguisée. Il en avait assez de cette planque. Il leur indiqua la maison de Buco en confirmant qu'il n'était pas sorti depuis son retour. Il les salua et s'en fut. La traque commençait.

Abbaye de l'Immaculata
Journal secret du frère Enzo
Lundi 15 février 2020
Une heure après le couvre-feu

Ouf ! Il a décampé depuis deux jours. Peu de changements. Trois jeunes ont été renvoyés. Quelques pauvres diables sont sortis très éprouvés de leur entrevue avec l'Abbé Général. Mon compte de conscience s'est bien passé. Je bénéficiais visiblement d'un préjugé favorable. Il a écouté mes boniments avec un sourire onctueux, en prenant de nombreuses notes. Des « mauvaises langues » prétendent que ses griffonnages n'ont strictement aucun rapport avec ce qu'on lui raconte. Il ferait son courrier, paraît-il. Je les crois volontiers. Cette manie abuse les naïfs sur la portée de leurs balivernes. Quand j'en eus terminé, il m'a donné l'*amplexus*. J'avais l'impression d'étreindre une méduse. Lors de son allocution finale devant la communauté, il a insisté sur le verset de saint Luc : « Béni soit le Seigneur parce qu'il nous a suscité une force de salut. » Il adopte tantôt un ton geignard, tantôt bravache, mais affecte toujours, à coup d'appel de sourcils vers le haut, d'être en ligne directe avec le Saint-Esprit. « En une époque, emmiellait-il, où nombre d'ordres religieux ont disparu, où les vocations se raréfient, où beaucoup de prêtres vivent dans le péché, même au sommet de l'Église, où le monde se vautre dans la boue du paganisme, où la Bête semble triompher, l'Immaculata se dresse, par sa fidélité à une tradition impérissable, comme un reproche vivant, un doigt pointé contre les impies. Nous sommes le dernier carré, s'est-il écrié avec exaltation, nous sommes le petit reste d'Israël. Nous sommes la force du salut. Jamais nous ne pactiserons avec Satan. S'il y en a parmi vous qui ne se sentent pas de taille à défier les profanateurs, qu'ils s'en aillent. Je ne retiens personne. L'œuvre du Seigneur ne supporte ni tiédeur, ni doute. Ne l'oubliez jamais, vous êtes un reproche vivant. » Il s'est ensuite attaché à recommander la prière unitive comme moyen d'abnégation. « Celui qui est en Dieu ne connaît plus les mesquines tentations de l'indépendance. S'abandonner jusqu'à ne plus être qu'un instrument entre les mains du Seigneur. » Puis il a commenté la perle de saint Benoît : « Le mal commence là où le plaisir commence. » A ce moment, j'ai décroché : une blonde callipyge m'a emporté vers des contrées ensoleillées, loin du Clément déchaîné. Quand je suis revenu à lui, il faisait l'éloge de Leonardo, le père que la Providence a placé sur notre route pour nous guider vers les pâturages de l'éternité. Amen ! Aveugle ou comparse, ce gros lard ? Comparse, de préférence. Mais comparse de quoi ?

Je lis les quotidiens mis à la disposition des hôtes. Bien sûr, Iris V, génial ! Bravo ! Également à la une : on a manifesté à Rome en faveur d'un journaliste agressé devant son domicile, démis de ses fonctions, réintégré. Quel est le problème au juste ? Il a dénoncé un complot intégriste. Vivement intéressé, j'ai dévoré la prose consacrée à l'événement. « Les intégristes sont des païens... », avait notamment écrit ce Carlo Mancini. Alors là, j'ai eu le tabernacle commotionné. La vérité de cette assertion m'est soudain apparue criante, vociférante, devrais-je dire. Clément, Leonardo, Gildas, Ireneo... et consorts. Des païens ? Des païens, à l'évidence. « Ils prennent Dieu en otage... la charia n'est pas d'origine divine... instaurer un régime à l'islamique dans la Confédération », écrit-il encore. Comme tout cela sonne vrai. Ici à l'Immaculata tout est de droit divin. « Des instruments », blatérait Clément.

Minute, papillon ! Assieds-toi, la tête te tourne. Respire un bon coup. Nous sommes des intégristes. Païens... complot... Je me ressaisis. Procède avec méthode. Je relis les pages précédentes où j'ai noté des extraits des homélies léonardiennes. Soudain je sursaute, un sens général se dégage de cette succession de citations. La fin est proche, convertissez-vous, dépouillez-vous de vous-mêmes, vous avez une mission, la colère de Dieu... les purs... On ne peut être plus éloquent. Comme s'il voulait préparer la communauté à participer à une action déterminante. Pourquoi n'y ai-je pas songé plus tôt ? Sans doute parce qu'il y a un degré de mensonge qui paraît inimaginable, que durant tant d'années, des Leonardo vivent une mascarade monastique, qu'ils miment les gestes et les mots de la foi la plus intense, qu'ils se meuvent dans la duplicité absolue sans remords apparents en attente « du grand complot », c'est surréaliste. Il est bien difficile d'accepter que ce qui se passe à l'intérieur de certains êtres soit aberrant, tordu, égocentrique au point qu'ils ne ressentent aucune émotion face au mal qu'ils commettent. Il faut être un peu pervers pour comprendre la perversité. Donc paroles et actes de Leonardo. Cénacle de ses fidèles. Clément. Allées et venues à l'hôtellerie. Mort suspecte de Léon. Souterrain. Pourquoi ferait-on construire un souterrain ? Pour entrer et sortir sans être vu, pour cacher quelque chose, quelqu'un ? Je ne sais plus. En définitive, tout est peut-être normal. Quoi qu'il en soit, je poursuivrai mes investigations. Le spectre de Léon me hante.

Comme pour étayer mes soupçons, l'activité ne diminue pas à l'hôtellerie. Hier, j'ai fait rapport devant Barracuda. Je me suis réjoui du nombre de visiteurs comme si j'y voyais un regain de la foi. « Ces personnes viennent chez nous pour le salut de leur âme, m'a-t-il affirmé, la main sur le cœur, le rayonnement de l'Immaculata est une consolation. Ainsi que nous le faisait remarquer l'Abbé Général, nous sommes un des derniers bastions du Christianisme. La lumière sur la montagne. » Après s'être gargarisé de ces fadaises, il a épluché mes comptes : la nuitée y coûte le même prix que dans un palace. J'ai dû justifier jusqu'au dernier cent. Il s'est félicité de ma rigueur budgétaire (l'expression est de lui) non sans égratigner « la négligence » d'Amadeo. J'en ai induit qu'il me considérait toujours comme un sot, appréciation qui me satisfait entièrement.

Le froid est moins vif. Émergeant de mes couvertures, je contemple ma cellule. Quelle différence avec mon bureau de l'hôtellerie. On dirait que la cellule monacale est conçue comme une absence de vie, une sorte de « non-lieu ». Des murs verdâtres, un crucifix, un plancher gris, une armoire métallique, un grabat, une table vermoulue, un tabouret, un guéridon, une cuvette et un broc. Voilà tout. Pas d'évier, ni de lampe de chevet, ni de store, ni d'étagère, pas de reproduction au mur. Rien qui confère à la pièce un brin d'intimité. L'austérité confondue avec le néant. Pour exister, fermer les yeux. Le moine est alors renvoyé à l'intérieur de lui-même où il se nourrit de la maigre pitance que ses maîtres y déposent. A mesure que son séjour se prolonge, il se vide de ses points de repères « mondains », l'ambition, le plaisir, la fantaisie, les projets, les souvenirs, jusqu'à la nudité complète. Il est devenu, rarement pour le meilleur, le plus souvent pour le pire, un produit d'usinage disposé à s'enrichir des biens spirituels. Ici c'est pour le pire. Le moine de l'Immaculata est un non-être, une entité artificielle, manipulé au gré des noirs desseins de l'Abbé. Cet anéantissement des personnalités n'est pas le moindre des crimes de Leonardo et de ses comparses. Quant à moi, sous des dehors sévères, je profite honteusement de ma nouvelle position ; un petit verre par-ci, un chou à la crème par-là, un roman en catimini, quelques images télévisées en cachette, une sieste à la dérobée (une sieste ! Le bonheur total !). Je suis seul maître à bord. Leonardo et Gildas ne se montrent quasi jamais de ce côté. Le feraient-ils qu'ils ne me surprendraient pas car je suis protégé : pour accéder à mon bureau, il faut actionner un timbre. Je commande l'entrée de l'intérieur. Impossible d'ouvrir sans ce sésame. A petits traits, je sirote ma vengeance contre dix années d'esclavage. Tout en jouissant de mes récréations, j'observe, je note, je médite. Un jour, je relierai les fils de cet écheveau et je saurai si nous sommes des conspirateurs. D'ailleurs, rien ne m'interdisant de communiquer avec l'extérieur, j'ai envisagé de contacter ce Mancini. Cependant, j'éprouve un scrupule : qu'ai-je à lui apprendre ? Patience donc. Jusqu'à nouvel ordre, l'Immaculata bénéficie d'une admiration unanime. Au cœur de la tempête, ces saints hommes maintiennent le cap. Sodome et Gomorrhe seront peut-être épargnées grâce à leur sacrifice. Qui oserait les accuser d'être des adorateurs du diable ?

Dimanche, pendant le chapitre, Leonardo a commenté l'envol de cette fusée vers Mars. Il n'a pas raté son poncif : « Les hommes s'arrogent le droit d'empiéter sur le domaine de Dieu. » Et de citer Pascal : « Que de ce petit cachot où il se trouve logé, l'homme apprenne à s'estimer lui-même. » Il s'est enflammé : « L'homme n'a rien appris. Il persiste dans son obstination à rivaliser avec Dieu. Le Seigneur se lasse chaque jour davantage de la présomption de ce ver de terre. » Si elle n'était corrosive, cette prétention à se mettre dans la peau de Dieu serait risible, mais, hélas, elle influence ces pauvres types qui, à force de bourrage de crâne, confondent l'œuvre de Dieu avec celle de Barracuda.

Un article de *La Stampa* fait état d'un sondage intéressant : les gens reviendraient à l'écrit. Après la psychanalyse triomphaliste, l'informatique totalitaire serait en perte de vitesse. Voilà une bonne nouvelle. Le livre reprendrait sa place comme instrument de la connaissance. Vive Gutenberg ! Trente ans d'aberrations, d'Internet à Crossworld, pendant lesquels les hommes se sont abêtis, confondant information et formation. Seraient-ils en train de comprendre que rien ne remplacera jamais la lecture et la réflexion ? Serait-ce le retour à la pensée, au sentir personnels ?

En me relisant, je réalise que j'ai l'air de me contredire : j'applaudis à l'aventure martienne et je m'en prends à l'informatique. Je condamne les excès de la science et pas la science elle-même.

Le printemps vient. Courage, Enzo ! Une bonne pipe et au lit.

Remio et Aurelio commençaient à la trouver saumâtre : coupés du monde par mesure de sécurité, ils végétaient à Anagni. Le temps était exécrable, tout était gris et poisseux. Quant à Buco, il vaquait à diverses occupations inoffensives : shopping, balades, cinéma. Apparemment, ce petit bonhomme insignifiant, à l'âge indécis, toujours coiffé d'une casquette à la Lénine, était un solitaire. Il n'avait ni maîtresse, ni amis. Plus la surveillance se prolongeait, plus Remio et Aurelio risquaient d'être repérés. Ils avaient beau se déplacer, alterner les filatures, changer d'apparence, un gangster professionnel ne serait pas longtemps dupe de leurs manigances. Au demeurant, après quatre journées et quatre nuits de guet, de mauvais sommeil et de repas avalés à la sauvette, leurs facultés baissaient dangereusement. En prime, ils avaient attrapé un fameux rhume ; ça crachait et ça reniflait sans discontinuer dans l'habitacle. Malgré l'amitié qui unissait les deux hommes, la tension montait, tant leur promiscuité obligée devenait inconfortable. Ce matin, cerveaux et corps engourdis, ils survivaient tant bien que mal. A onze heures vingt-deux, l'événement se produisit : sur l'écran de bord apparut le texte que Buco venait de recevoir : « Rendez-vous à P. Vous repartez. Instructions suivront. » Signé Patmos. Ce message leur fit l'effet d'une décharge électrique.

Quelques minutes plus tard Buco quittait son domicile, affectant la démarche d'un sédentaire en mal d'exercice. Aurelio ajusta ses lunettes et lui emboîta le pas tout en conservant une distance respectueuse. Remio démarra dans leur sillage. Ce manège dura jusqu'à ce qu'ils débouchent sur la piazza Cavour. Buco parut s'intéresser aux véhicules en stationnement. Le Commissaire devina qu'il allait voler une voiture. Sans se presser, il rejoignit Remio : « Je parie que cette crapule va voler une voiture ! » Et de fait, ils le virent s'engouffrer brusquement dans une Opel bleue que son propriétaire avait étourdiment omis de verrouiller.

« Je me demande s'il nous a repérés ? » émit Remio. « C'est une éventualité que l'on ne peut exclure, nasilla Aurelio, mais ce genre de type est souvent tellement imbu de lui-même qu'il n'imagine pas pouvoir se faire prendre. Crois-en ma vieille expérience, gamin, les tueurs sont mégalomanes. » Buco roulait en père tranquille sur l'A2 en direction de Rome. « Tu crois qu'il va à Rome ? » « Cela m'étonnerait, répondit le Commissaire, le message parlait de P ». Sur ce il se moucha bruyamment. Comme pour lui donner raison, Buco quitta l'autoroute à hauteur de Valmontone. Bientôt, la route s'éleva vers Palestrina. « Voilà notre P », s'exclama Remio. Alors qu'ils étaient sur le point de pénétrer dans la cité médiévale, Buco vira à gauche empruntant un chemin en terre bordé d'une épaisse végétation. Ils attendirent qu'il ait disparu avant de s'y engager à leur tour. Un kilomètre de cahots à travers des ornières remplies d'eau et ils aboutirent sur une vaste étendue herbeuse. « Nom de Dieu, un aérodrome », jura Aurelio. Au bout de la piste était posé un Cessna flambant neuf. Ils aperçurent Buco qui grimpait dans la cabine de pilotage. Le temps d'une respiration et l'avion s'arracha du sol.

Toutes sirènes dehors, ils fonçaient vers Rome. Aurelio transmettait ses directives à la tour de contrôle de l'aéroport de Ciampino situé près de la via Appia Nuova. Se prévalant de l'intervention du Cardinal auprès de sa hiérarchie, il obtint rapidement satisfaction. Un chasseur X23 était prêt à les emmener. Il aurait pu se contenter de faire filer le Cessna par satellite, mais une fois arrivés à destination il leur aurait fallu trop de temps pour être eux-mêmes sur place. Le Commissaire avait retrouvé tous ses réflexes : « Suivez le Cessna sur l'écran-radar. Qui en est le propriétaire ? A qui appartient le terrain d'où il s'est envolé ? Que signifie Patmos ?

– Cette fois, je pense qu'on le tient, jubila-t-il.

– Tes supérieurs vont certainement se dire que, pour un malade, tu te démènes pas mal.

– D'abord, je les emmerde et ensuite, ils s'en fichent.

Un quart d'heure plus tard, ils s'immobilisaient sur le tarmac de Ciampino au pied du X23. Le pilote leur fit signe d'embarquer. Vrombissement. Décollage à la verticale. A peine eurent-ils attaché leurs ceintures que la terre leur parut déjà très lointaine. « Je déteste l'avion », grommela Aurelio. Il donna ses instructions au pilote : dénicher le Cessna, l'escorter discrètement, atterrir n'importe où dès qu'il se serait posé.

– Quand on aura regagné le plancher des vaches, comment procéderons-nous ? s'inquiéta Remio.

– On improvisera. Si c'est nécessaire on fauchera le premier véhicule venu. C'est une question de vie ou de mort, non ?

Remio approuva silencieusement.

On volait vers le nord-est. Une heure et demie déjà. Soudain, le

pilote se pencha de leur côté : « Voici la réponse aux renseignements que vous avez demandés. » Aurelio parcourut le document
en émettant des grognements de satisfaction.

– De mieux en mieux. Écoute ça. Le Cessna appartient à un Herr
Professor comte Lothär von Armsberg. Adresse : Hofburg, un château près de Loipl en Bavière. Né à Loipl en quarante-quatre. Ses
parents furent de chauds partisans d'Adolf. Ils décèdent en soixante
et un dans un accident de la route. Lothär enseigne la sociologie à
l'université de Salzbourg. Catholique pratiquant. Brevet de pilote.
Golfeur, skieur, alpiniste. Pendant sa jeunesse, il participe à un
mouvement néo-nazi. Admirateur de la bande à Baader. C'étaient
pas des types de gauche ?

– *Ja wohl, mein Führer !* Rote Armee Fraktion si mes souvenirs
sont bons. Mais à l'époque, les extrémistes se confondaient. Rap-
pelle-toi : Loge P2, Brigades rouges, même combat.

– Arrêté, il est défendu par Klauz Croissant et acquitté. Depuis,
il semble s'être tenu tranquille. C'est un veuf très riche. Son
épouse, Ilsa von Klemp, héritière d'une immense fortune, a péri
dans l'incendie de leur chalet de montagne il y a dix ans. Ils ont
trois enfants, mariés. Apparemment sans histoires. Auteur de plusieurs ouvrages d'ethnologie, il s'inspire de la pensée de Clause-
witz. Qui est-ce ?

– Un théoricien de la guerre, répondit Remio, qui avait tâté de
la philosophie.

– Ah bon ! Encore un imbécile. Un drôle de lascar, le Comte,
en tout cas, reprit Aurelio, tu ne trouves pas bizarres ces morts
accidentelles ?

– Absolument ! En tout cas, pour un Bavarois, il a tout d'un
Prussien, le von Armsberg, tu l'imagines monoclé et corseté.
D'autres précisions ?

– Non. A part qu'il est émérite de l'université et président de
nombreux conseils d'administration. Comme beaucoup de vieux
débris à particule.

– Et le champ d'aviation ?

– Propriété d'une société d'import-export, la Chimico International Corporation.

– Elle s'occupe de quoi ?

– Mystère. Son siège se trouve à Andros, Bahamas. C'est tout.
Quand on n'a pas d'autres renseignements, cela signifie qu'il faut
un code secret pour accéder à des informations considérées comme

confidentielles. Code secret au BERC égale intouchable. Donc, on est dans le bon.

— Et Patmos ?

— Inconnu au bataillon. Un nom de code sans doute. Ça te dit quelque chose ?

— Attends. Ça me revient. Patmos est une île de la mer Égée. Comment n'y ai-je pas songé plus tôt ?

— Pourquoi ?

— Parce que c'est là que saint Jean a écrit l'Apocalypse. Et on parle beaucoup d'Apocalypse ces derniers temps.

Le pilote leur tendit une Thermos et deux gobelets.

— Je n'ai ni sucre ni lait. Je le prends toujours noir. Mais c'est du vrai. C'est ma femme qui le prépare.

Ils acceptèrent avec reconnaissance.

— Je boufferais bien un sandwich, se lamenta le Commissaire. J'ai faim.

Le pilote n'avait que des biscuits sous emballage cellophane.

— Son chien n'en voudrait pas, ronchonna Aurelio en se cassant les dents. Comme blindage pour char d'assaut ça ne doit pas être mal.

— Résumons-nous, Commissaire. On a un Cessna propriété d'un nobliau d'extrême droite, une société bidon VIP et un mot de passe qui fait référence à l'Apocalypse. On en conclut quoi ?

— On en conclut que le Cessna va atterrir quelque part en Bavière près du Hofburg, que le vieux est lié à notre affaire, que « Patmos » est le nom de code de toute l'opération. On progresse. Il s'agit maintenant de savoir s'il existe un aéroport dans les environs.

Le pilote s'informa. Quelques instants plus tard la réponse leur parvenait : « Aérodrome privé. Hofburg. » Remio tremblait d'énervement.

— Je parie que c'est là qu'ils ont emmené Giannalia. Nous brûlons, Aurelio. Nous brûlons.

— D'accord avec toi. Mais gardons notre calme. Grâce à un atterrissage vertical, nous pourrons nous poser n'importe où.

— Es-tu armé ?

— J'emporte toujours « *Andreotti* » avec moi, répondit le Commissaire en exhibant un Riot-Laser.

— Combien de temps encore avant d'arriver au Hofburg ? s'enquit Remio auprès du pilote.

— A la vitesse du Cessna, quatre heures, grogna celui-ci.

– Au fait j'y pense, on pourrait le devancer et l'attendre tranquillement.

– Non, répliqua Aurelio. Nous ne sommes pas absolument sûrs que c'est là qu'il se rend.

Le pilote se tourna vers eux en souriant.

– Je vous conseille de faire une sieste. Si j'ai bien compris, dès qu'on sera là-bas, il y aura de l'action.

– Bonne suggestion, dit Remio, mais pas avant d'avoir contacté le Cardinal. On rêvera après.

– A notre bonne étoile, gloussa Aurelio. Je parie que la petite Giannalia a épinglé ton portrait sur le mur de son cachot et qu'elle prie tous les jours devant son idole.

– C'est d'un goût, râla Remio. Vexé, il pivota vers le hublot et fit semblant de dormir. Le cœur de Remio s'embua. Son angoisse croissait à mesure que l'on approchait de l'endroit où elle était peut-être détenue. Ces dernières heures, il oscillait entre espoir et résignation. Parfois, il était convaincu qu'elle était morte ; à d'autres moments, il se persuadait qu'ils la gardaient en otage. Le va-et-vient de ces sentiments contradictoires constituait une torture insupportable car aucun élément ne permettait de conclure à l'une ou l'autre éventualité. Aurelio s'en voulut d'avoir gaffé.

– Pardonne-moi. Tu verras. On la retrouvera.

– Le cardinal Videgarai en ligne, annonça brusquement le pilote.

Remio le mit au courant des derniers développements. Il déclina sa proposition de faire appel à la police bavaroise.

– Tu vois, mon oncle, je crois qu'il est préférable que nous agissions discrètement. Un déploiement de forces pourrait être fatal à Giannalia. Notre chance réside dans l'effet de surprise.

– C'est sage, mais dangereux. Allez. Ne tentez pas le diable.

– Justement si, s'esclaffa Remio, non seulement nous allons le tenter, mais nous allons le circonvenir.

– Ça m'a fait un bien fou de l'entendre, soupira Remio après la fin de la communication.

– Eh bien, au risque de t'étonner, moi aussi, murmura le Commissaire.

Le pilote avait branché la radio. Les hurlements des chanteurs du groupe Post Nuclear Galaktik Cow-boys leur arrachèrent les oreilles. Ils interprétaient leur dernier tube, *Lost in Hell*, l'incontournable scie de la musique Zip que l'on entendait partout.

– Pour une fois, je suis d'accord avec ces fêlés, cria Aurelio, on s'égare en enfer.

Cité du Vatican
Mercredi 17 février 2020
Après-midi

— Je vous avoue que je m'y perds un peu, Éminence.

Depuis qu'il s'était confié au Cardinal, monseigneur Cafarelli respirait la joie de vivre. Les plis amers de sa bouche avaient disparu. Comme irradié de l'intérieur, son visage, habituellement fermé, s'était épanoui. Quel plaisir de se retrouver à la maison après des années d'errance. Une parole du Cardinal lui avait restitué sa place et sa dignité. Il n'était plus un proscrit de la vérité. Son âme, corrodée par l'acide d'une connaissance de soi négative, s'était éloignée progressivement de sa patrie d'élection. Il l'avait quittée sans pour autant la renier complètement. Retour au bercail de l'enfant prodigue. Videgarai n'avait plus fait aucune allusion à leur conversation. Il se comportait vis-à-vis de son secrétaire avec la même bonhomie qu'auparavant. Son attitude n'était pas le moindre motif de gratitude de Cafarelli ; tout autre prélat romain n'aurait pas hésité à exploiter le déballage de ses faiblesses, ne fût-ce que par une condescendance teintée de mépris.

— Le moment est effectivement venu de faire sérieusement le point, Claudio. Bien. Tout commence donc avec l'assassinat de trois malheureuses femmes. Nous avons aujourd'hui la certitude qu'elles ont été payées en échange de leurs « visions ». Ensuite, on les a éliminées, pour médiatiser leur message et en même temps déstabiliser l'Église. La manœuvre consistait à faire croire que le Vatican les aurait fait disparaître dans le but de les réduire au silence, leurs messages étant trop terrifiants pour l'humanité et par trop gênants pour le Saint-Siège. Ils en retardent la révélation, attendant l'heure propice. Fâcheux contretemps, Giannalia leur échappe. Pour la débusquer, ils massacrent sa famille. C'est dire l'importance qu'ils accordent à sa disparition. Importance à la mesure de leurs desseins. Ils l'enlèvent et apparemment ne la tuent pas comme les autres. L'article de Mancini les prend au dépourvu, au point qu'ils commettent la maladresse de l'agresser. L'opinion s'émeut. Mancini est démis. L'ordre vient du Vatican, j'en ai l'intime conviction. Erreur. Mancini devient un martyr. On n'aime pas les martyrs ; il est réintégré. Mais le mal est fait, on s'intéresse désormais à ces rumeurs de complot. Les autorités pataugent, tergiversent, paniquent. Le Saint-Père me mandate, pour quoi au juste ? Déjouer la conspiration ? Trop simple. Voir ce qu'on peut faire ! Je rencontre le président de la Confédération. Fiasco. Pendant que je lui parlais, il souriait avec l'air de penser : « Comment un homme raisonnable comme vous peut-il accréditer ces sornettes ? » Le scepticisme des « grands » est le meilleur allié des conspirateurs. Tout paraît bloqué. Puis, grâce à la diligence du commissaire Graziani, le tueur à gages est repéré. Et j'apprends aujourd'hui qu'il s'est envolé d'un terrain, propriété d'une société chimique écran, pour le Hofburg en Bavière, un château appartenant à un certain comte von Armsberg connu pour son passé néonazi. Giannalia y est-elle retenue prisonnière ? L'avenir nous le dira. Enfin, nous pouvons désormais nommer cette organisation : Patmos. Voilà, Claudio, où nous en sommes. Nous avons progressé. Cafarelli ne put s'empêcher de rire à l'audition de cet exposé en rafales.

– Votre esprit de synthèse m'étonnera toujours, Éminence. A vous entendre, on se croirait dans un film d'action.

– Ce n'est malheureusement pas du cinéma. Nous affrontons un rude adversaire. Si le Commissaire et Remio délivrent Giannalia, Patmos aura subi un sérieux revers. Cependant, nous devrons alors nous attendre au retour de manivelle. Le combat changera d'aspect. Il se livrera à armes découvertes. Tous les coups seront permis. Ce sera l'heure du pire, Claudio. J'ignore quelles seront les expressions du pire, mais j'appréhende qu'elles prendront des proportions effroyables.

Le visage du Cardinal s'imprégna d'une profonde angoisse, comme s'il avait la vision intérieure d'un désastre auquel il se refusait encore à croire mais dont il était incapable d'écarter la possibilité. Il murmura :

– Le chemin vers l'Apocalypse... Je crains que Dieu ne soit impuissant devant la folie meurtrière. Par ailleurs, cette épreuve ne déclenchera-t-elle pas un réflexe salvateur ? La course vers l'entonnoir ne peut continuer indéfiniment, sinon les lendemains seront invivables. Il nous faut prier, Claudio. Prier et agir. Jamais le Cardinal n'avait extériorisé devant son secrétaire une gravité qui ressortissait moins à ses sentiments qu'à une méditation sans concession sur l'actualité. Le Cardinal n'avançait rien à la légère ; chaque jugement qu'il émettait avait été longuement pesé avant d'éclore en une formulation orale. Prédictions effrayantes. C'était bien la première fois que Videgarai l'incitait à prier. Ce recours à l'oraison indiquait que les moyens humains ne suffiraient pas à endiguer le mal. Comme un éclair, au plus profond de lui-même, il sut que Dieu les écouterait. Avant même qu'il eût prié, il fut rempli d'une paix insolite : son cœur devint blanc comme neige.

Loipl (Bavière)
Mercredi 17 et jeudi 18 février 2020

– Nous allons avoir du mal à entrer là-dedans.

Ainsi s'exprimait Remio. Ils étaient attablés dans la salle à manger à faux décors bavarois d'un hôtel de Loipl. Ce n'était pas sans peine qu'ils l'avaient déniché après que le X23 les eut déposés non loin de la ville. Quant au Cessna, il avait bien atterri sur la piste privée du Hofburg. Aurelio éternua un bon coup. Son rhume ne s'arrangeait pas. Il réfléchissait tout haut avec une voix nasillarde.

– D'une part, si nous voulons délivrer la petite, nous devons nous hâter ; d'autre part, cette forteresse est certainement super-protégée. De plus, aucune enquête officielle n'ayant été requise, il nous faut agir en douce. Mais comment fracturer ce coffre-fort sans aide extérieure ? Voilà la question. D'autant plus que, comme grosse légume, le Comte doit bénéficier ici d'une excellente réputation. Donc on ne peut se fier à personne. Si la police locale n'est pas à sa botte, elle doit au moins le considérer comme un citoyen au-dessus de tout soupçon.

– Ce que nous ignorons, c'est ce que Giannalia leur a raconté. Ils l'ont certainement fait parler. Peut-être torturée.

– On ne torture plus, fiston. On médicamente. C'est plus efficace et moins douloureux. Et puis qu'aurait-elle pu leur avouer qu'ils ne sachent déjà ? A l'exception de la planque de Sam, tout le reste leur est connu. Si elle leur a dit avoir admis devant nous qu'elle avait menti, qu'elle avait été payée, ils sont au courant de l'essentiel. Là où ils se sont trompés, c'est sur notre capacité à les surprendre. C'est l'avantage que nous avons sur eux. Ils sont loin de se douter que nous buvons paisiblement un verre à quelques encablures de leur repaire.

– Il nous faudrait un VPC et un champion d'informatique. Je vais faire appel à Cirrea.

– Excellente initiative. Mais auparavant, il serait utile de s'informer sur les us et coutumes du maître de céans. Tu es journaliste. Aucune loi ne t'interdit de faire un reportage sur un ponte local.

– Pas mal vu. Cependant ce faisant, on se découvre. Le premier type que j'interrogerai ne s'empressera-t-il pas d'avertir le château qu'un fouineur pose des questions ? Il me faudrait au moins une fausse identité.

– Je m'en charge. Contacte ce Cirrea. Qu'il soit ici à l'aube. Est-ce réalisable ?

– Certainement. Je l'appelle tout de suite. Tu verras, il fait garçon-boucher, ce n'est qu'une apparence. Non seulement il est très compétent, mais en plus il est marrant.

Giuseppe Cirrea, qui les avait rejoints au petit matin emmenant un VPC dans ses bagages, pénétrait à midi précis le système informatique du Hofburg. La veille, en musardant de bar en bar, Remio avait appris que le comte von Armsberg donnait ce soir même une réception. Coup de chance. A une heure trente, l'imprimante livrait deux invitations en bonne et due forme pour la sauterie, comme disait Aurelio. Ils s'introduiraient donc dans les lieux par la grande porte, avec Cirrea en couverture. « Autrefois il aurait fallu une armée, aujourd'hui un numéro de code suffit. Je pense que c'était plus difficile autrefois », fit remarquer Remio. Ils avaient quelques heures devant eux pour se vêtir en gentlemen et modifier leur physique. Malgré les risques encourus, ils se rendraient sans armes au château.

A vingt heures trente, sous une pluie battante, Alberto Costa et Massimo Baldi se présentèrent à l'entrée d'un Hofburg brillamment éclairé. Cinq costauds le crâne rasé, engoncés dans des smokings étriqués, ressemblant à une équipe de basket endimanchée, vérifièrent leurs invitations. Apparemment, le gratin du coin et d'ailleurs se pressait au portillon. Tout au long de l'allée pierreuse menant au perron de l'imposante bâtisse, une file interminable de grosses limousines aux vitres teintées avançait au pas. A chaque arrêt, un contingent de dames aux toilettes somptueuses et d'élégants en habits de gala, encadré par une escouade de laquais déployant des parapluies, gravissait avec solennité la cascade de marbre. Dans le hall, se tenait, raide et gourmé, le comte Lothär von Armsberg, patricien à la taille élancée, dont les ancêtres s'étaient illustrés aux Croisades. Il avait le nez droit, les traits émaciés, deux yeux bleus froids, une abondante crinière blanche. Sa tenue austère était agrémentée d'une seule fantaisie : une rose blanche à la boutonnière. Il serrait ou baisait les mains tendues avec une nonchalance calculée qui établissait d'emblée la distance le séparant du menu fretin, mais duquel il ne lui déplaisait visiblement pas d'être admiré. A chaque passage, il dévisageait les nouveaux arrivants d'un œil inquisitorial. S'il esquissait à l'occasion un pâle sourire à l'égard d'une figure familière, il n'en demeurait pas moins le plus souvent aussi impassible qu'une statue de pierre. Lothär von Armsberg devait représenter une légende vivante, tant il inspirait de respect et de déférence. Le personnel était vêtu à l'ancienne : perruque blanche poudrée, justaucorps rouge à rayures, jabot de dentelle, pantalon bleu moulant, bas blancs montant jusqu'aux genoux, escarpins noirs vernis.

Lorsqu'on les nomma, Alberto Costa, ingénieur, et Massimo Baldi, professeur, le Comte les accueillit sans broncher. Ouf ! Ils étaient dans la place. Pendant que Remio-Costa, qui maniait la langue de Shakespeare, se mêlait à la foule des commensaux du Comte, Aurelio-Baldi se rencognait à l'écart, affichant la mine blasée du nanti auquel sa fortune permet un mépris total de ses contemporains. L'impression dominante était celle d'une fastueuse mise en scène destinée à éblouir le tout venant. Cheminée monumentale alimentée de troncs d'arbre enflammés, lustres de Venise, torchères électriques, murs lambrissés de chêne, toiles de maîtres, fauteuils en cuir, meubles d'époque, tapis d'Orient. Le petit millier d'invités appartenait aux milieux en vue : politiques, membres de la magistrature, du clergé, de la police, notables, vieilles catachrèses jetant leurs derniers feux. Un joli parterre de suppôts du pouvoir. Un orchestre jouait du Strauss en sourdine. Les serveurs slalomaient en virtuoses du patinage mondain entre des groupes assis ou debout. A mesure que le champagne coulait, le ton des conversations montait. Les rires sonnaient fort et faux. Les buffets disposés aux quatre points cardinaux de l'immense salle de réception furent pris d'assaut par des grappes de convives. La soirée battait son plein lorsqu'un domestique frappa dans ses mains. Un silence relatif se fit. Le Comte grimpa sur l'estrade de l'orchestre et se fendit de quelques mots de bienvenue. Il sculptait ses phrases d'un timbre rocailleux qui n'était pas sans rappeler un tribun du siècle dernier. « Mes amis, c'est pour moi un honneur et une joie de vous voir si nombreux. J'éprouve chaque fois un réel plaisir à vous accueillir tous et toutes dans ma modeste demeure (rires). Je vous souhaite une heureuse soirée. Votre présence amicale me distrait de ma solitude et de mon travail spartiate. Vous le concéderez volontiers, il m'est matériellement impossible de m'entretenir avec chacun d'entre vous, je le déplore. Sachez cependant que vous êtes ici chez vous. J'allais vous suggérer de vous sustenter, mais je constate avec satisfaction que vous avez devancé mon invitation (rires). A partir de minuit, ceux d'entre vous qui le souhaitent auront l'opportunité de dépenser leurs euros dans le salon Louis II spécialement aménagé pour la circonstance (nouveaux rires). Bon appétit et bon amusement. » Une salve d'applaudissements salua l'allocution du Comte. Pas un muscle de son visage n'avait remué tandis qu'il s'exprimait.

Aurelio s'approcha de Remio, qui accordait une oreille inattentive au caquetage d'une petite boulotte, toutes rides liftées, déguisée en duchesse de théâtre, qui s'enquérait de son opinion sur Ernie Walsh et Noam Bronski, les pionniers de la peinture nouménale. Remio le présenta.

— Professore Massimo Baldi... Madame...

— Emma Zoch. Enchantée.

— Mon ami ne parle que l'italien.

— J'adore l'italien. Figurez-vous que mon arrière-grand-père était vénitien. Vous savez qu'ils sont ici.

— Qui, chère madame ? demanda Aurelio en levant le petit doigt.

— Mais Walsh et Bronski. Ne me dites pas que vous l'ignoriez, ils sont géants.

Aurelio se tourna vers Remio, mimant l'incompréhension. Celui-ci s'exclama :

— Walsh et Bronski, Professeur.

— Ah oui, évidemment, Walsh et Bronski !

Emma Zoch insista :

— Je n'ai jamais très bien compris, Professeur, en quoi consistait la peinture nouménale.

Remio se porta au secours de son comparse :

— Souvenez-vous, Professeur, nous en discutions pas plus tard qu'il y a deux jours. Vous considériez leur technique comme étant révolutionnaire. Mon ami Massimo m'expliquait, chère Madame, que les deux maîtres ont eu une idée démente : ils rassemblent des volontaires dans une salle vide, les invitent à fixer avec intensité un tableau supposé avoir les honneurs de la cimaise et ensuite à le représenter sur une toile. L'œuvre achevée, Walsh et Bronski signent.

— Mais pourquoi nouménale, Professeur ?

Aurelio éternua, se moucha, se gratta l'oreille, leva un œil vers le plafond à caissons et plaça sa bouche dans la position du subjonctif imparfait.

— Simplement parce qu'elle est kantienne, chère Madame.

Remio approuva et renchérit :

— Kantienne à n'en pas pouvoir.

Éblouie, Emma Zoch dévisagea le Commissaire avec gourmandise. Elle passa la langue sur sa lèvre inférieure et susurra :

– Et que pensez-vous de ces bruits de guerre ?

– Scoop de journaliste, rétorqua Aurelio à tout hasard. Mais je vous conseille quand même de faire vos provisions d'huile et de sucre.

Sur cette réplique, il mit son bras droit autour des épaules de Remio et murmura d'une voix oppressée :

– Vous voudrez bien nous excuser, chère Madame, mais mon ami et moi avons tant de choses à partager. N'est-ce pas Alberto ? La petite boulotte haussa les épaules avec dédain et s'éloigna en quête de mâles conformes.

Malgré la précarité de leur situation, Remio pleurait de rire.

– Où as-tu été pêcher ce « kantienne » si à propos ?

– Il y a un ou deux ans, on avait au BERC un collègue assez prétentieux surnommé « phénoménal ». Une personne cultivée m'a expliqué de quoi il s'agissait. Voilà le fin mot. Tu as entendu parler de bruits de guerre ?

– Absolument pas. J'espère qu'il s'agit d'un canular. Tout va déjà assez mal comme ça.

Ils savourèrent une coupe de Dom Pérignon. Remio reprit :

– Buco ne s'est pas montré ?

– J'imagine qu'il doit être en train de beurrer des toasts dans les communs. Bon. Ça va être à nous, fiston. Profitons de l'animation générale pour nous éclipser. Tu as sans doute remarqué que le personnel était armé. Certaines bosses sont révélatrices. Si j'ai bien compris, l'escalier qui descend à la cave part d'un cagibi jouxtant les cuisines.

De fait, la configuration des lieux ne leur était pas inconnue ; grâce à l'habileté de Cirrea, ils avaient fait une visite virtuelle du Hofburg. De leur promenade informatique, ils avaient conclu que la cave était l'endroit le plus approprié pour retenir des prisonniers. Les autres pièces, si nombreuses fussent-elles, même les chambres logées sous le toit, ne pouvaient échapper aux regards profanes. Ils se déplacèrent avec lenteur en direction du hall. De là, ils prendraient à gauche et dévaleraient un escalier étroit vers les cuisines. La manœuvre était délicate dans la mesure où des gorilles contrôlaient le hall. A l'instant où les deux compères allaient y pénétrer, une violente altercation opposait les séides du Comte à deux paparazzi qui entendaient s'immiscer au raout, quoique dépourvus d'autorisations. Un attroupement s'était formé autour des antagonistes. L'un des photographes hurlait : « Et les droits de la presse ? Qu'est-ce que vous en faites, des droits de la presse ? Fascistes ! »

Un éclat de rire couvrit la suite de ses imprécations. Le protestataire fut empoigné sans ménagement et expulsé prestement. Pendant que son confrère s'apprêtait à suivre le même chemin, Aurelio et Remio dégringolèrent l'escalier. Des serveurs montaient et descendaient sans se préoccuper de leur présence. Profitant d'une accalmie, ils s'introduisirent dans le cagibi et de là, dans la cave. Brève inspection des lieux. Un couloir faiblement éclairé s'abaissait en pente douce. Des boyaux latéraux s'écartaient vers le néant tous les dix mètres. Chaque fois qu'ils poussaient une porte, ils découvraient des amas de caisses, de sacs, de boîtes. Aurelio marmonna : « Un véritable opéra-bouffe. » Malgré la fraîcheur humide, ils transpiraient abondamment, leurs nez coulaient. A tout moment, ils redoutaient de déclencher un signal d'alarme et d'être piégés comme des rats. Mais rien de tel ne se produisit comme si, dans l'esprit de von Armsberg, ce cul-de-basse-fosse était inexpugnable. Ils progressaient donc lentement, regardant où ils mettaient les pieds. Mais il n'y avait ici rien que de très normal. Ils jurèrent de concert lorsque, parvenus au bout du couloir central, une porte blindée, un éclair en zigzag et la mention « *Gefahr* » bien en évidence, comme sur une cabine à haute tension, bloqua le passage.

– Ça se corse, chuchota Remio.

Le Commissaire contacta Cirrea :

– Porte blindée au bout du couloir. Peux-tu trouver le mot de passe ?

La voix de Cirrea sonna claire.

– Je scanne.

L'attente leur parut une éternité. Soudain :

– Je l'ai. Essayez Patmos.

– Patmos évidemment. On aurait pu y songer immédiatement.

Aurelio tapota les six lettres sur le cadran à touches alphabétiques scellé dans le mur. La porte s'ouvrit.

– Bravo, Giusseppe, ça marche.

– Soyez prudents, les gars, Mon plan s'arrête là où vous êtes. Après, c'est le brouillard. *Nacht und Nebel.*

Nouveau couloir pentu. Une unique lampe formait un halo blanchâtre autour d'une ouverture pratiquée à même le sol. Un puits de deux mètres de diamètre. Au fond, très loin dans les entrailles de la terre, une tache de lumière. Une échelle métallique s'encastrait dans la paroi. Ils se coulèrent à l'intérieur, veillant à se faire silencieux comme des agneaux. Malgré la peur qui les tenaillait, la conviction qu'ils approchaient du but les rendait audacieux. Remio ne put s'empêcher de maugréer : « Dante et Virgile en vadrouille dans les cercles infernaux. » « Qu'est-ce que tu racontes ? » souffla Aurelio qui le précédait. « Rien, c'est kantien. » Après une plongée d'environ quatre-vingts mètres, le Commissaire s'immobilisa sur la dernière marche. Remio s'impatientait dans son dos. « Alors quoi ? Qu'est-ce que tu fiches ? » « La ferme », fut la réponse laconique. Une lumière aveuglante succédant à la nuit émanait d'un large tunnel au plafond voûté et une voie de chemin de fer courait tout au long de la galerie. L'aération se faisait comme dans une mine. Aurelio essuya la sueur sur son front. Accroché au barreau, le bras douloureux, il chuchota : « Tu flaires cette odeur ? » « Ça sent bizarre en effet. On dirait des émanations de gaz », répondit Remio. Ils mirent pied à terre. Mais rapidement, Aurelio repoussa son copain. « Remontons vite. Des caméras surveillent la galerie. » « Qu'est-ce qu'on fait ? » « On attend. » Trois quarts d'heure passèrent. Leur angoisse augmentait. Tout à coup, un grondement sourd surgit de la gauche. Une sorte de train-monorail sans conducteur approchait. Un transporteur cybernétisé. « C'est l'occasion, décréta Aurelio. Tiens-toi prêt. » Remio opina. Ils laissèrent passer le convoi et se jetèrent dans le dernier wagonnet, se glissant sous la bâche qui le recouvrait. « Il est vide, donc il retourne à sa base. C'est bon pour nous. » Aurelio souleva la bâche et jeta un coup d'œil aux alentours. Bientôt, un quai apparut. « Ça va être à nous de jouer. » Ils se préparèrent à bondir. « Laisse-toi tomber par l'arrière et passe en dessous du wagonnet. Espérons que nous sommes au terminus. » Le convoi stoppa. En un tournemain, ils se retrouvèrent sur les rails. Le quai illuminé par des spots puissants semblait désert. « S'ils ne nous ont pas encore repérés, c'est qu'on a de la chance. Comme on ne peut pas reculer, on fonce. » Ils rampèrent sur les coudes entre un amoncellement de fûts. Chacun d'entre eux portait l'inscription « *Gift* » surmontant une tête de mort et le nom Athanor. Une galerie plus étroite s'ouvrait en face d'eux. Sur les côtés, des rampes s'égaillaient dans toutes les directions. Ils débouchèrent sur une plate-forme ; en contrebas, telle la caverne d'un Ali Baba moderne, s'offrit à leurs regards éberlués une vaste salle où se déplaçaient des robots. « Qu'est-ce qui se trafique ici ? » grogna le Commissaire. Poursuivant leur reptation, ils atteignirent un escalier montant. Ils se redressèrent et gravirent la volée de marches à toute allure. Au loin, une sirène déchira l'air. « Ce coup-ci, on est bon pour le western », se lamenta Remio. Au sommet de l'escalier s'étendait une zone d'aspect plus civilisé. Une porte vitrée donnait sur un corridor aux murs blanchis à la chaux, des tommettes rouges au sol. A droite et à gauche, des portes. Des notes de musique frappèrent leurs tympans. « *Le Boléro* », souffla Remio à l'oreille d'Aurelio. Ils s'avancèrent et aperçurent à travers l'embrasure de la seule porte entrouverte Buco, étendu sur un lit, les mains jointes derrière la tête, les yeux fermés, en pleine extase musicale. « Bon ! murmura Aurelio. On coordonne nos mouvements. Tu ouvres, je charge. Tu me rejoins. On le neutralise. » Plus vite dit que fait. A peine eut-il ouvert les yeux et réalisé la situation que Buco était déjà debout. Râblé, souple, vif, il devait avoir été boxeur ou catcheur dans son jeune temps, car il cueillit Aurelio d'une droite magistrale. Lequel, rougissant de honte et de douleur, lui balança un coup de pied en dessous de la ceinture. Buco plia mais ne rompit point. En pivotant sur lui-même, il plaça une manchette dans la glotte du journaliste qui se précipitait au secours du Commissaire. Mais ce faisant, il présenta son profil de blaireau à Aurelio qui ne rata pas l'aubaine et lui colla un direct dans l'œil gauche. Un filet de sang lui dégoulinait sur la joue. Remio, furibard, se releva et, s'emparant d'une chaise, l'abattit à grand fracas sur le crâne du mélomane qui alla au plancher pour le compte. Tout en se tenant le cou, Remio déversa une bouteille d'eau sur le visage de Buco. Celui-ci s'ébroua comme un cachalot, toussa et se redressa péniblement sur son séant. Aurelio le saisit par les revers de sa chemise tachée de sang. « Écoute-moi bien, espèce de fumier. Tu as dix secondes pour m'expliquer ce que signifiait cette sirène, et dix autres pour me dire où se trouve la jeune fille. Tu entends, salopard ! » Les petits yeux couleur goudron du tueur passaient de l'un à l'autre avec incrédulité comme s'il voyait des fantômes. Il répondit d'une voix métallique : « C'est le signal que mes petits copains ne vont pas tarder et alors, je vous garantis une joyeuse réception. » Aurelio le regarda avec tristesse : « Tu as tort, l'ami, de ne pas nous prendre au sérieux. » Il prit sa tête et la cogna contre le mur. « Si tes petits copains avaient été alertés, ils seraient déjà ici. Donc, c'est autre chose. Tu n'es pas très beau mais je te promets une fulgurante dégradation de ta face de rat si tu n'accouches pas. » Il agita sous son nez le revolver qu'il avait trouvé sous l'oreiller et fit mine de préparer un second passage à tabac. Buco leva la main en signe d'armistice. « C'est la pause », dit-il. « Quoi ! Quelle pause ? En pleine nuit ! », glapit Aurelio. « Et alors ? », fit Buco. « Et la jeune fille ? Où est la jeune fille ? » « Quelle jeune fille ? » Aurelio arma le revolver et dit d'une voix blanche : « Je te donne cinq secondes. Après cela, je praline tes bijoux de famille. Il paraît que cela fait très mal. Une, deux... » Buco comprit qu'il avait affaire à des gars déterminés. Percevant la hargne à fleur de leurs regards, il capitula. « Suivez-moi. » « Pas d'entourloupette. Ça fait aussi mal par-derrière que par-devant. » Il haussa les épaules et les conduisit jusqu'à une porte en acier. « Ouvre. » « Je n'ai pas la carte magnétique. » Le Commissaire lui assena un coup de crosse sur l'oreille droite. Il se détériorait à vue d'œil, Marco Buco. « Ouvre. » Cette fois, le truand s'exécuta. Des larmes de douleur se mêlaient au sang qui ruisselait sur son visage. Ils le poussèrent à l'intérieur. La première chose qu'ils aperçurent fut Giannalia, endormie sur une couchette. Elle paraissait plongée dans un sommeil hypnotique. Remio était déjà à son chevet. « Giannalia, ma chérie, c'est nous, tes amis. » Elle entrebâilla un œil glauque, puis manifesta des signes de profonde terreur.

Elle ne les reconnaissait pas. Remio la secoua, la gifla. Elle sembla enfin se réveiller comme on émerge d'un long cauchemar, regard halluciné, bouche sèche, membres paralysés. « C'est toi, Remio ? » « C'est moi, ma chérie, et le commissaire Graziani. Nous sommes venus te chercher. » Il la souleva et s'efforça de la redresser. Peine perdue. Elle ne tenait pas debout. « Il faudra la porter. » Aurelio hocha la tête. Il avisa l'Uccisore. « Si tu ne veux pas avaler ton extrait de naissance, tu vas nous sortir de cet enfer. Une question encore, goret. Pourquoi tes employeurs n'ont-ils pas détecté notre présence ? » Buco le dévisagea haineusement. « Parce que ces cons roupillent devant leurs écrans. » Ensuite, il expliqua que le Hofburg avait été construit sur un piton rocheux et que ses soubassements se trouvaient au niveau d'une carrière désaffectée qui servait d'entrée officieuse. Ils s'aventurèrent dans le couloir. Aurelio talonnait Buco qui avançait en titubant et saignant abondamment. Remio suivait serrant dans ses bras le corps amolli de Giannalia. De bifurcation en fourche, de fourche en croisement, ils s'évadèrent du labyrinthe.

IV

CREDO IN UNUM DEUM

Abbaye de l'Immaculata
Journal secret du frère Enzo
Mercredi 24 février 2020
Deux heures après le couvre-feu

Mercredi des Cendres. « Tu as pitié de nous, Seigneur, et tu ne renies aucune de tes créatures. Tu fermes les yeux sur les péchés des hommes, et quand ils font pénitence, tu leur pardonnes. Car tu es le Seigneur, notre Dieu [1]. » Dieu ne haïrait pas ce qu'il a fait, Il fermerait les yeux sur le péché des hommes pendant que le monde bascule dans le chaos ? Qui est-Il donc, ce Dieu qui peut tout et ne fait apparemment rien ? Depuis que je vaque à l'hôtellerie, je mesure combien l'Immaculata est un espace confiné, fonctionnant en autarcie, une sorte d'incongruité. Je me demande de plus en plus si ces pauvres moines à culpabilité variable ne se sont pas radicalement trompés. Ils ont semé dans les larmes, moissonneront-ils dans la joie ? Pour la première fois, je m'interroge ; Dieu ne serait-il pas un leurre, un épouvantail, un produit de l'ingéniosité humaine en vue de se rassurer, une extravagance de snob ? L'homme lui-même, en définitive, pour qui se prend-il ? La seule espèce à s'imaginer supérieure parce que immortelle ? Et si tous ces salamalecs, toutes ces courbettes, tous ces coups d'encensoir, toute cette contrition n'avaient pas d'objet ? Si incarnation, rédemption, résurrection, éternité n'étaient que des mots creux, inhabités, des *flatus vocis* (des pets de la voix), « *nuda nomina tenemus* », expressions d'une idéologie cléricale destinée à asservir plutôt qu'à servir. Une farce tragique. Si, au centre de la croyance, il n'y avait qu'un trou noir. Je m'effraie de ce que j'écris. Si je me laisse emporter par mon raisonnement, tout ce qui confère quelque sens à ma vie, cette bouffée d'espérance, le moyen de mes rêves, s'envole en fumée. Je ne serais alors qu'une cassolette inutile. Ce que je lis, ce que je vois à la télévision, ce que j'entends, tout crie l'inexistence de Dieu ou, à la rigueur, son désintérêt flagrant pour une « création » animée par le mal. Je sais. C'est une conclusion éculée.

« Au jugement final, le juste se tiendra debout, avec une belle assurance, face à ceux qui l'opprimèrent et qui méprisaient ses

---

1. Sagesse, X, 24 et suivantes.

efforts. A sa vue, ils seront secoués d'une peur terrible, stupéfaits de le voir sauvé contre toute attente. Ils se diront entre eux, pleins de remords et gémissant, le souffle court : « C'est lui que jadis nous tournions en ridicule et dont nous faisions un objet de sarcasme. » Insensés, nous avons jugé sa vie comme une pure folie et sa mort déshonorante. Comment donc a-t-il été admis au nombre des fils de Dieu et partage-t-il le sort des saints ? Ainsi nous nous sommes égarés loin du chemin de la vérité... et le soleil ne s'est pas levé pour nous... Nous n'avons pas connu la voie du Seigneur. A quoi nous a servi notre arrogance ? »

Chaque fois que je relis ce passage de la Sagesse, j'y trouve un antidote à mes doutes. La foi, c'est croire qu'on sera sauvé contre toute attente. Même contre les siennes. Ainsi, j'oscille comme un mât dans la tempête tantôt vers l'arrogance, tantôt vers la confiance. Je crains que cela ne dure jusqu'à la fin.

Hier soir, Leonardo s'est livré à des propos (en réalité cela s'appelle « points », préparation à l'oraison du lendemain) terrifiants qui m'ont paru obscènes. Jusqu'à cet instant, j'avais pensé qu'il défigurait Dieu, que Dieu était différent du portrait qu'il peignait, que Barracuda n'avait rien d'un « spirituel » comme Barnabé. Il tonitruait sur l'enfer, ce malfaisant. « Le Seigneur ne cesse d'en parler... Si ta main te scandalise, arrache-la... Le péché est un ver rongeur qui mène au lieu éternel préparé depuis l'origine du monde. Craignez d'entendre », crachait-il. « Je ne vous connais pas. Jamais je ne vous ai connus. La chair des infâmes sera torturée à jamais. Voilà la peine du dam qu'endureront *in aeternum* ceux qui auront préféré les plaisirs terrestres aux délices du ciel. *Ibi non est caritas et amor Dei. Via ad peccatum, via ad infernum.* Je le proclame haut et fort, mes frères, l'heure du règlement de comptes final approche, l'heure de la récompense des justes et de la punition des méchants. Demain commence le Carême ; priez, jeûnez, mortifiez-vous. Bientôt, nous serons des élus et nous glorifierons le Seigneur de nous avoir montré la voie droite. » Il use du latin comme d'un abracadabra. Hou ! Attention, croque-mitaine ! Ensuite, d'un ton sépulcral, il a lu le sinistre chapitre vingt-quatre de saint Matthieu, la tarte à la crème des loups-garous.

« Dis-nous quel sera le signe de ton avènement et de la fin du monde. » Jésus répondit : « Prenez garde que personne ne vous égare... Vous allez entendre parler de guerres... Ne vous alarmez pas : il faut que cela arrive, mais ce n'est pas encore la fin. On se dressera nation contre nation... Il y aura des famines et des tremblements de terre... On vous livrera à la détresse, on vous tuera... Alors un grand nombre succomberont ; ils se livreront les uns contre les autres. Des faux prophètes surgiront... L'amour refroidira dans la multitude. Mais celui qui tiendra jusqu'au bout, celui-là sera sauvé. Quand vous verrez installé l'Odieux Dévastateur... Voilà, je vous ai prévenus. »

Jamais je n'avais compris ce texte au second degré. En même temps que m'apparaissait le visage athée de Leonardo, m'apparut celui d'un dieu impossible, un dieu qui ne renie soi-disant aucune créature, un dieu supposé compatissant, un dieu dit d'amour, comment pourrait-il tenir un tel langage, permettre une telle monstruosité s'il n'était, en dernière analyse, impuissant à corriger les erreurs de son œuvre, à relire son manuscrit ? A quoi riment ces larmes, ces plaies, ce sang versé ? En vue de quel plan machiavélique ? Il m'interpelle tellement qu'il en a perdu sa majuscule.

Mon état d'esprit est désormais conditionné par les nouvelles du monde. Tout concorde avec l'effroyable prophétie de saint Matthieu. Cette situation n'est pas originale, l'histoire est truffée de répétitions générales de la fin des temps. Mais cette fois on a les moyens de parfaire le mouvement. Alors que ces événements dramatiques devraient renforcer ma foi, ils m'en éloignent. Les ténèbres qui obscurcissent la terre obscurcissent aussi mon âme. Je suis tenté d'injurier ce dieu cruel et absent. Cependant, lorsque je recouvre mon calme, je me dis que s'il est cruel et absent, il n'est pas. Je m'efforce de repousser ces mauvaises pensées : je suis si fragile. Ainsi il a suffi que me parvienne l'écho des malheurs humains pour tout remettre en question. La connaissance de la réalité est nocive, elle écarte de Dieu. C'est pour cette raison qu'on isole les religieux. On les protège contre l'indignation, contre la revendication, contre l'abandon. Dieu ne serait concevable qu'en serre chaude ? Une métaphore me vient : une femelle couvant des œufs qui n'écloront jamais. Ai-je couvé une utopie ? Et puis, il y a cette impression d'une chape enveloppant la terre sans personne pour y trouver une faille, l'impression d'être pris dans une nasse. Je réalise à quel point la mort de Léon m'a ébranlé. Je suis maussade, irrité, triste, mal dans ma bure, désemparé. Les déclarations péremptoires sur l'unicité de chaque être me révulsent. « Chaque visage est un livre », ai-je lu quelque part. Tant d'humains n'ont pas d'âme ou si peu, à peine la dimension d'un timbre-poste d'autrefois. L'âme sur laquelle on disserte à perte de souffle ne serait-elle que la fosse septique de nos émotions ?

Ce matin, j'ai confié mon désarroi au vieil Amadeo (il fallait que j'en parle à quelqu'un de sensé). Il m'a écouté en tendant l'oreille (il est un peu sourd) avec une sympathie désabusée comme si lui aussi avait souffert de vents contraires. Il m'a dit en me serrant le bras : « Tu es en butte au combat d'esprits opposés. Je ne puis rien pour t'aider. A toi de discerner la cause de ton agitation intérieure. La nuit de l'âme, Enzo, est un appel à s'extirper de la médiocrité pour accéder à un palier supérieur de la vie spirituelle. En éprouvant le dégoût du mal, tu éprouves en même temps le dégoût de ce qui est bancal en toi et qui affermit le règne du mal. Maintenant, je t'avouerai que je ne suis pas persuadé que ce que je te raconte corresponde à la vérité. » Il se tut et murmura : « La vérité. » J'étais ému. Je compris alors que même « les saints » n'en savaient guère davantage que n'importe quel misérable comme moi. Je me confortai finalement en me disant que j'étais en crise, que cela arrivait à tout le monde... Mais cette idée n'eut aucun effet lénitif sur mon malaise.

De quoi donc parle cette actualité qui m'atteint de plein fouet ? De viols, d'enlèvements, d'épidémies, de génocides, de famines, de meurtres, de conflits, de sectes, de suicides, de désespoir, de chômage. Les médias débordent de la guerre qui menace avec l'état islamique, dont le maître Husayn se prend pour le Madhî, le messager qu'Allah, à la fin des temps, envoie pour faire triompher la religion et écraser les forces des puissances sataniques. Il inaugurerait un millénaire sous l'autorité de l'Islam, prélude au terme de l'histoire. Madhî, l'Imam caché et attendu, est arrivé. Depuis qu'il s'est emparé du pouvoir avec une sauvagerie inouïe – des centaines de milliers de morts – on ne compte plus les attentats dans les pays démocratiques. Les Musulmans s'énervent. Husayn a bien choisi son moment : la déliquescence religieuse, politique et économique constitue un climat favorable à son mondialisme. Certains éditorialistes affirment qu'il bénéficierait de la complicité d'intégristes chrétiens, que des accords secrets auraient été passés entre lui et des fanatiques de chez nous. Dans un premier temps, ils se partageraient le pouvoir ; dans un deuxième, on peut en être certain, ils s'entre-tueront. Affolant. D'autant plus que dans chaque camp on affûte des armes terribles. Le plus consternant, c'est la mollesse de la Confédération, des États-Unis, de la Chine, du Japon. Ils se chamaillent pour ne pas avoir à prendre leurs responsabilités. Ils ne s'entendent sur rien. Si demain les hordes musulmanes déferlaient sur l'Europe, elles y entreraient comme dans du beurre. D'un côté les fous d'Allah, de l'autre des combattants sans idéaux, vides, mous. Il faudrait un miracle. Mais Dieu....

Tout le reste est à l'avenant. J'ai envie de me transformer en singe savant : rien voir, rien ouïr, rien dire. Attendre que tout explose, la tête encapuchonnée. Leonardo n'a peut-être pas tort, l'apocalypse est pour demain. Je m'étais réjoui de ma nomination d'hôtelier, me voilà bien marri.

Je rumine la réflexion d'Amadeo. La vérité ? Qui démêlera le vrai du faux lorsqu'il s'agit de questions premières ? Quand je dis : « Ceci est vrai », comment l'attester ? A des présomptions que je fonde sur une grille d'interprétation que m'ont enseignée des maîtres, eux-mêmes instruits par des prédécesseurs et ainsi de suite. Il en va comme la généalogie de Jésus : fils de Joseph, fils de David, fils d'Abraham, fils d'Énoch, fils d'Adam, fils de Dieu. Ainsi, on nous fait avaler des tas d'affirmations invérifiables. Je comprends maintenant pourquoi il y a autant d'agnostiques. Quand on fait une découverte scientifique importante, elle contredit généralement une « vérité » religieuse. Et pourtant, je l'expérimente, dans l'Église, il n'y a pas que des mangeurs et des mangés : il y a des hommes et des femmes authentiques. Je devine qu'il y a deux types de connaissance, une rationnelle, une intuitive... et les vérités de l'ubac se situent sur ce versant ombré. Mais de là à prétendre que ceci est vrai, que cela ne l'est pas comme ce rigolo dont j'ai oublié le nom qui décrétait ce qui était évangélique et ce qui ne l'était pas. Je ne suis pas un mystique... Donc je crois sans discuter ou je m'abstiens. Bon ! Je suis en train de m'égarer dans les dédales d'une métaphysique que j'ai toujours détestée. A l'époque de mes études, je la considérais comme une non-science puisque sans objet, et me voilà pris en flagrants délires d'élucubrations ontologiques. Des émotions, Enzo, de pures émotions. Cependant, tout au fond de moi, je me heurte à un obstacle qui m'empêche de mener mon syllogisme à sa conclusion. Une porte fermée dont je ne possède pas la clé. *Basta, frate.*

A me relire, je crois qu'il est heureux que personne ne puisse parcourir ce journal ; j'ai conscience du caractère désordonné de ces pages, échos de mon mentisme. Je me fragmente, je le sens. Parviendrais-je à recoller les morceaux ?

Je ne trouverai pas le sommeil. Pour mourir à l'insupportable pendant quelques heures, je vais avaler une de ces pilules magiques dénommées Valium, dont la pharmacie de l'hôtellerie est achalandée.

Avant de m'envoyer dans le royaume des ombres, j'adresse malgré tout une prière à ce Dieu dont je doute, à ce Dieu que je ne comprends pas : « Seigneur, je veux croire que je crois en toi-même si j'ai le cœur en berne, même si je me sens citoyen d'un monde que tu abandonnes. Tu as bouclé tes valises et tu nous laisses patauger dans la gadoue. Du fond de ma détresse, je crie vers toi. J'ai même perdu mon humour, c'est dire si je suis sans consistance, si je n'ai plus de berges solides. Écoute-moi, réponds-moi, envoie-moi un signe, un minuscule signe de ta présence à mes côtés. Ton silence est la pire des tribulations. Tu te comportes d'une manière inacceptable, indigne d'un dieu. Je suis à bout. Tu n'en as cure. D'accord ! Des milliards d'humains souffrent et bien davantage que moi. Pourquoi m'exaucerais-tu, moi ? Mon âme est usée. Ravive-la. Je ne sais pas quoi, mais donne-moi quelque chose à faire dans ce bordel. Je deviens grossier. Mais c'est de ta faute. Ma coupe déborde. Tant pis pour toi si mon vocabulaire a des ratés. »

Mon psaume de pauvre ne m'a pas remonté le moral. Je n'éprouve même pas l'envie de fumer. Je suis à plat. Enfin le printemps, lui au moins, nous est fidèle. Ce matin, j'ai aperçu les premiers perce-neige. Et le fameux souterrain ? Dès que Leonardo s'en ira, j'inspecterai ses appartements. Ce qui prouve que j'ai encore des projets. Ma haine serait-elle plus efficace que ma foi branlante ? Je bâille déjà. Vive saint Valium.

– Non. Je n'ai jamais eu de visions. Oui, on m'a payée pour en avoir. Giannalia se confessait devant les caméras de la *Raiuno*. Depuis l'expédition bavaroise, il y avait eu l'arrestation de Buco, l'investissement du Hofburg par les forces spéciales, l'incendie du château au moment où elles étaient sur le point d'y pénétrer, la mort par gazage de ses occupants, la difficulté de recenser les cadavres, de les identifier. Le comte von Armsberg faisait-il partie des victimes ? Certains enquêteurs l'affirmaient, sur base d'un examen dentaire, d'autres assuraient qu'un avion avait décollé peu avant l'incendie. Il n'était donc pas impossible que le Comte et certains de ses comparses se soient envolés vers une destination inconnue. Vu les circonstances, personne, ni pape, ni cardinaux, ni président ne pouvait nier qu'il s'était passé quelque chose. Les médias s'en donnaient à cœur joie. Mancini s'était déchaîné dans le *Corriere*. Sans s'embarrasser de nuances, il accusait les autorités de laxisme et de complicité. « Pourquoi n'a-t-on guère accordé de crédit à nos informations précédentes ? Pourquoi un néo-nazi jouissait-il d'une impunité telle qu'il a pu se livrer à des activités subversives qu'une simple enquête de routine aurait détectées ? Pourquoi l'assassinat des voyantes, la destruction de la maison de Mengara et de ses occupants avaient-ils été classés sans suite ? Pourquoi refuse-t-on toujours d'envisager l'hypothèse d'un complot, alors que les présomptions s'accumulent ? Comment comprendre le brusque regain de bellicisme des islamistes ? Ne sont-ils pas les alliés objectifs des intégristes ? Ne peut-on pas imaginer que des nouveaux barbares cherchent à se partager le monde ? On oublie trop facilement qu'Hitler n'était qu'un précurseur, le saint Jean-Baptiste de l'horreur, fondateur d'une dynastie de la mort programmée et que ses disciples sont de plus en plus nombreux. Sans le courage et l'obstination d'un policier et d'un journaliste du *Corriere*, jamais le pot aux roses n'aurait été découvert, Giannalia Baldato n'aurait pas été retrouvée vivante. Et maintenant, que vont faire les autorités ? Je le demande solennellement. Qu'on le veuille ou non, c'est bien à un conflit de civilisation que nous assistons, le bien contre le mal. Allons-nous supporter sans réagir la politique de l'autruche, la valse des hésitations qui confirment dans leur opinion ceux qui pensent qu'on ne veut (qu'on ne peut ?) rien entreprendre ? Méfiez-vous, les messieurs-dames du pouvoir, la population n'acceptera plus très longtemps l'incurie, l'inertie, la vilenie. Si des débordements graves se produisent, vous en porterez l'entière responsabilité. N'oubliez pas que les islamistes et les intégristes prennent leurs chefs pour Dieu. Le pire est donc à redouter. Le pire, entendez-vous ! Les mercenaires de l'apocalypse sont fous. Les fous ne reculent devant rien. Vous êtes soi-disant les gardiens de l'asile, avec quelle camisole les entraverez-vous ? Ce n'est pas moi qui vous interpelle, mais l'immense majorité des citoyens européens. »

De tels propos avaient impressionné. Non contents de révéler l'affaire des voyantes, ils prouvaient de manière irréfutable l'approche d'un danger mortel. Dans les appartements, les bars, les rues, les transports en commun, sur les lieux de travail, sur Crossworld, à la télévision, on ne parlait plus que de la guerre imminente, de la lâcheté de la Confédération et des Américains, de la peste brune intégriste. La peur se respirait à pleines lampées, elle s'insinuait dans les cœurs, gagnait les esprits et stagnait en suspension dans les consciences comme un pressentiment de malheur. A travers toute la Confédération, des rassemblements de plus en plus agressifs envahirent les artères des grandes villes. Des bandes de jeunes se livrèrent à des actes de vandalisme. Des échauffourées avec la police se produisirent, de plus en plus fréquentes. La tension montait au point d'en devenir palpable. Dans les mosquées, des imams prêchaient la guerre sainte. Des rabbins vaticinaient, prédisant un nouvel holocauste. Le Dalaï-Lama appelait son peuple à reconquérir le Tibet pour plaire à Notre Seigneur Bouddha. Les appels au calme étaient interprétés comme des démonstrations évidentes de collusion avec l'ennemi. Au fait, qui était l'ennemi ? On le voyait partout, il n'était nulle part. Des innocents furent tabassés, des ecclésiastiques molestés, des politiciens lapidés. Une drôle de guerre commençait.

Buco avait été interrogé. Il n'avait pas fallu attendre longtemps avant qu'il ne craque et promette de dire bientôt tout ce qu'il savait. Pourquoi pas immédiatement ? Il alléguait qu'il devait d'abord faire le point avec lui-même. Étonnamment, le juge d'instruction Perrini lui octroya un délai, en dépit de l'indignation générale que souleva cette faveur incompréhensible.

Entre-temps, après une réunion chez le cardinal Videgarai, il avait été décidé, aux fins d'assurer la protection de Giannalia, qu'il n'y avait d'autre solution qu'une déclaration publique. Ce qu'elle faisait présentement. Suivant le conseil du Cardinal, elle avait exigé d'être interviewée par un seul journaliste, en l'occurrence Pietro Campi, le directeur de l'information de la *Raiuno*. Celui-ci la ménageait visiblement, la jeune femme paraissant encore sous le choc de son éprouvante captivité. La date et l'heure de l'émission avaient été soigneusement choisies afin de produire une audience maximale. Dimanche, vingt heures, avec traduction simultanée en plusieurs langues. « Ni pute, ni vierge », avait suggéré Mancini lorsqu'elle avait évoqué sa tenue devant les caméras. Aussi avait-elle fait dans la sobriété : chemisier bleu roi, cheveux disciplinés par un catogan, visage suffisamment apeuré pour exciter la pitié et en même temps teinté d'une légère nuance de culpabilité pour recevoir l'absolution. Une étudiante qui n'a pas bien préparé sa session mais qui sollicite quand même la compréhension du jury.

– On peut admettre que vous ayez voulu profiter d'une bonne occasion, d'autant plus qu'elle vous a été présentée comme un canular. Mais pourquoi, après, lorsque vous avez compris qu'on vous avait menti, n'avez-vous pas averti la police ?

– J'étais prisonnière de mon propre jeu. Si je me rétractais, je me déconsidérais. J'irais peut-être en prison. J'ai imaginé la honte de mes parents.

– Vos parents ont perdu la vie à cause de votre silence.

Giannalia pleurait franchement. Elle parvint à répondre en hoquetant.

– Leur mort atroce me poursuivra jusqu'à la fin de mes jours.

Pietro Campi changea de sujet.

– Pouvez-vous relater votre enlèvement par Buco, votre séjour au Hofburg ? Reconnaîtriez-vous vos geôliers ? Combien étaient-ils ? Vous ont-ils violée, torturée ? Avez-vous été interrogée par von Armsberg en personne ? Pourquoi ne vous a-t-on pas carrément supprimée comme les autres voyantes ?

La voix oppressée, s'interrompant régulièrement pour se moucher ou essuyer ses larmes, Giannalia conta son aventure ; comment Buco l'avait droguée, comment elle s'était réveillée dans une cellule.

– Ils venaient tous les jours, tantôt deux, tantôt trois. Leurs visages étaient masqués. Ils me posaient toujours les mêmes questions : à qui avais-je raconté mon histoire ? Avais-je rencontré le cardinal Videgarai ? Chez qui avais-je séjourné avant d'aboutir chez la Contessa ? Quelles étaient mes relations avec Remio ? Est-ce que je connaissais Carlo Mancini, Madame Bergen ? Est-ce que je pourrais identifier mon ravisseur ? Et ils me menaçaient de mort si je ne disais pas la vérité. J'ai dit tout ce que je savais. Il n'y avait pas d'autre solution. Le troisième jour, me semble-t-il, je n'avais plus une notion très claire du temps, ils m'ont fait une piqûre, un sérum de vérité, je suppose. Je ne me souviens de rien de ce que j'ai dit. Après cela, ils m'ont laissée tranquille. Une fois par jour, on m'apportait à manger et on me laissait sortir pour me rendre aux toilettes. Je vivais dans un état de terreur continuelle, persuadée, je le suis toujours, qu'ils me réservaient le même sort qu'aux autres voyantes. Ma tête fonctionnait de plus en plus mal, je faisais des cauchemars, je m'assoupissais souvent, ma nourriture était sans doute droguée. Et puis, je me suis retrouvée dans les bras de Remio... Le miracle.

Giannalia était épuisée. La réminiscence de son calvaire était une éprouvante rétrospective. Les afféteries du début de l'interview avaient disparu, elle s'abandonnait à sa douleur. Bruno Campi lui tendit un verre d'eau qu'elle but avec avidité. Le standard débordait d'appels. Le récit de Giannalia était en effet frustrant car il ne répondait pas à la question que chacun se posait : « Pourquoi ? » Après un bref répit, Campi poursuivit.

– Revenons à vos visions. Nous en connaissons maintenant la teneur. A quoi riment ces « prédictions » ?

– Je l'ignore. J'ai pourtant beaucoup réfléchi après. Vous me direz que j'aurais dû réfléchir auparavant. Mes parents...

Elle sanglotait. Il fallut de longues secondes avant qu'elle ne reprenne ses esprits.

– C'était une espèce d'annonce de la fin du monde.

– Selon vous, pourquoi les autres voyantes ont-elles été assassinées ?

– Je ne comprends pas. Mais pour ce qu'on m'en a dit, elles le furent afin de faire accroire que l'Église cherchait à les réduire au silence.

– Mais à quoi servaient ces meurtres puisque quasi personne n'était au courant ? On savait uniquement qu'elles avaient eu des visions et la piété populaire a fait le reste comme à Lourdes, Fatima, Beauraing, Medjugorjé.

– Peut-être attendaient-ils le moment opportun pour révéler l'affaire ?

– Qui « ils » ?

– Je n'en sais rien. Interrogez la police, les autorités religieuses.

– Justement, parlant d'autorités religieuses, pourquoi les ravisseurs se sont-il enquis du cardinal Videgarai et de madame Bergen ?

– Ils voulaient savoir si je leur avais parlé.

– Pourquoi ?

– Je ne sais pas. Peut-être se méfiaient-ils d'eux ?

– Le cardinal Videgarai est Préfet pour la Congrégation de la Foi.

– Ah oui ?

Giannalia ignorait visiblement de quoi il s'agissait. Aussi Campi s'orienta-t-il dans une autre direction.

– On fait de plus en plus mention d'un complot contre l'Église et la Confédération. On parle également de collusion avec l'État islamique. Quel est votre sentiment ?

– Il m'est impossible de vous répondre, mais ce dont je suis sûre, c'est qu'on ne se serait pas donné toute cette peine, qu'on n'aurait pas pris tous ces risques pour de la roupie de sansonnet.

– Pour de la quoi ?

– Des prunes, quoi !

Giannalia retrouvait sa gouaille. Elle sourit. Campi se détendit.

– Qu'allez-vous faire maintenant ?

– Je vais me reposer dans un coin tranquille. Ensuite, je reprendrai mes études.

– Craignez-vous pour votre vie ?

– Avec ces gens-là, on peut s'attendre à tout. Cependant, ils m'ont paru terriblement sérieux. Ils ne font rien à la légère. C'est ce qui me rassure. Si ma mort ne leur est pas nécessaire, ils me laisseront en paix.

Campi ne put s'empêcher de lancer un regard admiratif à la jeune fille. L'air de rien, elle était courageuse. En même temps qu'elle retrouvait son aplomb, elle faisait montre d'un solide bon sens.

– Que pensez-vous de Buco ?

– Un truand de seconde zone. Un exécutant. Quoi qu'il en soit, ce n'est pas lui qui commandait.

– Pourquoi est-il resté au Hofburg après vous y avoir conduite ?

– Il devait peut-être me convoyer ailleurs. On le saura bientôt.

– Avez-vous une idée de ce qui se trafiquait au Hofburg ? Remio Videgarai et Aurelio Graziani ont évoqué des laboratoires robotisés, des bonbonnes, une véritable usine souterraine (le Cardinal avait insisté pour qu'on ne cite pas le nom d'Athanor).

179

– Aucune idée. Ils devaient cependant avoir de bonnes raisons pour tout détruire.

– A l'heure actuelle, leurs plans ont été fortement perturbés. Pensez-vous que les autorités disposent d'assez d'éléments pour démanteler cette sinistre bande ?

Giannalia dévisagea Campi avec une moue sceptique.

– Vous avez l'air d'en douter ?

– Des coups pareils ne pourraient être montés sans l'appui de grosses légumes. Tirez-en vous-même les conclusions.

– Qui soupçonnez-vous ?

– Tout est tellement pourri aujourd'hui qu'on peut soupçonner n'importe qui.

Elle sourit derechef et ajouta sur un ton mutin.

– Tiens ! Je me méfie même de vous.

Campi éclata de rire. Il paraissait enchanté du tour qu'avait pris l'entretien. L'audimat serait exceptionnel.

– Vous pouvez constater que je ne vous ai pas dévorée. Avant de clore cette émission voudriez-vous encore dire quelque chose ?

Elle redevint grave. Son visage s'embua.

– Oui, fit-elle d'une voix émue. Je demande à mes parents, à mes sœurs bien-aimées ainsi qu'à tous ceux que j'ai trompés par mes mensonges de me pardonner.

Campi laissa s'établir un moment de recueillement, manière de fixer l'amende honorable de la belle et d'en garantir les effets secondaires dans l'opinion.

Puis il reprit d'une voix veloutée :

– Je vous remercie, Giannalia, d'avoir accepté de répondre à mes questions. L'épreuve a dû être très pénible, mais vous avez contribué à éclairer nos chers téléspectateurs auxquels, par ailleurs, j'annonce une série d'émissions spéciales. Rendez-vous donc demain soir à vingt heures, autour du thème « Est-ce l'apocalypse ? ». Merci de votre fidélité. *Buona notte.*

Remio se pencha à la fenêtre. Il apercevait le vaste parc de la Villa Gregoriana. Dans ses blanches cascades était née la Sibylle de Tibur, celle qui sur la colline du Capitole aurait montré l'apparition de la Vierge et de l'Enfant à Auguste qui lui avait demandé si un jour un homme serait plus grand que lui. Remio referma la fenêtre. Le temps était beau mais frais. Giannalia dormait dans la chambre voisine. Le talk-show de la veille l'avait épuisée, tout en lui laissant l'impression d'une savoureuse humiliation. Demain, les gens se souviendraient de l'émotion qu'elle leur avait apportée, beaucoup moins des raisons qui avaient alimenté leurs glandes lacrymales. Pendant la nuit, Remio l'avait ramenée à la villa impersonnelle que son oncle avait mise à leur disposition. Depuis qu'il l'avait sortie du Hofburg avec l'aide d'Aurelio, leur relation s'était paradoxalement tendue. Giannalia demeurait réservée. Remio observait ce comportement avec perplexité. C'est à peine si elle l'avait remercié. Lorsqu'il tentait de l'accrocher, elle avait une manière bien à elle d'esquiver son regard, comme si elle préférait l'isolement à toute communication un peu intime. Aussi s'interdisait-il toute initiative intempestive, dont la seule conséquence eût été de la cabrer davantage. Le silence s'était donc installé entre eux. Le tempérament extraverti de Remio le poussait à s'exprimer. Mais là, en présence de ce spectre muet, il expérimentait de l'inédit. Déconcerté, il ne parvenait pas à faire la part entre ce qu'il ressentait et ce qu'il voyait. Comment surmonter cette antinomie ? Giannalia était un mystère. Bien qu'elle eût été très secouée, il ne s'expliquait pas son attitude. Il en allait comme si elle rendait l'univers responsable de ses malheurs. En dehors des repas qu'ils prenaient ensemble dans une ambiance funèbre, elle passait le plus clair de son temps enfermée dans sa chambre. La nuit, il se tournait et se retournait sur son lit, le sommeil en vadrouille. Être aussi près d'elle et ne pas la rejoindre, ne fût-ce que pour apaiser ses remords et ses angoisses. Supplice de Tantale par excellence. Elle refusait tous les égards comme s'ils n'étaient que des manifestations de pitié. Enfermée en elle-même, elle était incapable de concevoir que Remio était tombé amoureux d'elle. « Elle se déteste au point qu'elle ne peut imaginer le regard d'autrui que méprisant », se disait-il en guise de maigre consolation. Remio était partagé entre tendresse et amertume. N'étant pas un ruminant, coincé depuis plusieurs jours entre quatre murs, il se morfondait dans l'inaction, la tête tourneboulée. Il s'était ouvert de son désarroi à Aurelio lors d'un échange pictophonique. Le Commissaire s'était gentiment moqué de lui. « Les femmes, mon pauvre vieux, tu n'y comprendras jamais rien. Le Champollion qui déchiffrera les frangines n'est pas encore né, crois-moi. Ces animaux-là ne sont pas de la même catégorie que nous. On ne fait pas le poids. Sois patient. Elle te tombera dans les bras au moment où tu t'y attends le moins. Surtout, ne montre pas que tu t'intéresses à elle. Notre indifférence leur titille la tour de contrôle. Elles se demandent pourquoi. Soudain, crac, elles franchissent la frontière pendant que tu dors. Et c'est pour ainsi dire toi qui te retrouves en cloque. » Cette philosophie de flic ne l'avait en rien calmé. Au contraire. Le visage hilare d'Aurelio l'avait convaincu de l'inanité de l'amitié quand on se débat en plein problème de cœur. « Qu'est-ce que tu connais à l'amour, vieux croulant », avait-il pensé. C'était injuste, mais Remio avait perdu sa lucidité. L'âme en toit de pagode, il broyait du noir. Son agressivité s'étendait même jusqu'à son oncle auquel il reprochait in petto de l'avoir mis dans ce pétrin, de lui avoir chamboulé sa petite vie paisible. « En ce qui me concerne, c'est terminé. Je lui ai ramené sa voyante vivante. Le temps de la caser quelque part et je reprends mon boulot. *Basta.* Qu'elle se débrouille, cette bêcheuse, et si son Éminence veut sauver le monde, qu'il le fasse sans moi. » Fort de cette profession de désertion, il se décida soudain à aller acheter les journaux et des panini pour le petit déjeuner. Qui sait, cette prévenance l'amadouera peut-être ? Il était perturbé au point de sauter d'un sentiment à l'autre : de l'exaspération à l'espoir, de l'attendrissement à l'acrimonie.

A son retour, elle n'était toujours pas levée. Il était pourtant déjà midi. Il râla un bon coup et se plongea dans la lecture des quotidiens. On y parlait beaucoup de guerre mais aussi de la prestation de Giannalia, accueillie avec une large sympathie. L'aventure martienne reléguée en sixième page. Actualité oblige. Son attention fut particulièrement retenue par l'éditorial d'*Ora Undecima* intitulé « Les mensonges de la signorina Baldato. » Pozzi n'y allait pas de main morte. « Hier soir devant des millions de téléspectateurs la signorina Baldato a fait la démonstration qu'on pouvait mentir effrontément à une opinion prête à avaler n'importe quoi, à la condition qu'on en fasse un spectacle. Dûment chapitrée par les papolâtres, elle a récité son catéchisme avec une conviction désarmante. Pour peu on avalerait ses couleuvres. La signorina Baldato devrait se reconvertir dans le cinéma. Elle a d'incontestables talents pour jouer les " Gelsomina " du pauvre. Ce mélo eût été somme toute assez plaisant s'il n'illustrait pas à l'envi que les éminences vaticanes sont aux abois, qu'elles cherchent à noyer le gros poisson. Oui, il y a bien eu des malheureuses assassinées pour avoir vu ce qu'elles ne devaient pas voir (nous reproduisons par ailleurs l'intégralité de leur message). Le Vatican n'a pas supporté d'être mis en cause par Notre Seigneur lui-même. Il a délégué leurs séides pour les éliminer. Un de leur comparse est ce Buco, le kidnappeur présumé de la signorina Baldato. Quant à l'incendie qui a détruit le Hofburg et tué des innocents, il est le fruit d'une savante mise en scène orchestrée par les tacticiens du Vatican et réalisée par un policier véreux et le collaborateur d'un torchon qui prétend donner des leçons de morale, neveu d'un cardinal bien connu pour son laxisme. Mais Dieu empêchera des gérontes accrochés à leur pouvoir de poursuivre impunément une carrière criminelle et d'occulter indéfiniment la vérité. Vérité tragique : le monde va à sa fin. Les heures de Jean XXIV, l'Odieux Dévastateur, sont comptées. Ce pontife pervers et infidèle qui, non content d'être un meurtrier et de pactiser avec la franc-maçonnerie, a autorisé le mariage des prêtres, des divorcés, la pilulocopulation, l'euthanasie. Il a même poussé l'outrecuidance jusqu'à introduire une femme dans la curie, miss Bergen, dont personne ne niera qu'elle a dû passer par quelques lits empourprés avant de grimper autant d'étages à la fois. Quant au Pape, cet antéchrist, instrument du diable, il est acharné à détruire une œuvre bimillénaire. " La Gloire de l'Olivier ", subtile désignation par Malachie de cet ennemi de l'Église, s'est ternie. Bientôt, nous assisterons à l'avènement de " Petrus Romanus ", le saint des derniers temps, qui préparera l'humanité à l'épreuve finale. »

Remio était atterré par ce qu'il lisait. Son âme simple ne pouvait imaginer qu'une telle mauvaise foi fût possible. Pozzi niait l'évidence en l'agrémentant d'un baragouin apocalyptique. *Ora Undecima* était un organe d'extrême droite, mais de là à oser cette littérature excrémentielle, il y avait de quoi se poser des questions. Remio connaissait ce journaliste, un fanatique, mais pas un imbécile. Alors ? Et si cela faisait partie d'un plan ? Si son oncle avait raison ? S'il existait bien une conjuration ? Par le passé, Pozzi avait déjà fait référence aux prédictions de Malachie. C'était habile, beaucoup de gens y croyaient. De plus, il n'hésitait pas à s'en prendre directement au Saint-Père. Manière de préparer l'opinion à du changement ? Il prenait conscience qu'il avait beaucoup couru, mais peu réfléchi, qu'il s'était entiché de Giannalia, ne s'était soucié que de la retrouver, aujourd'hui de la séduire. Son métier aurait dû l'aider à nouer le faisceau d'indices. Il avait entendu son oncle, il ne l'avait pas vraiment écouté. Une main glacée lui serra le cœur. Voilà qu'il comprenait ce qui se produisait. Des extrémistes préparaient un coup d'État. Il était imminent. Si jamais les complices de Pozzi devenaient les maîtres du monde, ce serait l'horreur, une dictature religieuse. Non pas l'Apocalypse, mais bien la fin d'une civilisation. Retour à l'obscurantisme, à la barbarie. Il se trouvait en première ligne. Impossible de reculer. S'il y a une cause à défendre, c'est bien celle de la liberté. En un éclair, comme le reflète un miroir, il revit le visage paisible de son oncle. Il regrettait déjà d'avoir médit de lui mentalement tout à l'heure. Bon, Amen ! Il irait le trouver et se mettrait à sa disposition. Il n'était pas mû vraiment par un appel intérieur, mais plus viscéralement par la honte d'être absent. Quant à ses amours, elles lui parurent pratiquement indécentes. Pendant qu'il se mouvait dans le cercle étroit de ses états d'âme, la mégalomanie d'une coterie de rapaces menaçait ce qu'il y avait de plus sacré. En ce qui le concernait, Pozzi avait manqué son coup, puisque ses élucubrations avaient contribué à le révéler à lui-même. Il en était là dans sa méditation lorsque Giannalia fit son entrée en se brossant les cheveux. Accaparé par son cheminement intérieur, il avait omis de préparer le petit déjeuner. Elle remarqua sa mine consternée.

– Tu es malade ? Tu es tout pâle.

Remio, s'apercevant brusquement de sa présence, balbutia.

– Je vais très bien. Je devrais prendre l'air plus souvent. Je m'encroûte.

Piètre réplique, mais qui lui permit de se reprendre. Il ne ferait aucune allusion devant elle à l'article d'*Ora Undecima*. D'une main un peu fébrile, il lui tendit les journaux pendant que de l'autre, il glissait la presse antipapiste sous une pile de revues.

– On parle beaucoup de toi. Tu as marqué l'opinion.

Il se leva.

– Je vais m'occuper des nourritures terrestres pendant que...

Elle l'interrompit d'un geste impérieux.

– Rassieds-toi. Je m'en charge. La cuisine, c'est le travail des femmes.

Étonnante déclaration. Depuis qu'ils cohabitaient, c'était lui qui se chargeait des tâches ménagères. A aucun moment elle n'avait proposé ses services. Ainsi, à l'instant même où il décidait de prendre ses distances, la voilà qui s'humanisait. Elle remarquait son trouble, elle lui apportait son aide. La célèbre intuition féminine n'était pas un vain mot. Il se demanda si tout compte fait, Aurelio n'était pas plus perspicace que lui en matière de femmes. Il s'était pourtant bien défendu contre elles, mais c'était avant l'irruption de Giannalia dans son environnement. Il l'entendit chantonner. Pour la première fois, ils prirent leur repas dans une atmosphère cordiale. Elle meubla la conversation, alors que d'habitude c'était Remio qui monologuait jusqu'au point où, à court de sujets et de plaisanteries qu'il imaginait désopilantes, son débit se tarissait comme une bougie à l'agonie. Profitant qu'elle entamait à pleines dents un panino croustillant, il lui dit d'un ton neutre :

— Je dois aller voir mon oncle demain. Désires-tu m'accompagner ?

— Pourquoi pas. Ça va me changer de ma claustration.

Sans qu'il pût prévoir une telle réaction, elle éclata soudain.

— On m'a enfermée chez Wood, puis chez la Contessa ; on m'a enlevée, dopée, questionnée, trimballée comme du linge sale, menacée de mort. On m'a ensuite obligée à une dégradante confession publique. Enfin je me retrouve ici, interdite de sortie, coupée de mes copines, en quarantaine telle une pestiférée. Ça commence à bien faire !

Remio tendit l'oreille. Énoncerait-elle à la fin une amabilité, aurait-elle un mot de reconnaissance ? Apaisée aussi rapidement qu'elle s'était emportée, sa colique verbale passée, elle le dévisagea en souriant. Un lac de montagne.

— Cette prison est quand même plus agréable que les autres. Tu es un gentil geôlier, Remio.

Depuis qu'ils séjournaient à Tivoli, Remio n'avait pas souvenir qu'elle eût prononcé son prénom. Il y avait comme du printemps dans l'air. Remio s'avisa qu'il la considérait d'un œil plus critique. N'avait-il éprouvé qu'une émotion passagère ? L'avenir l'instruirait sur la réalité de ses sentiments. Pour le présent, son champ de conscience élargi, un espace s'ouvrait devant lui, une voie se traçait. Il la suivrait. Comme à travers un brouillard, il entendit la voix radoucie de Giannalia.

— Tu as l'air tracassé. Tu as des ennuis ? Est-ce à cause de moi ?

Oui, je sais, je dois te sembler terriblement égoïste alors que tu as risqué ta peau pour moi.

Elle posa sa main sur la sienne.

– J'ai tant encaissé ces derniers temps que je ne sais plus très bien où j'en suis, qui je suis. La mort de ma famille me hante continuellement. Chaque nuit je fais des cauchemars affreux... je les vois... Il faut me pardonner.

Et ce fut la crise de larmes. Remio se sentit démuni devant une telle détresse. Il se leva comme un automate, contourna la table et la saisit par les épaules. Elle tourna son visage vers lui.

– Pourquoi m'as-tu appelée « ma chérie ! » quand tu m'as retrouvée au Hofburg ?

Remio demeura pantois. « Aurelio, songea-t-il, tu devrais donner des cours de psychologie aux naïfs de mon espèce. »

– Parce que... parce que ça m'est venu comme ça, répondit-il stupidement. Elle se redressa lentement en pivotant sur elle-même et l'enlaça.

– Embrasse-moi, gémit-elle, embrasse-moi fort. Si je compte un peu pour toi, je cesserai peut-être de me détester.

Dans le désert de Libye
Lundi 29 février 2020

L'hélicoptère se posa sur le sable, soulevant un nuage de poussière. Un homme en descendit. Un muhtasib en jalabiyya blanche, une Stone en bandoulière, lui fit signe de le suivre. Bien qu'il portât des lunettes solaires, l'homme, ébloui par la lumière dure du désert, cilla des yeux. Sans émettre une parole, le garde le précéda jusqu'à une tente d'aspect majestueux qui ondoyait légèrement sous l'effet de la brise. Des muhtasibin en armes observaient la scène, impassibles. De nombreuses tentes étaient dressées tout autour. Un silence absolu régnait dans le camp. Il était deux heures de l'après-midi. Relevant le rabat de la tente, le muhtasib s'effaça devant l'étranger. L'intérieur était confortable. D'épais tapis chamarrés couvraient le sol. Des tables basses damasquinées et des coffres en bois de sycomore complétaient l'ameublement. Le personnage qui trônait, jambes croisées, adossé à un amas de coussins, était Husayn Ibn Al Sabbâh, le maître de l'Islam, celui qui s'était imposé aux croyants comme Madhî, l'Imam caché. Il était vêtu d'un turban noir, d'une chemise beige, d'une cape verte, d'un pantalon bouffant ; aux pieds, il portait des babouches. Une barbe de jais dévorait ses joues jusqu'aux pommettes. Deux yeux farouches charbonnaient dans ses orbites. Husayn se leva pour accueillir son visiteur. Il s'exprimait d'une voix doucereuse.

– Bienvenue à toi, l'ami, dit-il en anglais. Prends place.

L'homme s'inclina et s'assit à ses côtés.

– Tu me fais un grand honneur en me recevant, Husayn.

– Tu es effectivement le premier chrétien à franchir mon seuil. Je suis heureux de faire enfin ta connaissance.

Il frappa dans ses mains. Un serviteur en jalabiyya rayée surgit de l'arrière et déposa devant eux deux verres de thé brûlant. Il disparut aussi prestement qu'il était apparu. L'homme fit la grimace en trempant ses lèvres dans le breuvage. Husayn sourit.

– Nous buvons le thé très chaud. C'est ainsi qu'il désaltère. Tu as fait un long voyage pour me rencontrer. Si j'évalue correctement la situation, c'est la volonté d'Allah qui nous réunit.

– D'Allah et de Dieu, Husayn.

– Il n'y a qu'un Dieu, l'ami. Mais nous ne sommes pas ici pour discuter théologie. Qu'attends-tu de moi ?

– Toi et moi sommes les instruments de la volonté divine. Tu as accompli son dessein sur la terre de l'Islam. A moi de l'accomplir dans la chrétienté. Ce qui ne pourra se réaliser sans actions, brutales, que je réprouve autant qu'elles m'affligent. Comme toi je suis obligé de recourir à la violence. Tous deux, nous portons un fardeau. Dieu nous a choisis. Dieu nous conduit. Dieu nous bénit. Son choix me contraint à frapper un grand coup sans me laisser affaiblir par une quelconque compassion pour des victimes innocentes. Quand on s'attelle à sauver une humanité pervertie, on consent automatiquement à des sacrifices. C'est pourquoi, je fais appel à ton aide.

Husayn lui lança un œil interrogatif, mais s'abstint de l'interrompre, préférant le laisser poursuivre son raisonnement jusqu'à son terme.

– Si des attentats d'une ampleur inégalée se produisaient un peu partout dans des lieux mythiques de la Confédération, je suis convaincu que le pouvoir, incapable de faire face, s'effondrerait comme un jeu de cartes. Nous sommes prêts à le cueillir. Ton peuple possède une longue expérience du terrorisme libérateur. Tu es le seul qui puisse préparer et réaliser ces attentats. De plus, s'il s'avère qu'ils sont ton œuvre, et il sera nécessaire que la chose se sache, tout en te garantissant que nous t'innocenterons lorsque ce sera fini, nous apparaîtrons comme des sauveurs. C'est pour cette raison que je t'ai suggéré quelques déclarations fracassantes pouvant te prêter des intentions belliqueuses. On ne prête qu'aux riches. Tu le constates. Ça marche. Tu es la terreur de l'Occident, cher Husayn.

– L'Islam a bon dos, l'ami. Mais que cela ne t'empêche pas de fleurir mon jardin par la lumière de ta pensée.

– Je te remercie. J'en termine. Nous persuaderons alors des populations traumatisées que seul un changement radical apportera un remède à ce que nous appellerons, je m'en excuse d'avance, des.... manifestations sataniques.

Husayn se caressa la barbe. Il réfléchissait. Après un long moment de silence, il hocha la tête.

– Ta logique est rigoureuse, l'ami. Dans ma religion, le résultat de toute action dépend de l'intensité de la foi. Même si tu te trompes de Dieu, tu es un croyant.

Il éluda d'un geste impatient l'objection qu'il devinait chez son interlocuteur et continua :

– Il existe deux mondes : le Dar-al-Islam, royaume des vrais croyants et le Dar-al-Koufr, terre des incroyants. En convertissant à ta religion un peuple matérialiste, tu te rapproches de l'Islam. Mohammed avait promis d'ériger un haut mur entre les siens et les autres. En qualité de descendant du Prophète, j'ai tenu sa promesse. Si tu réussis la Tasfiyya, la purification de l'Occident pourri et impie, tu auras, toi aussi, construit un mur contre le mal. Je pense que ta guerre est un jihad. Bien sûr, tu t'en doutes, je rêve d'un monde entièrement islamique. Mais, tu as ma parole, aussi longtemps que tu appliqueras « la charia chrétienne », je te soutiendrai. Nous creuserons des ouvertures à travers nos deux murs et nous nous entendrons sur des pratiques similaires, faute de pouvoir encore le faire sur les principes. Mes combattants sont à ta disposition, l'ami. As-tu déjà désigné les « lieux mythiques » dont tu parlais ?

L'homme plongea la main dans sa poche et produisit une feuille de papier qu'il tendit à Husayn. Celui-ci la parcourut rapidement en émettant des marmonnements d'approbation.

– Tu veux anéantir la jahiliyya, l'ami.

– La jahiliyya ?

– C'est ainsi que nous dénommons l'époque barbare précédant l'Islam. La nuit du paganisme. Pour éradiquer son influence sur les esprits faibles, j'en ai fait disparaître toutes les traces. J'admire que tu veuilles m'imiter. Tu as compris qu'avant de bâtir du neuf, il convient d'ameublir soigneusement le terrain.

Un coup de vent fit onduler la tente. Leurs regards se croisèrent comme au clair de deux sabres.

– Dans combien de temps tes combattants pourront-ils passer à l'action ?

– Le grand feu d'artifice pourra commencer dans une semaine.

A l'idée de ce qui allait se produire, Husayn se frotta les mains avec enthousiasme. Puis soudain, il fronça les sourcils. Son visage se durcit.

– N'as-tu pas subi un sérieux revers avec ce château qui a été incendié ?

L'homme s'attendait à cette question. Aussi répondit-il avec sang-froid :

– L'erreur d'un sous-fifre, aux conséquences tragiques, hélas. Mais tranquillise-toi, tout est rentré dans l'ordre. Ce n'était qu'un incident de parcours.

Husayn feignit de le croire.

– Et si ces attentats ne suffisaient pas ?

– Je possède une arme secrète, effroyable. J'espère de tout cœur ne pas avoir à m'en servir. Elle ne sera utilisée qu'à la toute dernière extrémité. Elle constitue la garantie de la victoire totale.

– Et bien sûr, tu ne souhaites pas m'en apprendre davantage sur cette « arme » ?

– Tous ceux qui participent à notre croisade ont juré de n'en parler à âme qui vive. Tu n'apprécierais guère quelqu'un qui faillit à sa parole ?

Husayn éclata de rire.

– Tu es un fin renard, l'ami. Dieu le veut, non ?

– *Inch'Allah*, rétorqua l'homme en souriant.

L'entretien était terminé. Husayn se leva et reconduisit son hôte jusqu'à l'hélicoptère. Ils se serrèrent longuement la main.

– Qu'Allah te protège !

– Que Dieu te garde, Husayn.

Pendant que l'hélicoptère s'élevait vers le ciel bleu, l'homme aperçut à travers un hublot Husayn agitant le bras en signe d'adieu. « Qui sait lequel des deux dévorera l'autre ? » pensa-t-il. Quoi qu'il en soit de cette question, sa démarche était un succès. Bientôt il serait maître de l'Occident.

Sept heures du matin. Lelio Tardini soupira. Encore une journée à bosser dans cette taule. Son métier lui pesait. Mais il fallait bien nourrir la femme et les *bambini*. La santé de Giuletta l'inquiétait. Depuis quelque temps, elle se plaignait de douleurs intestinales. Pourtant, le *dottore* Crispi l'avait examinée et n'avait rien décelé d'anormal. Il avait annoncé que sa maladie était psychosomatique. Lelio n'avait pas compris ce qu'il entendait par « psychosomatique », mais, appréhendant de passer pour un ignare, il n'avait osé l'interroger. En prime, les détenus étaient fébriles. Pas plus tard qu'hier, Bossi, le directeur, avait dû faire intervenir la *guardia* pour rétablir l'ordre. Pas étonnant, avec tout ce qu'on voit à la télévision, sans compter la surpopulation de la prison : ces malheureux s'entassent à quatre ou cinq par cellule. Embarqué dans la même galère qu'eux, Lelio se sentait solidaire de leurs revendications. Aussi leur manifestait-il sa sympathie de diverses manières. Chaque fois que survenait une libération, il éprouvait une forme de mélancolie. Pas à l'égard de tous, évidemment. Il y avait là quelques belles crapules, mais ce n'étaient pas ceux-là qu'on libérait. Et pour cause. Comme partout, c'étaient toujours les meilleurs qui partaient les premiers. On en était au petit déjeuner. Il poussait devant lui un chariot couvert de victuailles. Après avoir desservi les cellules communautaires, il pénétra dans le couloir F, le couloir des privilégiés, ceux qui bénéficiaient d'une cellule individuelle, tantôt pour des raisons évidentes, tantôt pour des raisons plus obscures. Le 612 notamment l'intriguait. Ce fameux Buco dont on avait beaucoup parlé à la télévision et dans les journaux. Un drôle de lascar. Impossible d'en tirer un mot. Jusqu'au couvre-feu, il écoutait de la musique, étendu sur sa couchette. Et quelle musique ! De la musique « classique », s'il vous plaît, comme le lui avait appris Costa, un collègue qui se piquait d'avoir de la culture. Des voisins avaient rouspété. « Qu'il se colle un baladeur dans les oreilles et qu'il nous fiche la paix ! » Buco avait refusé. « La grande musique se savoure *a giorno* », avait-il répliqué. Une de ses rares paroles. On n'avait pas insisté. A sa manière d'ailleurs, c'était un détenu exemplaire : jamais une plainte, jamais une grossièreté. Quand il devait se rendre à la promenade quotidienne, à l'opposé de ses

191

« collègues » qui profitaient de l'aubaine pour se retrouver en groupes et faire du mauvais esprit, Buco se déplaçait tout seul, tête basse, comme plongé dans une profonde méditation. Depuis son incarcération, il n'avait adressé la parole à personne. Les conditions de son arrestation et sa réputation de tueur attisaient la curiosité. En vain. Toutes les tentatives d'approche échouèrent. Personne ne recueillerait ses confidences. Désormais, on le considérait comme un snob. Et de fait, Lelio n'avait-il pas lu dans son dossier qu'il se prétendait le petit-fils du dernier luthier de Crémone. Il avait recouru à Costa pour savoir ce qu'était un luthier. Un luthier ! Lelio ricanait en stoppant son chariot devant le 612. Il déverrouilla la porte. Buco paraissait endormi, le visage vers la cloison. Le gardien lui tapota l'épaule : « Allons, Buco, debout. C'est l'heure du petit déjeuner. » Mais celui-ci demeura immobile. Il le secoua plus énergiquement. N'obtenant pas de réponse, il le retourna sur le dos. Buco avait les yeux grands ouverts. « Plus décédé que toi tu meurs ! » songea Lelio, paralysé par l'émotion. C'était le premier cadavre d'une carrière, pourtant déjà longue. Après un moment de stupeur, il prit ses jambes à son cou et se précipita chez le directeur.

Le timbre du pictophone ronfla. Le cardinal Videgarai appuya sur une touche. Le visage bougon d'Hans Meyer apparut sur l'écran.

– Buco a été retrouvé mort dans sa cellule ce matin, Éminence. Tout indique qu'il a été empoisonné ou qu'il s'est empoisonné. Le directeur assure qu'il faisait l'objet d'une étroite surveillance. A première vue, le suicide paraît l'hypothèse la plus plausible, Buco pouvant communiquer avec les autres détenus lors de la promenade quotidienne. Cependant, d'après mes informations, il s'agit là d'une éventualité peu probable, vu qu'il ne frayait avec personne. Ce serait donc un meurtre. De surcroît, Buco n'était pas homme à se supprimer. L'enquête a été confiée au commissaire Cerruti. On aurait pu s'attendre à ce qu'on en charge Graziani. Au BERC on m'a déclaré que son emploi du temps était occupé par une autre affaire.

– Merci, mon Père. Tenez-moi au courant des suites de cette mort suspecte.

L'écran redevint blanc. Le Cardinal regarda Remio.

– Qu'en penses-tu ?

– On l'a liquidé, mon oncle. C'était prévisible à partir de l'instant où Buco n'avait pas été interrogé immédiatement. Ce délai permettait de préparer son élimination. C'est fou ce qu'ils ont de complices. Tu ne trouves pas ?

– Sans doute, Remio. La machine est au point. Elle ne va pas tarder à entrer en action. En ce qui nous concerne, la disparition de Buco est secondaire. Il ne connaissait pas les noms de ses patrons. Au mieux, il aurait pu nous en apprendre sur les activités de von Armsberg.

– En tous les cas, la mise à l'écart d'Aurelio est riche en enseignements. Je suis impatient de l'entendre. Nous savons depuis longtemps que Patmos a des ramifications partout. Si le drame du Hofburg a effectivement provoqué des remous et soulevé un coin du voile, rien de concret n'a été percé à jour sur ce qui s'y tramait, sur ces mystérieuses bonbonnes dont aucune n'a été retrouvée, sur la fuite du Comte, puisqu'il s'avère aujourd'hui qu'il ne faisait pas partie des victimes de la catastrophe. Cette impéritie est quand même interpellante à une époque où rien n'échappe à l'œil de la technologie de pointe. Ce qui démontre une fois de plus, mon oncle, que nous devons nous débrouiller par nous-mêmes. Nous sommes terriblement isolés. C'est pour t'offrir mes services que je suis venu.

Le Cardinal esquissa un sourire.

— N'était-ce pas déjà une chose entendue entre nous ?

Remio rougit jusqu'aux oreilles.

— Assurément, oui... évidemment.

— Mais tu en as eu assez parce que tu as été contrarié.

— Eh bien oui, répondit-il en avalant sa salive. Giannalia me déconcertait... Le mot est trop faible. Elle me faisait... enrager, mon oncle. Je cours au bout de l'Europe pour la délivrer et tout ce que je récolte en guise de reconnaissance, c'est la tronche et le mutisme. Aussi hier, je m'étais juré que c'était fini, terminé. Don Quichotte réintégrerait le *Corriere* et Dulcinée irait se faire cuire un œuf où elle voudrait. Et puis, je tombe sur l'article de Pozzi. Une bombe. Et puis, alors que je projette de l'envoyer promener, elle se dégèle. Tu crois à la Providence, mon oncle ?

Videgarai partit d'un grand éclat de rire.

— Même si avec les femmes nous serons toujours des novices, la Providence peut effectivement s'exprimer à travers elles. Où se trouve Giannalia ?

— Je l'ai laissée dans le bureau de Janice.

— On aura beau faire des commentaires, mais sa réaction est normale. Il faudra toujours se rappeler ce qu'elle a enduré.

— C'est ce qu'elle m'a dit... en guise de défense.

Remio hésita. Le Cardinal se taisait.

— J'ai cru un moment en être tombé amoureux. Aujourd'hui, je ne sais plus très bien où j'en suis. Je me sens comme sous les feux d'un stroboscope.

— D'un stroboscope ?

— Ce truc qui émet des éclairs brefs afin de créer l'ambiance dans les boîtes.

— N'avoir jamais été en boîte manque cruellement à ma formation.

— Tel que je te connais, mon oncle, tu ne ferais qu'entrer et sortir. Qu'est-ce que je disais ? Ah oui !... J'ai pris soudain conscience qu'il y avait plus urgent que... mes amours.

Cafarelli entra en coup de vent.

— Vous avez appris la mort de Buco, Éminence ?

— Meyer vient de m'informer. Il est convaincu qu'il s'agit d'un assassinat. Nous en conférions, Remio et moi.

— C'est l'évidence même. Qu'allons-nous faire maintenant ?

Videgarai mit quelques secondes avant de répondre.

— Vous avez dressé la liste des communautés intégristes. Il n'y a apparemment rien à trouver de ce côté, même pour la dizaine que nous avions pointée. Il existe tant d'autodidactes du spirituel, tant d'associations réelles ou virtuelles, qu'il faudrait des semaines pour se renseigner sur chacune d'entre elles. Et le temps presse. Quant aux commanditaires d'*Ora Undecima,* ce sont des prête-noms. Von Armsberg a disparu. Nous avons appris depuis peu que le Hofburg a été détruit par une impulsion électromagnétique émise d'un satellite-tueur, un Killersat ; une regrettable erreur, prétend l'état-major. Il paraîtrait d'ailleurs que personne ne sait de qui émanait l'ordre. Autre sujet d'inquiétude. Quant à nous, nous nous mouvons dans le brouillard avec la désagréable impression d'être épiés. Comment réagir ? Attendre. Ouvrir les yeux et les oreilles. Mon secret espoir est que l'un d'eux s'affole devant l'énormité du crime et change de camp. Un repenti. C'est pourquoi j'ai demandé à Giannalia de citer mon nom à la télévision.

Remio intervint.

— Et le Pape ne peut-il nous aider ?

Le Cardinal eut un geste de lassitude.

— Le Saint-Père est très éprouvé. Il est passé de l'incrédulité à l'abattement. J'ignore comment il a encaissé l'article de Pozzi. Hier il a évoqué sa démission. Quant à son entourage, même s'il ne peut nier que quelque chose se prépare, il reste partagé sur les mesures à prendre pour contrecarrer l'imprévisible. Sur le conseil de Pelligrini, Jean XXIV s'est attelé à la rédaction de l'encyclique « *Status orbis terrarum* ».

— Ça sert à quoi une encyclique, mon oncle ?

Cafarelli persifla *allegretto*.

— A proclamer des lieux communs en termes pompeux et sibyllins. N'est-ce pas votre avis, Éminence ?

— Quelle que soit votre opinion sur les encycliques, Claudio, nous avons mieux à faire aujourd'hui que débattre de leur opportunité.

Le ton était rien moins que sec. Monseigneur enfonça la tête dans les épaules et se concentra sur la contemplation de ses ongles. Remio insista.

– Donc rien à escompter du Saint-Siège, si je te comprends bien ?

– Ni du Saint-Siège, ni du pouvoir, ni de la justice. Et cela d'autant que le gouvernement de Bruxelles est sérieusement ébranlé par les virulentes déclarations d'Husayn.

– Tu y crois, toi mon oncle, à ces rumeurs de guerre ?

Le Cardinal rentra en lui-même comme s'il priait.

– Non, Remio, je n'y crois pas.

– Mais alors que manigance Husayn ?

– Ou bien il est confronté à de l'opposition dans son pays et il cherche une diversion en proclamant une guerre sainte qu'il n'a d'ailleurs pas les moyens d'entreprendre ; la Confédération est faible, mais sa force de frappe est encore efficace. Ensuite, les États-Unis ne toléreront aucune extension de l'Islam. Ne manœuvrent-ils pas en sous-main pour saboter un régime non démocratique et fondamentalement rétrograde au plan économique ? Husayn sait tout cela. Ou bien, et c'est l'option la plus vraisemblable, il est complice de nos intégristes. Mais dans ce cas...

Le Cardinal parut en quête d'un second souffle comme s'il était oppressé de l'intérieur.

– Dans ce cas, je tremble à l'idée de ce qu'il adviendrait.

Cafarelli acquiesça.

– Vous redoutez des attentats, Éminence ?

– Pire que des attentats, Claudio. Je pressens une ignominie sans précédent.

Il prononça ces derniers mots d'une voix frémissante.

– Et pourquoi n'exprimes-tu pas tes appréhensions à qui de droit, mon oncle ?

– Je l'ai fait. Le président Van Gelder m'a quasi donné une leçon de géopolitique. D'après lui, Husayn est fou et tout à fait capable d'attaquer. « Vous ne le connaissez pas, m'a-t-il dit, c'est un nouveau Saddam. » Il est sur le point de décréter une mobilisation générale. Ce qui m'a surtout frappé chez le président, c'est un refus de prendre en considération une alternative à ce qu'il envisage. Cet aveuglement me fait peur. Après un bref silence, Cafarelli demanda.

– Vous pensez que cette... ignominie se produira bientôt ?

Le Cardinal inclina lentement la tête.

Le soir même, Remio contactait Aurelio.

– On prétend au BERC que tu es occupé ailleurs. C'est la raison qu'ils avancent pour justifier ton éviction de l'affaire Buco.

– Quoi ! Je ne suis occupé à rien du tout. On m'a simplement mis sur la touche. Je gêne. Je fais désordre. Je n'ai pas encore eu l'occasion de te le dire, mais mes chefs n'ont pas du tout apprécié notre petite escapade. Malgré que nous nous en soyons brillamment tirés, ils m'ont méchamment reproché d'avoir agi en franc-tireur, sans mandat. J'ai eu beau leur dire qu'il y avait urgence, ils ne m'en ont pas moins collé un blâme. Incroyable, non ?

– D'autant plus incroyable que mon oncle m'a appris tout à l'heure que le Hofburg avait été détruit par un Killersat. Tu as entendu parler de ça ?

– Non. Tu me la coupes. Un Killersat ! Ça alors ! Qui sont-ils pour commander même aux satellites ?

– C'est précisément ce qu'il faut découvrir. L'essentiel c'est que le BERC ne t'ait pas renvoyé.

– Qu'ils me renvoient, je m'en tape.

– Ils n'oseraient jamais. Tu es un héros.

Le Commissaire émit un rire amer.

– C'est exactement ce qu'ils n'avalent pas. Je suis devenu un personnage encombrant. Ton copain Mancini m'a joué un sale tour en faisant mon éloge dans ton journal : « L'obstination et le courage d'un policier. » Démonstration par l'absurde de l'incapacité des autres. Tu materais la hure de mes chers collègues, tu ouïrais leurs sarcasmes. Bond par-ci, Éliot Ness par-là. Mais en définitive, tout ce toutim ne me fait ni chaud, ni froid. Et toi, comment vont tes amours ?

– Elles se déroulent comme tu l'avais prévu.

Graziani ne put contenir son hilarité.

– Les vieux bonzes comme moi en ont vu d'autres. Les bonnes femmes, c'est comme les camemberts, à consommer quand elles sont bien faites. Avant, c'est trop sec ; après, ça a un goût d'ammoniac.

Au tour de Remio de s'esclaffer.

– Tu es un indécrottable misogyne, vieux frère. A propos, c'est quoi Cerruti ?

– Cerruti, un commissaire-classeur. Pas un mauvais cheval. Mais un cul-béni. Je ne pense pas qu'il soit ripou, mais jamais il ne s'écarte du cadre qu'on lui a délimité. S'il reçoit l'ordre d'étouffer une affaire, il se couche. Fais-moi confiance, c'est ce qui arrivera avec Buco. Notre apache dérangeait des types qui connaissent des types et ainsi, de fil en aiguille, on aboutit à la direction générale du BERC. Tiens ! Je l'ai croisé cet après-midi dans un couloir. Je

lui lance : « Alors, où t'en es ? » Il me répond d'un air condescen-
dant : « Un suicide, évidemment ». Et, sans me laisser le temps
d'en placer une, il s'est engouffré dans son bureau.

– Pourquoi « évidemment » ?

– Parce qu'on lui a soufflé que c'était nécessairement un suicide.
Et à part le Killersat, as-tu du neuf ?

– Oui. Mais je préférerais t'en parler *viva voce*. Tu ne peux pas
faire un saut jusqu'ici ?

Le Commissaire comprit que Remio ne désirait pas s'exprimer
plus avant par le biais du pictophone.

– Je verrai ce que je peux faire.

Giannalia sortait de la douche. Une serviette de bain bleu nuit
l'enveloppait.

– Tu pictophonais ?

– Oui. C'était Aurelio.

– Et dire que je ne l'ai pas encore remercié.

– Tu en auras l'occasion. Je parie qu'il ne va pas tarder.

– Pourquoi ? Il y a un problème ?

– Plus qu'un problème, ma toute belle.

Au contraire de Remio, encore sous le coup de son entrevue
avec son oncle, Giannalia était d'humeur folâtre. Elle était revenue
enchantée de ses quelques heures de vacances. Janice s'était montrée charmante. Comme deux amies de longue date, elles avaient
échangé des confidences. Sur le chemin du retour, Remio n'avait
pas desserré les dents. Attribuant son attitude à l'affluence de
l'heure de pointe – il détestait conduire sur des routes embouteillées
– elle l'avait laissé macérer dans son jus. Elle était donc d'humeur
folâtre, mais très vite, elle le sentit absent et s'abstint de l'affrioler.
Depuis hier, elle avait évolué, la petite Toscane.

Comme prévu, Aurelio survenait une demi-heure plus tard.
Remio lui fit un rapport complet de l'entretien avec son oncle.
Graziani l'écouta attentivement ; les terribles prédictions du Car-
dinal l'impressionnèrent.

– Que cache le mot « ignominie », Remio ? Des attentats ?

– Oui, sans doute, mais si j'ai bien compris, il s'agirait d'attentats d'un genre nouveau. Tu te souviens des robots du Hofburg,
des bonbonnes d'athanor.

– Évidemment.

– Et si elles contenaient un gaz mortel ? Un gaz qu'on répandrait
dans les villes et qui tuerait des populations entières ?

– J'espère que tu te trompes. Mais maintenant que tu le dis.

Effectivement. Pourquoi pas une arme chimique à large rayon d'action ?

Giannalia devint blanche comme une morte.

– Il y avait cette odeur constante de gaz, murmura-t-elle. Vous vous rappelez ?

– J'ai encore cette saleté dans le nez, grommela le Commissaire.

– Cependant, reprit-elle, vous n'imaginez quand même pas qu'ils se serviraient d'emblée d'une telle arme ? Moi je crois plutôt à autre chose.

– A quoi ?

Ils étaient suspendus à ses lèvres.

– Husayn n'a-t-il pas démoli les pyramides ? Pourquoi ne s'en prendrait-il pas aux monuments historiques de chez nous ? Je ne sais pas, moi, le Parthénon, le Colisée. Il y en a des masses.

– Mais dans quel but feraient-ils des saloperies pareilles ? Pendant la Seconde Guerre mondiale, les Boches ont à peu près fait ce qu'il y avait de mieux dans le genre dégueulasse, et cependant ils n'ont pas osé toucher au patrimoine culturel, fit Aurelio. Et puis, ajouta-t-il après un moment de réflexion, Remio, ton oncle peut se tromper malgré tout le respect dû à sa cardinalerie.

– J'ignore d'où il le tient, mais il a du nez. J'étais encore petit qu'il m'épatait déjà. Un jour, je fréquentais l'école élémentaire, j'étais rentré chez moi avec un œil en marmelade, un grand m'avait tabassé. Comme je chialais de honte et de rage, il m'a soigné, il m'a consolé. « Je parierais bien, m'a-t-il dit, que ton boxeur deviendra un de tes meilleurs amis. » Et de fait, cette brute se nommait Cirrea. C'est moi qui l'ai fait entrer vingt ans plus tard au *Corriere*. Je pourrais vous raconter des tas d'anecdotes du même genre. Chaque fois que je faisais une bêtise, je m'arrangeais pour l'éviter tellement j'étais sûr qu'il était au courant. En conséquence, s'il est persuadé qu'il y aura une « ignominie », elle s'accomplira, malheureusement.

L'anticléricalisme du Commissaire le rendait sceptique. Les prémonitions d'un « curé » le laissaient de marbre.

– Admettons qu'il ait du nez, ton Cardinal, cependant comme tout bipède normal, il peut se tromper.

Giannalia le coupa.

– Moi j'y crois. Lorsque je me suis trouvée en face de lui, j'éprouvais la désagréable impression d'être percée jusqu'aux chaussettes. Je ne sais comment dire, il émane de toute sa personne quelque chose d'indéfinissable.

Aurelio s'obstinait.

– A supposer qu'il ait raison. A supposer, je dis. Ça nous fait une belle jambe. Le tout n'est pas de prévoir, encore faut-il prévoir avec précision ces « ignominies », et avoir ensuite la capacité de contrer ces malades. Et ça, c'est une autre paire de manches. Vous me voyez incitant, par exemple, mes chefs bien-aimés à faire surveiller tous les monuments de la Confédération ?

– D'accord avec toi, Aurelio, acquiesça Remio, nous sommes impuissants. Mais je crois encore mon oncle quand il espère qu'un des membres de la bande craquera et nous refilera des tuyaux. Je propose qu'on en reste là pour ce soir.

– Au fond, il n'y a d'autre recours que la prière, suggéra Giannalia avec enjouement.

– Quelque chose comme ça, hélas. J'en ai bien peur.

– Merde, merde et merde, jura Graziani soudain en colère.

– Comme tu dis, conclut Remio.

Ils ne se quittèrent pas pour autant. Le lendemain, cinq cadavres de Frascati attestaient la manière dont ils se consolèrent de devoir vivre en instance d'Apocalypse.

Abbaye de l'Immaculata
Journal secret du frère Enzo
Samedi 5 mars 2020
Deux heures après le couvre-feu

On célèbre aujourd'hui la mémoire des saintes Perpétue et Félicité. Deux infortunées qui furent déchirées par une vache folle en 203 lors de la persécution de Septime Sévère. « Seigneur, notre Dieu, donne-nous d'honorer avec piété le triomphe de tes saintes Martyres Perpétue et Félicité. » Je me compare à elles. Moi aussi je suis la victime d'un taureau (bœuf ?) furieux. Tout à l'heure, pendant le chapitre, il pavoisait de la trogne. Il enfilait des « perles » se référant au texte de la Secrète : « Et puisque, par la grâce de tes saints mystères, tu leur as donné la gloire, accorde-nous aussi le pardon. » Et d'évoquer la « gloire » des martyrs. Thème récurrent de ses morceaux de bravoure. Pourquoi ne pas encourager et apaiser les pauvres types que nous sommes au lieu de les horrifier à coup de mutilations, d'éventrations, de décapitations ? Cela devient franchement morbide. A l'hôtellerie, il m'arrive d'entendre des ecclésiastiques en confession. Moi qui m'imagine pécheur parce que je viole la règle du matin jusqu'au matin. Peccadilles au regard des dépravations de certains de ces messieurs. Passe encore qu'ils copulent tristement, je serai le dernier à leur jeter la pierre, mais le sport de la bête à deux dos ne suffisant pas, on s'adonne au sadomasochisme, au fétichisme, à la pédérastie. A les entendre, je me rends compte que je suis sans expérience du vrai péché, fumant comme un étron de chanoine. Malgré une permissivité généralisée, les atteintes aux sixième et neuvième commandements caracolent en tête du hit-parade de la culpabilité cléricale. Je reçois rarement l'aveu de manquements économiques, écologiques, de mensonges éhontés, d'irrespect à l'égard d'autrui, de racisme, d'aveuglement, de violence dans les contacts humains, d'abus de pouvoir. L'évolution des consciences est visiblement plus lente que les progrès de la civilisation. Cela dit, je serais curieux d'entendre la confession de Leonardo. Elle ne manquerait assurément pas de sel. Son triomphalisme est non seulement le signe d'une affligeante pauvreté intérieure, mais également d'une outrecuidance démesurée. En réalité, il doit être mû par un puissant instinct d'auto-justification : quoi qu'il fasse, il n'est jamais en tort.

Peu après son arrivée à l'Immaculata, l'un ou l'autre moine se permirent, au nom du principe de la correction fraternelle, quelques observations sur sa gestion. Ils furent sèchement rabroués. Depuis, plus personne ne s'expose à le contredire. Les admoniteurs [2] successifs qu'il a lui-même désignés (normalement c'est la communauté qui les choisit) étaient soit gâteux, soit vassaux. Il s'ensuit que ses confessions doivent ressembler à celles des premiers communiants d'autrefois. J'amende donc mon affirmation ci-dessus : une confession de Leonardo ne manquerait pas de sel si elle était sincère. Ça se produira peut-être lorsqu'il sera en partance pour l'escalade finale.

Je constate, une fois de plus, que je me suis laissé conduire par mon agressivité contre Barracuda. Le propre de ceux qui vivent en milieu fermé est de faire des fixations. Quand je me confie à mon frère Gino, il écarquille les yeux avec l'air de penser : « Sur quelle planète vit-il donc, ce pauvre Franco ? » Un plénipotentiaire neutre, chargé de mission à l'Immaculata, fermerait boutique et enverrait ce microcosme nombriliste en cure psychanalytique. Après chaque crise d'urticaire anti-léonardiste, je me jure de prendre un peu de hauteur, de ne plus m'emballer. Mais hélas, comme un onaniste impénitent, je cède dès que me vient une nouvelle tentation. *Stupida bestia.*

Je relis mes réflexions du 24 février. Je ne suis pas très fier de mon spleen. Mon tempérament me porte de préférence à l'insolence plutôt qu'au romantisme. Mais là, je me suis trompé comme un gamin. La nostalgie n'est pas ma tasse de thé. Une enfance d'orphelin m'a appris à vivre la dure réalité du quotidien, à ne compter que sur moi-même. Je me souviens qu'un jour, sans doute exaspéré par mon manque d'enthousiasme devant un poème de Foscolo qu'il commentait d'une voix exaltée, mon professeur de lettres m'a apostrophé : « Maldini, tu n'es qu'un organique ! » J'ai cherché le sens du mot dans le dictionnaire : « organique » équivaut à végétatif, qui vit en fonction de ses organes. Pas mal vu. Une autre influence à dû jouer. Je suis Triestin. Trieste n'existe que dans les manuels comme monnaie d'échange entre les nations. On visite Florence, Venise, Ferrare ou Ravenne, mais Trieste, naufragée *al confine dell stato*, on en parle, mais on n'y va guère. Cette ville ne manque pourtant pas d'agréments ; elle a son port sur l'Adriatique, sa basi-

---

2. Moine qui est chargé de rapporter anonymement au supérieur les doléances de la communauté à son encontre.

lique, ses grands hommes. Lors d'une promenade au noviciat (par bandes de trois imposées *ex-auctoritate*), un long échalas boutonneux, d'origine romaine, qui avait quitté l'ordre peu après, m'a demandé : « Triestin, c'est quoi, Autrichien, Croate, Dalmate ? » Scandalisé par son inculture (provocation ou humour ?), je lui ai répondu : « Rien de tout cela, Italien comme toi. » « Tiens ! comme c'est bizarre, tu as l'air d'un *straniero*. » En quoi avais-je des manières d'étranger ? Je m'interroge encore. Il est vrai que les Triestins sont différents, ce sont des self-made men, des débrouillards, des observateurs, des retors. Écartelés entre leurs origines germaniques, slaves et latines, les natifs de cette cité sont des anonymes dénués d'amour-propre, des accidents de l'histoire. Ce métissage explique leur positivisme désenchanté et m'explique, moi, Franco Maldini, l'organique. J'aurais pu devenir ingénieur à l'instar de Gino ; tout me prédisposait à exercer un métier pratique. J'ai préféré la voie étroite de la vie religieuse ! *Mysterium fidei*.

A quel facteur alors attribuer ces états d'âme exceptionnels ? Certes, l'irruption du monde extérieur a dérangé mon train-train. Certes, l'inutilité de mon existence de moine m'est apparue criante. Cependant, la collision frontale avec la froide réalité constitue la cause occasionnelle d'une crise qui se serait produite tôt ou tard, le détonateur d'une mutinerie couvant depuis longtemps sous mon capuchon. Du temps de Barnabé, j'y ai cru. A partir de Leonardo, réfugié sous ma tente, j'ai ironisé tout en persévérant dans une foi molle. Aujourd'hui, je m'en prends à Dieu. Si j'ai survécu vaille que vaille, c'est parce que je ne pratique pas le plaisir aigre-doux du cafard soigneusement entretenu. « Le cœur en écharpe » ne pardonne pas dans les monastères. On voit parfois de ces malheureux handicapés du moral errer quelques mois dans les couloirs avant de disparaître. M'en aller ? NON. Je sais que je DOIS rester, telle sœur Anne (ou frère âne), mais autrement. Depuis que je suis tout petit, je perçois la présence d'un lutin arpentant mon âme, irrité. Je ne l'ai guère laissé s'exprimer. Mais il est toujours là, prêt à se répandre en imprécations contre les traitements que je lui inflige. Je vais le libérer de son bâillon. Il est grand temps que je commence à me précéder. Franco rattrape Enzo[3]. Mais comment investir dans l'avenir ? D'abord me raccommoder avec Dieu, sans quoi je manquerai la bifurcation qui me mène, tel Œdipe, à Thèbes.

---

3. Enzo est son nom religieux. En évoluant, il reprend son vrai nom : Franco Maldini.

C'est-à-dire le terme vers lequel me poussent des années d'insignifiance, comme les vagues entraînent un bois mort vers le rivage. Ma destinée a une finalité. Bien que régulièrement inconsciente, cette certitude ne m'a jamais quitté. Après, j'improviserai. Arrêt sur l'image. Fin de séance.

Ces derniers jours, l'hôtellerie est encore plus animée que de coutume. Leonardo se multiplie pour recevoir tout un chacun. Gildas officie, préside, patrouille. Quant à Barracuda, c'est en coup de vent qu'il sème la bonne parole. Question de ne pas perdre la main et de conserver l'Immaculata à bonne température (température « spirituelle » s'entend : il fait toujours aussi glacial). Silence total sur les raisons qui amènent ces personnages ici. Interrogation réitérée : à quoi rime tout cela ? J'ai bien une petite idée.

Entre-temps, je poursuis mon écolage de l'actualité avec la voracité d'un nouveau riche. Toujours des rumeurs de guerre accompagnées de leur cortège de déclarations contradictoires. Toujours la violence, les conflits, l'emploi, les jeunes, et caetera. Quelle société ! Passionnant ! Les journaux ont accordé beaucoup de crédit aux révélations d'une fausse voyante, séquestrée, puis arrachée à ce château qui a été incendié en Bavière. D'autres voyantes auraient eu moins de chance. Partie visible d'un complot ? Troublants, l'article d'*Ora Undecima* et le texte intégral du message que la Vierge leur aurait délivré. Troublants parce que, à mesure que je lisais, je croyais ouïr la voix de Leonardo. S'il n'a jamais fait allusion à Petrus Romanus, le contexte général de ses envolées ressemble à cette prose sectaire. Si ce n'est toi, c'est donc ton frère. *Homo homini lupus.* Coïncidence ? Surprenants quand même ces mystérieux visiteurs, ce langage apocalyptique... et ce souterrain. Et si c'était ici qu'on complotait ? Là, je jette le bouchon un peu loin. Circonspection triestine. Cependant, je ne puis empêcher ce soupçon de cheminer dans ma tête. Hypothèse séduisante. Elle expliquerait bien des anomalies. Je n'ai pas encore de quoi étayer une telle conjecture, mais que Leonardo fasse attention, un Franco averti vaut une douzaine d'Enzo.

Après un mince espoir printanier, l'hiver revient. Les oiseaux se sont tus. Est-ce l'effet de « mon analyse », mais je me sens mieux. Il en va comme si mon existence trouvait lentement ses marques, mue par le seul élan de son instinct. Une pipe et une prière. A la manière de saint Augustin, le bougre, j'ouvre l'Évangile au hasard. Mon doigt se pose sur le mot : « Pâque ». « Le maître dit : où est ma salle où je vais manger la Pâque avec mes disciples [4] ? » La parole du Seigneur résonne comme en écho à mes prises de conscience. Je suis trop fatigué pour réfléchir. D'ailleurs, je réfléchis toujours trop. Je vais dormir et laisser « Pâque » fondre en moi comme un bonbon. Cela me changera de mes imaginations débridées. Je pense que l'oraison mystique consiste à se laisser envahir par le sacré sans recourir à l'intelligence réductrice. « Les disciples partirent et allèrent en ville. » N'est-ce pas ce que je suis en train de faire ? Sauf que j'ignore le nom de la ville.

---

4. Marc, XIV, 14.

Profitant du repos dominical, beaucoup de visiteurs déambulaient à travers les salles du célèbre musée. John Mac Alistair était aux anges. Depuis sa lointaine adolescence, il fantasmait sur l'Espagne. Mais faute de finances, il conduisait un autobus à Boston et n'avait jamais pu réaliser son rêve. Il avait économisé avec une patience d'écureuil. Une fois le montant du voyage atteint, il avait pris son congé annuel et s'était précipité à l'agence Worldtravel pour réserver deux voyages en Ibérie. Son épouse, Kate, partageait son enthousiasme ; à force d'évoquer les merveilles de ce pays, il lui avait communiqué sa passion. Ils n'étaient pas déçus : ce qu'ils découvraient correspondait à ce qu'ils avaient imaginé de loin en visionnant des cassettes, en compulsant des albums. Le périple proposé par l'agence les avait conduits de Grenade à Séville, de Tolède à Salamanque. *Fascinating, wonderful, marvellous.* Les adjectifs manquaient pour qualifier leur éblouissement. Enfin Madrid et le fameux Prado. Le guide avait donné des indications dans le hall d'entrée, leur signalant les tableaux les plus prestigieux, ceux qu'on ne pouvait pas rater. « Il y en a deux mille cinq cents, leur avait-il expliqué, il convient donc de bien choisir. Je vous rappelle que dans deux heures nous nous rendons à la Plaza Mayor. » John avait ronchonné, considérant deux heures bien insuffisantes pour admirer toutes les œuvres qu'il avait programmées depuis son Amérique natale. En conséquence, les Mac Alistair avaient dû faire l'impasse sur quelques toiles réputées aux fins de s'attarder dans les salles consacrées à Goya. La foule s'y pressait plus dense qu'ailleurs. Après s'être frayé un chemin à travers un groupe piaillant de Japonais aux yeux plus bridés que le porte-monnaie d'un Hollandais, ils parvinrent devant la *Maja Desnuda*. Il était exactement quinze heures dix-huit lorsqu'une terrible explosion se produisit. John et Kate furent déchiquetés ainsi que cinq cent quatre-vingt-deux autres visiteurs. Du Prado, un des plus grands musées du monde, il ne restait qu'un amas de ruines fumantes.

A peu près au même moment, de semblables explosions détruisirent la cathédrale de Chartres, le palais des Doges à Venise, le Parthénon à Athènes, la Tate Gallery à Londres, le château de

Schönbrunn à Vienne, le Rijksmuseum à Amsterdam et le beffroi de Bruges. Des flashes spéciaux montrèrent aux Européens atterrés des images de désolation et de mort. Les premiers bilans faisaient état de plus trois mille victimes et d'un nombre imprécis de blessés ; on avançait le chiffre de six mille. L'épouvante atteignit son paroxysme quand on apprit un peu plus tard qu'une aile du stade de la Juventus de Turin avait été soufflée en plein match. En peu de temps, la panique gagna les villages les plus reculés de la Confédération. De tous les lieux touristiques, sportifs ou culturels s'échappèrent des foules tétanisées. Dans les grandes villes, il y eut de nombreux accidents de la circulation dus à la confusion générale. Personne ne savait où se mettre à l'abri. Des bruits circulaient, affolants : ces attentats préludaient à une attaque en règle de la République islamique.

Au fil des heures, la liste des morts s'allongeait. Des hommes, des femmes, des enfants perdirent la vie, écrasés, piétinés, étouffés par des essaims en folie qui confluaient et refluaient en tous sens sans qu'il se trouve personne pour les canaliser. Des détraqués préférèrent se suicider plutôt que de périr irradiés. Des incendies éclatèrent, fortuits ou volontaires. Les autorités étaient complètement dépassées par un type de catastrophe pour lequel aucun plan de secours n'était prévu. Il fallut des heures avant que ne revienne un calme relatif, mais la peur persista longtemps encore. Ce 6 mars 2020 entra dans l'histoire sous le nom de dimanche du diable.

V

OFFERIMUS TIBI, DOMINE, CALICEM SALUTARIS

L'information venait de tomber. Le gouvernement de Bruxelles avait démissionné sous la pression des médias. Mais contrairement à ce qu'on aurait pu redouter ce lundi, aucun débordement, aucune manifestation ne perturbaient les grandes cités européennes. Le choc était tel que la psychose de nouveaux attentats l'emportait sur la colère et confinait les populations chez elles. Rues désertes. Peu de gens s'étaient rendus à leur travail. La presse unanime accusait le pouvoir d'inertie et de complicité passive, exigeant le départ d'un président et de ministres qui, en dépit des signes annonciateurs du désastre, n'avaient pris aucune mesure préventive. Tous les éditoriaux désignaient la République islamique comme responsable du carnage. On avait trop temporisé devant les menaces d'Husayn. Si on avait espéré qu'elles demeurent paroles en l'air, on s'était dramatiquement trompé. Fatale erreur de calcul. Si on ne réagissait pas avec la dernière énergie, le fou d'Allah n'en resterait pas là. Sa démonstration terrifiante constituait un test, la suite des événements dépendant de l'importance de la riposte. Si on se contentait de protestations suffoquées et de résolutions pieuses, alors le pire se produirait. Le président Van Gelder avait fait une déclaration télévisée qui, si elle se voulait ferme, n'avait cependant convaincu personne. « L'enquête est en cours, avait-il dit notamment. Les auteurs de ces abominations ne sont pas encore identifiés. Dès qu'ils le seront, ils recevront un châtiment exemplaire. » Cette prudence politicienne qui ne mentionnait pas les Arabes avait exaspéré. En conséquence, la démission du gouvernement fut immédiatement interprétée comme un aveu d'impuissance. Le Président consultait les partis, affirmait-on bientôt, et déjà on parlait d'un gouvernement d'union nationale. A quoi bon, si c'était pour faire comme avant : tergiverser, composer, reculer ? Des voix s'élevaient qui exigeaient un pouvoir fort. Plusieurs noms circulaient. Le plus cité était celui du général Francis Maillard dont les sympathies pour le Front national européen n'étaient un secret pour personne.

Lorsque le silence fut revenu dans la salle des Congrégations, Jean XXIV se redressa. Depuis une heure, l'orage grondait. Plusieurs cardinaux, parmi lesquels Pelligrini se montrait le plus virulent, donnaient libre cours à leurs sentiments anti-arabes. Comment l'Église, qui avait fait preuve d'une tolérance excessive durant le présent pontificat, allait-elle contribuer à la punition de ces Satans ? Comme toujours en pareilles circonstances, deux clans s'affrontaient : ceux qui s'agitaient, criaient, condamnaient et ceux qui se taisaient, réfléchissaient, attendaient que les passions se fussent apaisées pour intervenir. Les uns prenaient les autres à partie. Pourquoi ne disaient-ils pas clairement ce qu'ils pensaient ? La responsabilité d'Husayn n'était-elle pas patente ? Qu'est-ce qu'il leur fallait de plus pour jeter l'anathème sur ces chiens ? Le cardinal Babuski notamment avait agressé son confrère Videgarai en lui reprochant d'avoir détourné l'attention des vrais problèmes avec son pseudo-complot. Ce dernier n'avait pas bronché. Le cardinal Fumagalli, très discret jusqu'à cet incident, avait répondu à sa place : « Son Éminence a fait ce qu'elle considérait son devoir et a agi *ex officio*, je vous le rappelle. » Cette surprenante intervention avait cloué le bec à Babuski. Le cardinal Doyen Dezza, les cardinaux de curie Baldini, Prisulski, Stanford, Watanabe et Kimbundu soutenaient Pelligrini et Babuski dans leurs récriminations. Puis soudain, le tumulte s'était apaisé et tous les visages s'étaient tournés vers le Pape qui avait gardé la tête baissée pendant cette empoignade stérile.

« Mes frères en Jésus-Christ, émit-il d'une voix ferme qui contrastait avec la prostration dans laquelle l'avaient plongé les événements récents, aussi longtemps que la chose a été possible, j'ai œuvré pour la paix et le respect de toutes les religions. Hier, les temps ont changé. L'Islam s'en prend à ce que nous avons de plus cher, de plus précieux... notre foi et notre culture. Je ne puis l'accepter. J'ai passé la nuit à prier, implorant le Seigneur d'accueillir avec bienveillance les victimes innocentes du fanatisme et le suppliant de m'accorder sa lumière. Ce matin, pendant que je célébrais la Sainte Messe, l'Esprit de Dieu m'a éclairé. S'il n'est jamais facile à un pontife de porter son nom, il ne sera pas dit que les générations futures puissent reprocher à Jean XXIV d'avoir failli à sa mission. S'il est vrai que j'ai été tenté de renoncer à la coupe amère de ma charge parce que je me sentais indigne et faible, aujourd'hui le Seigneur a redressé mon esprit faussé. Je vous prie de me pardonner si je vous ai donné un mauvais exemple. »

Il s'interrompit, serrant sa croix pectorale, fermant les yeux comme s'il adressait une muette oraison au ciel. Atmosphère oppressante. L'attitude du Saint-Père, son regard enfiévré, le ton pathétique de sa voix présageaient une décision historique. Raides sur leurs sièges, les principaux membres du Sacré Collège prêtaient une oreille attentive aux paroles du Pape. Celui-ci poursuivit avec une emphase grandissante. « A l'instar de mon prédécesseur de sainte mémoire, Urbain II, je vais appeler les peuples chrétiens à la croisade. Demain, j'en ferai la proclamation solennelle à la loggia de Saint-Pierre. Ce n'est pas sans une profonde souffrance que je me résous à cette solution extrême. Une fois de plus, le monde s'embrasera. Beaucoup de créatures du Seigneur mourront, mais leur sacrifice ne sera pas vain. Au bout de l'épreuve, je le sais, il y aura la victoire, la paix et la volonté de Dieu accomplie. »

Dans un silence oppressé, Jean XXIV ouvrit l'Évangile. « Je voyais Satan tomber du ciel comme l'éclair. Voici que je vous ai donné le pouvoir de fouler aux pieds serpents et scorpions, et toute la puissance de l'ennemi, et rien ne pourra vous nuire. Pourtant, ne vous réjouissez pas de ce que les esprits vous sont soumis, mais réjouissez-vous de ce que vos noms sont inscrits dans les cieux. » Il referma le livre sacré. Son visage présentait une pâleur cadavérique. Un tremblement agitait sa tête et ses mains. Il répéta d'une voix frénétique : « Vos noms seront inscrits dans le ciel. »

Après un long moment de stupeur, certains cardinaux se levèrent et applaudirent le Pape, d'autres se regardèrent indécis. Quant à Fumagalli, Videgarai, Janice Bergen et Hans Meyer, ils demeurèrent immobiles. Le Secrétaire d'État s'exprima au nom de ceux qui avaient approuvé. Il ne cachait pas sa joie.

– C'est le Seigneur qui parle par votre bouche, Votre Sainteté. Oui, s'écria-t-il à l'endroit de ceux qui n'avaient pas réagi, le Saint-Père nous montre la voie à suivre. En lui obéissant, c'est au Seigneur que nous obéissons.

Il s'assit et fondit en larmes. Si les autres cardinaux montraient des sentiments divers, si Janice et Hans Meyer affichaient maintenant un grand désarroi, les seuls Fumagalli et Videgarai restaient impassibles. La voix du Préfet de la Congrégation pour la Doctrine de la Foi s'éleva, calme, dure, impitoyable.

– Cette croisade que vous prétendez vous être inspirée par le Seigneur, Votre Sainteté, est non seulement un anachronisme absurde, mais une infamie.

L'intervention de Videgarai souleva un tollé. De vives exclamations fusèrent. Babuski, au comble de la fureur, brandit un doigt vengeur dans sa direction.

– Comment osez-vous... Comment osez-vous...

Il ne put aller plus loin. Marchangelo Videgarai s'était levé.

Jean XXIV dont le tremblement s'accentuait, une écume blanchâtre apparaissant à la commissure de ses lèvres, ne parvenait pas à prononcer un mot audible tant il était saisi par l'anathème du Cardinal. Celui-ci continua, implacable.

— Une absurdité et une infamie. Je vous le dis : ce n'est pas l'Islam qui est comptable, du moins pas directement, de ces monstruosités. Ces actions démentielles ont été commanditées à l'intérieur de la Confédération, je précise, à l'intérieur de l'Église. De quel droit vous arrogez-vous le pouvoir de définir qui sont les serpents et les scorpions ? Votre aveuglement, s'il persiste, entraînera le monde vers un cataclysme sans précédent. Nous ne sommes plus au Moyen Age. Nous possédons des armes capables de détruire mille fois la planète. Si vous êtes suivi dans votre folie, vous aurez à répondre devant Dieu de la plus grande catastrophe de l'histoire. L'ultime peut-être. Entendez-moi bien, lors d'une telle confrontation, il n'y aura ni vainqueurs, ni vaincus. Il n'y aura que mort et ruine. Vous avez été mandaté par Dieu. Je vous le demande : par quel Dieu ? Le Dieu de la miséricorde et de la patience ou le dieu de la haine qui sommeille en chacun de nous ? Cette idole que nous avons fabriquée afin de justifier nos bassesses. Si vous êtes suivi dans votre folie, vous serez le pape de la fin du monde et votre nom, au respect duquel vous semblez tenir, ne figurera dans aucun dictionnaire. Voilà ce que je prédis, Votre Sainteté.

Le Cardinal se rassit. Ses auditeurs, cloués sur place comme si la foudre les avait frappés, ressemblaient à des statues de pierre. A mesure que le verbe du cardinal Videgarai s'enflait, le Pape se ratatinait dans son fauteuil, tremblant de plus belle.

Son visage décomposé présentait tous les signes de la rage et de l'hébétement. Jamais personne ne s'était adressé à lui sur un ton aussi absolument comminatoire. D'une voix où le dégoût se mêlait à l'exaspération, Hans Meyer apporta son soutien à Videgarai.

— Aussi longtemps que je serai directeur de l'*Osservatore*, je ne publierai pas une ligne allant dans le sens que vous indiquez, Votre Sainteté. Je partage l'avis du Cardinal, cette croisade est une folie.

Le Pape, qui reprenait lentement ses esprits, vociféra :

— Vous n'êtes plus directeur de l'*Osservatore*, mon Père. Vous n'avez pas été nommé à ce poste pour faire état de vos impressions personnelles, mais pour servir l'Église.

— C'est bien parce que je suis au service de l'Église que j'ai l'honneur de vous remettre ma démission.

Janice allait prendre la parole, mais Videgarai qui était son voisin, posa la main sur son bras et lui souffla : « *Calma* ». Elle inclina légèrement la tête en signe d'assentiment. Elle se prononça donc d'une voix neutre :

– Je partage entièrement l'analyse de Son Éminence, Votre Sainteté. Je pense qu'une croisade ne résoudrait rien. Si nous décidons sous le coup de l'émotion, nous risquons de nous tromper lourdement. Ne faudrait-il pas considérer la responsabilité des islamistes comme une simple hypothèse ? Avons-nous une quelconque preuve de leur culpabilité ? Ne convient-il pas d'explorer d'autres pistes ? La piste intégriste, par exemple ?

Dezza ne parvenait pas à masquer son hostilité à l'égard de la Préfète pour la Condition féminine.

– Vous semblez oublier, Madame, que le Saint-Père est le représentant de Jésus-Christ sur terre. En s'exprimant comme il l'a fait tout à l'heure, il a parlé sous le couvert de son infaillibilité. S'il annonce une croisade, il ne l'a pas décidé de sa propre initiative, mais inspiré par la volonté divine. Nous n'avons pas à discuter, mais exécuter.

Hans Meyer s'agitait, visiblement excédé par cette rhétorique surannée.

– Le recours à l'infaillibilité ressortit à un mode de gouvernement archaïque. L'histoire montre à suffisance que les pontifes ont passé leur temps à se leurrer à coup d'infaillibilité. Dois-je vous citer des exemples ?

Dezza ressemblait à un homard toutes antennes dressées. Au bord de l'apoplexie, il éructa.

– Vos propos illustrent bien à quel point vous n'êtes plus digne de diriger l'*Osservatore*. A vous entendre, l'Église serait une entreprise comme les autres.

Il frappa du poing sur la table en martelant ses mots.

– Elle est l'œuvre du Christ et le Saint-Père est son mandataire. Vos dires, ceux de madame Bergen, ceux de Son Éminence, sont autant d'outrages à l'obéissance que nous lui devons. Vous êtes d'ailleurs les seuls à contester sa sainte décision. Nous sommes neuf à l'approuver.

Le cardinal secrétaire d'État Fumagalli l'interrompit sèchement.

– Huit, Éminence. Si je ne partage guère la théorie de mon éminent collègue concernant un complot, je considère pour ma part que l'heure n'est pas à ameuter les populations contre l'Islam. Comme le disait Madame la Préfète, rien n'indique que la République islamique porte une responsabilité dans ces attentats. Je préconise donc la prudence.

Janice ne se laissa pas récupérer pour autant.

– Mais s'il n'existe pas de complot, comme vous avez l'air de le croire, Éminence, comment interprétez-vous l'assassinat des voyantes, l'enlèvement et la séquestration de Giannalia Baldato, la mort de ses parents, la destruction du Hofburg, l'agression contre Carlo Mancini, les articles d'*Ora Undecima*, le texte des prédictions, la liquidation de Marco Buco ? Cela fait beaucoup à la fois, vous ne trouvez pas ? Si on se persuade que tous ces faits sont convergents, on ne peut s'empêcher d'imaginer une seule main tirant toutes les ficelles. Expliquez-moi pourquoi des individus auraient pris autant de risques s'ils ne poursuivaient un but bien précis ? Et quel autre but qu'un coup d'État ? J'ai appris comme nous tous ce matin que le général Maillard obtiendrait les pleins pouvoirs. Nous savons qui est ce général, nous connaissons son racisme, son rêve d'une Confédération pure au plan ethnique, son catholicisme d'un autre âge avec inquisition et ghettos. De là à penser que son accession à la présidence de la Confédération constitue le premier acte de la mauvaise pièce qui est en train de se jouer, il y a un pas qu'on franchit plus aisément que de crier haro sur le monde arabe. Voulez-vous connaître le fond de ma pensée, Éminence ?

Un ricanement du cardinal Dezza l'interrompit. Janice haussa les épaules et poursuivit.

– En polarisant l'attention sur l'Islam, on laisse le champ libre aux intégristes.

Fumagalli affecta une incompréhension paternaliste.

– Les faits que vous évoquez, chère Madame, sont indéniables. Mais votre exégèse est fallacieuse. Ils sont dus à une organisation mafieuse et s'apparentent à un quelconque trafic international comme il en existe depuis des lustres. Le fait que l'Italie fasse partie intégrante de la Confédération n'empêche pas les mauvaises habitudes de perdurer.

Le Préfet des affaires économiques de Saint-Siège Stanford s'insurgea à son tour contre les propos de Janice.

– Vous caricaturez le général Maillard, Madame. Je l'ai rencontré l'an dernier. Il m'a paru un idéaliste et un croyant convaincu. Je me réjouis à l'idée qu'un tel homme se trouve à la tête de la Confédération. Je vous le demande : quelles furent les cibles visées dimanche ? Des hauts lieux de notre civilisation. Dans quel esprit dérangé aurait pu germer une telle diablerie si ce n'est dans celui d'Husayn ?

Hans Meyer grommela :

– Franco, Hitler, Mussolini appartenaient tous trois à cette civilisation, que je sache. Cela ne les a pas empêchés d'être d'« odieux dévastateurs ».

Le Pape qui était demeuré figé pendant cette passe d'arme reprenait lentement le dessus.

– Je n'avais pas souhaité vous le révéler, mais puisque son Éminence...

Il pointa le menton en direction du cardinal Videgarai.

– ... considère infâme et absurde ma décision de croisade, apprenez que Notre-Seigneur Jésus s'est montré à moi, le visage douloureux comme sur la croix, pendant que je célébrais le Saint Sacrifice de la Messe. C'est de sa propre bouche que j'ai reçu l'ordre d'agir comme je le fais.

Il cria la suite d'une voix de fausset :

– Cette croisade aura lieu et je la proclamerai demain à la loggia de Saint-Pierre.

Videgarai fixa jusqu'au fond de son âme Giuseppe Rossi, pauvre tas de chiffons blancs engoncé dans ses hallucinations. Celui-ci détourna son regard buté. Aucun argument ne le ferait renoncer à ce qu'il considérait comme une injonction divine.

– Vous proclamerez ce que vous voudrez, Votre Sainteté, répliqua Videgarai. Mais sachez que vous ne recevrez le soutien que de ceux qui sont aveugles ou... complices des vrais criminels.

Avant même que le Cardinal se tût, Jean XXIV s'était levé et était sorti. Les membres du Sacré Collège se dévisagèrent sans aménité. Janice fit une dernière tentative de conciliation.

– Le Saint-Père est visiblement très fatigué. Avons-nous le droit de le laisser faire ?

Mais son interpellation pathétique demeura sans réponse.

Pelligrini, Babuski, Fumagalli, Stanford, Baldini, Watanabe, Kimbundu, Dezza et Prisulski avaient à leur tour quitté la salle des Congrégations.

– Venez, dit avec douceur le cardinal Videgarai aux deux autres, nous avons du pain sur la planche.

Il sourit à Hans Meyer.

– Maintenant que vous avez du temps libre, mon Père, vous pourrez vous rendre utile.

Le Jésuite lui rendit son sourire.

— A vos ordres, Éminence.

— Et merci pour votre courage, mes amis. Il ne sera pas dit qu'il aura été vain.

Le soir même, Marchangelo Videgarai pictophonait à Carlo Mancini et aux rédactions des grands quotidiens de la Confédération. Il prit également contact avec les principales chaînes de télévision. Mais un événement imprévisible allait modifier le cours de l'histoire et rendre ces démarches inopérantes.

La nuit était des plus sombres. Le vent hurlait, anesthésiant le bourdonnement sourd de la ville dont la circulation était encore intense à cette heure avancée. Le Vatican était interdit aux touristes depuis dix-neuf heures. Les trois hommes s'y étaient laissé enfermer après que les gardes en avaient bloqué les issues. La lune apparut entre les nuages bas qui défilaient à vive allure dans le ciel. A l'exception du bureau privé du Pape, au troisième étage, toujours éclairé lorsqu'il réside à Rome, les lumières du Palais Apostolique s'éteignirent les unes après les autres. Restaient quelques lampadaires faiblards dans les allées du jardin. Des ifs, des pins, des palmiers dessinaient des arabesques noires sur l'infini. Ils émergèrent de la casina de Pio quarto où, profitant des travaux de rénovation en cours, ils s'étaient cachés, attendant le moment propice pour agir. Deux heures sonnaient au clocher de Saint-Pierre. Sûrs de leur chemin, ils se faufilèrent vers la fontana del Sacramento, contournèrent la centrale électrique et par la rampa dell'Archeologia se dirigèrent vers la piazza del Forno. A cet endroit, deux gardes suisses veillaient, nonchalamment appuyés sur leurs lances antiques. Le vent tourbillonnant et l'habitude de ne jamais rien voir de suspect avaient émoussé leur attention. Aussi, les trois hommes parvinrent-ils sans encombre sur le cortile Borgia. Là, deux autres gardes à moitié assoupis ne se rendirent compte de rien. Le temps de traverser le cortile del Papagalli et ils se retrouvèrent dans la cour Saint-Damase, éclairée par des réverbères. On les avait prévenus qu'une porte serait ouverte, qui les mènerait à la *scala mobile*. Les couloirs étaient étrangement déserts, alors que d'ordinaire cette partie du Palais Apostolique était étroitement surveillée. Au moment où ils atteignaient la porte des appartements pontificaux, une religieuse, peut-être alertée par le bruit, sortit d'une pièce latérale. Sans qu'une parole fût prononcée, elle fut promptement assommée et traînée sous un divan. La porte n'était pas fermée.

Jean XXIV dormait d'un sommeil agité. Il avait travaillé tard à la rédaction de l'appel à la croisade qu'il lancerait tout à l'heure *urbi et orbi*. Cependant, les admonestations du cardinal Videgarai le poursuivaient jusque dans ses rêves. Malgré sa certitude d'être

219

dans le vrai, il n'avait pas réussi à chasser de son esprit la scène dramatique du Préfet de la Congrégation pour la Doctrine de la Foi, debout, le fustigeant de ses virulentes remontrances. Marchangelo Videgarai l'avait toujours intimidé ; sa clairvoyance, son intelligence, sa mémoire, sa droiture, sa liberté de parole, son absence d'ambitions et d'intrigues, en faisaient un être à part, intouchable. Mais cette fois, du moins s'en persuadait-il, le Cardinal se trompait : l'impulsion de la croisade ne lui avait-elle pas été donnée par Jésus-Christ ? Ne lui était-Il pas apparu ? Et lui, le Pape, n'était-il pas son humble serviteur sur terre ? Il était donc normal qu'Il lui réservât la primeur de sa volonté. La pédagogie divine échappait à la sagesse humaine, fût-elle l'apanage d'un cardinal. Ce qui est incompréhensible à la créature ne l'est pas au créateur. Ce raisonnement limpide ne l'avait cependant pas apaisé. Il avait été humilié publiquement et une amertume stagnait encore au fond de son âme lorsqu'il s'était endormi. Il faisait un cauchemar. Il gravissait l'escalier en colimaçon du dôme de Saint-Pierre, talonné par des incubes aux formes monstrueuses. Sur le point d'être rejoint, il se jetait dans le vide. Il se réveilla en sursaut. Le cauchemar devenait réalité. Un homme tenait une main gantée contre sa bouche pour l'empêcher de crier. Avant qu'il pût comprendre ce qui arrivait, il sentit qu'on le piquait au bras droit. La pièce vacilla autour de lui. Il perçut des chuchotements avant de sombrer dans l'inconscience.

Une demi-heure plus tard, le secrétaire du Pape se précipitait dans sa chambre. Lors d'une ronde, un garde avait découvert le corps inanimé de la sœur Amandine. Aussitôt, l'alerte fut donnée. On fouilla le Palais Apostolique de fond en comble. Après de minutieuses recherches, il fallut se rendre à l'incroyable évidence : Jean XXIV avait bel et bien disparu.

Rome
Mardi 8 mars 2020

La nouvelle se répandit comme une traînée de poudre. Le Saint-Père s'était évaporé. Les médias diffusèrent des éditions spéciales. La « *dietrologia* », la science de l'interprétation des faits, si chère aux Romains, fonctionnait à plein. Le Pape s'était enfui par peur d'un attentat contre le Vatican ou encore parce qu'il avait été démasqué. Ne lui faisait-on pas endosser la responsabilité de l'assassinat des voyantes ? Jean XXIV avait perdu la raison : il avait reçu la révélation de la fin du monde et, n'ayant pas supporté d'en être le témoin, il avait choisi de se donner la mort. On savait qu'il était décidé à lancer aujourd'hui même la neuvième croisade contre l'Islam, ses adversaires avaient voulu l'en empêcher. On faisait également état d'une révolution de palais. Mais les rumeurs les plus persistantes imputaient ce coup d'éclat aux islamistes. Après les atrocités de dimanche dernier, cette action audacieuse constituait la deuxième phase de l'agression contre la Confédération. L'imagination aidant, on prévoyait la suite. Ainsi, on évoquait en vrac l'élimination de personnalités, le massacre de communautés religieuses, la destruction de centrales atomiques, de gares, ou d'aéroports. La terreur qui avait saisi les Européens, il y a deux jours à peine, se raviva à l'instar d'un incendie mal circonscrit qui reprend vigueur après une brève accalmie. Confusion et panique.

En fin de matinée, on apprenait que le général Francis Maillard avait été chargé par le président Van Gelder de former un gouvernement de crise. Sans délai, le nouveau Premier ministre prononça une allocution musclée retransmise en direct par toutes les chaînes du continent. Ce militaire peu connu inspira immédiatement confiance. Il apparut devant les caméras en grande tenue, toutes décorations dehors. Difficile de donner un âge à cet homme froid au regard de poisson mort, au visage en lame de couteau, à la peau burinée, au menton carré et arborant des cheveux poivre et sel taillés en brosse. Il s'exprimait au moyen d'une sémantique du garde-à-vous. Les commentateurs avaient tracé de lui le portrait d'un patriote qui s'était illustré sur maints champs de bataille. Un vrai dur qui ne reculerait devant rien. D'entrée de jeu, il décréta la mobilisation générale, affirmant sèchement qu'il n'hésiterait pas à recourir à l'arme atomique pour châtier les islamistes. En consé-

221

quence, il s'en prit aux millions de musulmans vivant sur le territoire de la Confédération et décrits par lui comme une force d'appoint prête à passer à l'action au moindre claquement de doigts d'Husayn. « Ne perdez jamais de vue, mentionna-t-il, que votre voisin arabe, à l'allure pacifique, est un guerrier potentiel qui n'hésitera pas à vous égorger dans votre lit s'il en reçoit l'ordre. Dès demain commencera le nettoyage des villes. Tous les Arabes installés dans la Confédération, peu importe depuis quand, seront rassemblés au sud de la péninsule Ibérique avant d'être expulsés vers la République islamique. » La loi martiale entrerait en vigueur à dix-sept heures GMT. Tous les édifices publics seraient protégés par l'armée. Dans la foulée, il promit une épuration à tous les niveaux de l'État, de l'armée, de la justice. Pour le bien de la nation, il suspendait provisoirement les libertés individuelles. Plus question de voyager sans laissez-passer. Interdiction de se déplacer après vingt-deux heures. Injonction était faite à la population de dénoncer les comportements suspects. Les médias seraient soumis à la censure du gouvernement et, jusqu'à nouvel ordre, les cinémas, les stades, les théâtres et les salles de concerts fermés. Il annonça en outre que les imams les plus incendiaires avaient été arrêtés, que les alliés de la Confédération, en particulier les Américains, approuvaient cette politique de fermeté et conclut par un vibrant éloge du Pape : « Ce saint qui était sur le point d'appeler les chrétiens à une croisade contre les mécréants ; il a été enlevé et peut-être déjà immolé comme un martyr. A nous de relever le défi. Cette croisade, c'est moi qui vous y invite. Je vous garantis que l'épouvante va changer de camp. Nous n'accepterons pas plus longtemps que des barbares attentent à notre civilisation millénaire. Vive l'Europe. »

Une chape de plomb s'abattit sur l'Occident. Si les médias étaient consternés par l'installation de la dictature, l'homme de la rue applaudit sans réserve à ces décisions énergiques. Enfin l'Europe redevenait elle-même ; Maillard sonnait le deuil de la corruption, du défaitisme, des tergiversations humiliantes. Husayn n'avait qu'à bien se tenir, cela n'allait pas tarder à barder pour lui. Suite à l'incitation du général, les services de police ployèrent sous le nombre des dénonciations anonymes. Un peu partout furent organisées des expéditions punitives contre les quartiers habités par des musulmans. Il ne fallut pas attendre la fin de la journée pour que s'allongent des files de réfugiés fuyant les cités en folie. Des combats acharnés mirent aux prises des pogromistes et des

Maghrébins bien décidés à vendre chèrement leur peau au cri de « *Allah Akbar* ». Des jeunes et des moins jeunes se pressaient aux portes des casernes dans le but de participer à la « croisade ». Les artères des villes furent envahies par les chars et l'on entendait vrombir au-dessus des toits les escadrilles de Chacals 17, les chasseurs les plus performants de l'armée de l'air. On fleurissait les tankistes, on agitait des mouchoirs et des drapeaux étoilés au passage des Chacals. Manifestement le général avait été compris.

Au milieu de l'après-midi, un communiqué émanant du Caire, capitale de la République islamique, démentait formellement toute implication dans les attentats de dimanche et dans l'enlèvement du Pape. Toutefois, Husayn avertissait qu'il répondrait avec la plus grande détermination à toute violation de la terre sacrée de l'Islam. Il dénonçait en termes véhéments les persécutions dont étaient l'objet ses frères musulmans de la Confédération. Si le général Maillard n'y mettait pas immédiatement un terme, la vengeance d'Allah serait terrible.

Pendant que les événements se succédaient à une cadence infernale, le Sacré Collège, claquemuré dans le Palais Apostolique et sous la présidence du cardinal Doyen Dezza qui remplaçait le Saint-Père, polémiquait houleusement. En ce qui concernait la disparition du Pape, on en savait un peu plus depuis que sœur Amandine avait recouvré ses esprits. Son témoignage indiquait que Jean XXIV avait été enlevé par trois hommes. Les premiers résultats de l'enquête confirmaient son récit ; des traces de leur présence avaient été relevées dans la casina de Pio quarto et à partir de là il n'avait pas été difficile de reconstituer leur parcours. Les complicités internes étant patentes, la police interrogeait sans relâche les gardes de faction ainsi que le personnel domestique.

Dans la salle du Consistoire étaient réunis tous les membres de la curie, à l'exception de Janice Bergen qu'on avait « oublié » d'inviter et de Hans Meyer, démis de ses fonctions. Après avoir éponge son trop-plein de componction à l'aide d'un mouchoir à carreaux, Dezza avait rendu un hommage larmoyant au Pape absent. Ensuite, il avait remercié l'assemblée de la confiance qu'elle lui faisait et promis qu'il assurerait l'intérim dans le même esprit que Giuseppe Rossi. Après avoir tartiné quelques lieux communs de vaseline spirituelle, il avait couvert la République islamique d'opprobres et de malédictions. Cette nation diabolique, qui ne respectait rien, avait commis un abominable sacrilège. Dieu ne laisserait pas ces démons impunis. Se rengorgeant de son introduction, il ouvrit les débats. D'emblée, Fumagalli proposa d'entamer des négociations secrètes avec Husayn, aux fins de sauver la vie du Saint-Père. Il souscrivait donc à la thèse de la culpabilité arabe dans cet enlèvement. Pelligrini, paraphrasant Caïphe, rétorqua qu'il valait mieux qu'un seul meure pour le bien de tous et qu'en aucune manière, il ne fallait traiter avec des fanatiques. Les uns l'approuvèrent, les autres se turent ou firent chorus avec Fumagalli. A ce stade de la discussion, Babuski demanda insidieusement à Videgarai s'il ne détenait pas d'informations plus précises ; car enfin, ne s'était-il pas violemment opposé au Pape hier ? « S'il est clair, poursuivit-il avec perfidie, que Son Éminence est au-dessus de tout soupçon, n'a-t-elle pas dans son entourage des personnes moins... scrupuleuses ? Des collaborateurs qui auraient mal interprété ses propos et fait montre d'un zèle pour le moins intempestif ? » En guise de réponse, Videgarai se contenta de fixer le Préfet pour l'Évangélisation des Peuples, comme s'il lui intimait l'ordre d'être sincère. Pendant que s'échangeaient ces amabilités, le secrétaire du cardinal Doyen lui avait remis un document. Le faciès rubicond de Dezza s'empreignit de joie. Il frappa dans ses mains et usant d'une formule célèbre, éructa d'une voix entrecoupée par l'émotion : « *Annuncio vobis gaudium magnum.* » Tous crurent qu'une libération était intervenue et chacun s'apprêtait à se réjouir. Mais Dezza enchaîna immédiatement : « Notre fils bien-aimé, Francis Maillard, a été nommé Premier ministre. » Il lut in extenso le texte qu'on venait de lui apporter. On ne peut pas dire que la philippique du Général fît l'unanimité. S'il y eut quelques hochements de tête approbateurs, quelques mines radieuses, la teneur de la déclaration du nouveau maître de l'Europe avait de quoi effrayer. Le cardinal Stanford exprima son embarras en des termes ambigus d'où il ressortait qu'il comprenait mais ne pouvait admettre une telle entorse à la démocratie ; s'il s'était montré favorable à l'idée d'une croisade, il n'encourageait pas pour autant une embardée du côté de la dictature. Le Préfet pour les Églises orientales Sanche Camarro, un vieux sage, s'éleva avec indignation contre ce qu'il considérait comme un coup d'État. Il fut soutenu par les représentants du tiers-monde, très sensibles à tout ce qui touche aux libertés individuelles régulièrement bafouées dans leurs pays d'origine. Dezza voulut calmer le jeu : « Mes frères, graillonna-t-il, je vous en conjure, faites-moi confiance. Je puis vous assurer que le général Maillard est un honnête homme. S'il a jugé bon de prendre ces mesures exceptionnelles, c'est à l'aune de la gravité de la situation. Contre un adversaire tel que l'Islam, il n'y a de langage possible que celui de la fermeté. Une fois que tout sera rentré dans l'ordre, il s'empressera de restaurer toutes les libertés fondamentales. » Camarro réagit avec vigueur à ces paroles qui se voulaient lénifiantes : « Ce n'est pas en s'en prenant aux Arabes de la Confédération qu'on résoudra quoi que ce soit. Votre général, Éminence, profite de l'occasion pour assouvir son racisme. Et dois-je vous rappeler que la haine engendre la haine et que celui qui se sert de l'épée périra par l'épée. » Pelligrini vola au secours du Doyen quelque peu désemparé par cette opposition inattendue. « Le Christ n'interdit pas la légitime défense. L'histoire illustre à suffisance qu'un musulman se transforme en fou furieux dès qu'il se figure mandaté par Allah. Une parole d'Husayn et ils seront des millions lancés sur le sentier de la guerre. Ces sauvages ne sont pas de la même étoffe que nous. » Tous les regards se tournèrent alors naturellement vers le cardinal Videgarai qui traçait des petits dessins sur le dossier posé devant lui. Il releva la tête. « Pourquoi me regardez-vous ainsi ? Est-ce parce que vous n'avez pas la conscience tranquille ? Est-ce parce que vous vous querellez comme des enfants alors qu'il y va du Salut de l'humanité ? Parce qu'au fond de vous-mêmes, vous savez très bien où mène une dictature ? Parce que c'est toujours l'innocence qui en est la première victime ? Avez-vous perdu toute dignité, tout esprit évangélique pour vous féliciter de la nomination d'un va-t-en-guerre ? Ne réalisez-vous pas que nous nous dirigeons tout droit vers une confrontation majeure ? Ne voyez-vous pas que cette éloquence matamoresque ne nous rendra ni le Saint-Père, ni la paix ? Le général Maillard que vous nous présentez, Éminence, comme un honnête homme, est un vulgaire démagogue qui se drape dans les grands principes, alors qu'il est simplement au service d'une cause criminelle. » Il engloba ses pairs d'un même regard et dit d'une voix forte : « Au service de ceux qui détiennent le Souverain Pontife. Faudra-t-il attendre que la catastrophe se soit produite pour que vous reconnaissiez votre erreur, quand il sera trop tard ? Je le répète à ceux d'entre vous qui s'obstinent dans l'aveuglement : tous ces événements dramatiques sont l'œuvre d'une conjuration savamment élaborée. L'accession au pouvoir de Francis Maillard en constitue une étape. Ce général n'est qu'un maillon. Quand l'heure aura sonné, le tyran quittera son trône pour le céder à plus tyran que lui. L'Islam n'y est pour presque rien. » Personne ne trouva à redire aux arguments du Cardinal. Il se dégageait de lui une lumière qui impressionnait. Le Préfet pour le Dialogue avec les non-croyants, Jean Van Durme, ancien Abbé d'Orval, un homme au visage rond qui paraissait constamment étonné de se trouver « empourpré », picorait ses mots d'une voix flûtée. Il embraya dans le même sens que Videgarai en s'adressant directement à Dezza qui montrait des signes de plus en plus manifestes de nervosité.

– Je me pose beaucoup de questions troublantes, Éminence. Pourquoi le Saint-Père a-t-il été enlevé ? Comment expliquer toutes ces affaires qui secouent l'Église et la Confédération depuis quelque temps ? Comment se fait-il qu'*Ora Undecima* soit toujours si bien informé ? Pourquoi ne tient-on aucun compte du récit de cette jeune femme à la télévision ? Comment trois hommes ont-ils réussi à pénétrer aussi facilement dans le Vatican ? Non seulement ils connaissaient parfaitement leur chemin, mais on le leur avait balisé. Pourquoi le troisième étage n'était-il pas gardé ? Pourquoi n'envisage-t-on que la piste islamique ? Pourquoi est-il impossible d'aborder ces sujets autrement qu'en s'affrontant comme si les intérêts des uns et des autres étaient en cause et divergeaient ? Pourquoi l'opinion de Son Éminence ne serait-elle pas tout à fait plausible vu les éléments dont nous disposons ? Pourquoi Madame Bergen n'est-elle pas parmi nous ? Je me suis laissé dire qu'elle n'avait pas été convoquée. Enfin, Éminence, pourquoi vous réjouissez-vous tant de l'arrivée au pouvoir de ce général connu pour son racisme et son bellicisme ? Détrompez-moi, s'il vous plaît, et ne me faites pas accroire que l'on débat ici d'autre chose que d'événements dramatiques, d'une autre chose que je ne puis définir, que je n'ose définir.

L'insistance tenace de Van Durme s'enfonçait dans les gencives du Doyen comme un coin dans un tronc d'arbre. A cette salve de questions, celui-ci fournit des réponses embrouillées et élusives qui ne convainquirent guère les sceptiques. Camarro n'en démordit pas.

– Que je sache, Éminence, vous n'avez pas mentionné les mesures concrètes prises afin de retrouver la trace du Saint-Père. A moins que vous ne le considériez déjà comme défunt ?

Le cardinal Doyen verdit de rage et parvint à grommeler :

– C'est l'affaire de la police. L'enquête suit son cours.

Fumagalli prit la parole.

– Qui d'autre, si ce n'est une puissance étrangère, s'en prendrait à notre Saint-Père, et quelle puissance, si ce n'est la République islamique ? Si vous me prouvez le contraire, je m'inclinerai de bonne grâce.

Dezza tenta d'enrayer la contestation grandissante en proposant une interruption. Ainsi, chacun pourrait se restaurer et les débats y gagneraient en sérénité.

La manœuvre fit long feu, d'autant plus que pendant la pause tombait le démenti d'Husayn. Après l'avoir lu, Dezza s'empressa d'ironiser.

– Husayn n'en est pas à un mensonge près. Pour moi, cette réaction indique qu'il s'efforce d'abriter sa culpabilité derrière des protestations de façade. Il commencerait à avoir peur que cela ne me surprendrait pas.

Ignorant l'intervention du Doyen, Videgarai tint alors un langage net.

– Husayn ne ment pas. Les responsables sont ici, au sein de l'assemblée la plus vénérable de l'Église.

Cette prise à partie frontale provoqua un choc. Pendant quelques instants, tous demeurèrent en suspens comme les personnages d'un film à l'arrêt. Chacun lança un regard à la dérobée à son voisin. « Ce n'est pas moi, c'est peut-être lui. » Camarro s'exprima d'une voix mal assurée.

– Qu'est-ce qui vous amène, Éminence, à proférer une accusation aussi grave à l'encontre de l'un d'entre nous ?

– Trouvez des réponses, Éminence, à toutes les questions de notre confrère Van Durme et vous aboutirez à la même conclusion que moi.

Il n'y eut plus de cardinaux prestigieux. Ce fut une belle foire d'empoigne. Des voix jaillirent, montèrent, s'enflèrent. Des cris, des injures fusèrent. Dezza frappait des deux mains sur la table, s'époumonant en vaines objurgations suraiguës. Lorsque le tumulte se fut quelque peu apaisé, le cardinal Fumagalli redressa sa haute taille et repartit.

– Bien que je me refuse à imaginer qu'un ou plusieurs membres du Sacré Collège soient impliqués dans ces horreurs, je consens, pour ma part, à ce que l'on enquête dans la direction que vous supposez, Éminence. Je n'y souscris guère, tant elle me paraît invraisemblable, mais je ne veux pas qu'on puisse un jour nous reprocher d'avoir négligé certaines pistes.

Dezza marmonna son assentiment à la suggestion du Camerlingue et promit que tout serait entrepris pour que la lumière soit faite. Étrangement, il ne tenta pas de réfuter la plainte du cardinal Videgarai requérant contre des dignitaires de l'Église. Comme si une telle réplique comportait trop d'aléas. La porte était donc ouverte aux supputations les plus énormes. Il leva la séance en toute hâte. Divers sentiments animaient les esprits : fureur, haine, crainte, méfiance, incompréhension, ahurissement et, chez quelques-uns seulement, une sérénité qui n'était pas de ce monde. En moins de temps qu'il ne fallait pour en rire, le Sacré Collège s'était transformé en une pétaudière et plus personne, au sens littéral du terme, ne savait à quel saint se vouer. Toujours est-il que le pauvre Jean XXIV croupissait dans un trou, peut-être déjà passé à la postérité.

En fin d'après-midi, Marchangelo Videgarai convoqua ses fidèles. Janice avait apporté des mimosas qu'elle disposa dans un vase sur le bureau du Cardinal. Celui-ci la remercia d'un clin d'œil. En peu de mots, il résuma la situation et conclut.

– C'est vous dire que si nous retrouvons le Saint-Père, cette tragédie prendra fin.

– Connais-tu les commanditaires de ce complot, mon oncle ? interrogea Remio.

Videgarai sourit.

– Je pense les connaître. Mais ils ne sont pas encore attaquables, du moins directement.

– Si vous nous livriez leurs noms, suggéra Graziani, nous pourrions organiser des souricières et les prendre la main dans le sac.

– L'unique résultat que nous obtiendrions serait de les rendre plus prudents. Nous devons bien nous persuader que nous avons affaire à très forte partie. Ainsi, une surveillance classique serait immédiatement détectée. Non. Soyons patients. Il y aura un signe.

Janice ne paraissait pas convaincue.

– Pourquoi ne pas passer les activités du cardinal Dezza au scanneur ? Il a le profil d'un suspect.

– Le cardinal Doyen est un ambitieux, Janice, mais je le crois trop pusillanime et trop velléitaire pour s'embarquer dans une aventure qui le dépasse.

Hans Meyer, qui venait de les rejoindre, abonda dans le même sens :

– D'accord avec vous, Éminence. Dezza est un imbécile sans envergure. Il y en a d'autres plus retors, plus intelligents, plus déterminés. Maintenant que je suis un réprouvé, je suis autorisé à réfléchir et c'est fou ce qu'on enregistre de choses quand on observe sans être vu.

– Nous demeurons donc dans l'expectative, proféra Cafarelli.

Mais, Éminence, le risque d'autres drames n'est-il pas accru par cette passivité ?

– Je sais, Claudio. Je sais. Nous ferons ce que nous pouvons faire, mais nous n'éviterons pas d'autres drames, comme vous le dites. Nous ne sauverons sans doute pas le Saint-Père. Ce qui advient déborde la vie d'un homme. C'est le nid tout entier qu'il faut détruire pour dégager le chemin de l'avenir.

– N'empêche, mon oncle, Maillard détient le pouvoir. Beaucoup d'hommes et de femmes vont perdre la liberté, mourir. Une fois installée, la dictature est difficile à déloger. Qui plus est, notre liberté de mouvements s'en trouve singulièrement limitée.

– Ayez confiance, répondit le Cardinal avec une tranquillité contagieuse, même si les circonstances n'incitent guère à l'optimisme. Soyez prudents, nous sommes évidemment tous en danger. Leur avantage sur nous : ils peuvent nous contrôler tandis que nous ne les avons pas encore repérés, du moins le croient-ils.

Ne pouvant contenir son émotion Giannalia intervint :

– Tout est de ma faute. Je voudrais tant que vous me pardonniez.

Marchangelo Videgarai se leva et la prit dans ses bras.

– Tout cela, Giannalia, se serait produit avec ou sans vous. Vous avez été légère. Soyez pardonnée et consacrez désormais votre énergie à lutter pour la vérité.

Une fois dehors, Graziani confia à Remio :

– Un fameux personnage, ton oncle. J'espère qu'il ne se trompe pas sinon nous sommes bons pour la chambre à gaz.

Abbaye de l'Immaculata
Journal secret du frère Enzo
Jeudi 10 mars 2020
Dix-sept heures

« L'ordre règne à Bruxelles. » C'est ainsi que notre führer Leonardo a résumé l'atroce actualité. Je suis tellement bouleversé que je ne sais par où commencer. Suprême inconscience, j'ai amené mon journal à l'hôtellerie. Il fallait que je libère mon dégoût, ma peur, mon désespoir. D'abord Leonardo. Le masque de ce salaud est tombé. C'est à peine s'il ne s'est pas réjoui de l'enlèvement du Pape. Pas même une larmichette de circonstance. Il nous a abreuvés d'incantations et de citations. « Une ère nouvelle débute... La chrétienté se réveille... Ce général est un saint... La destruction des infidèles rendra au monde sa pureté... Le Pape paie ses faiblesses. Il n'a pu endiguer l'iniquité croissante... Celui qui tiendra jusqu'à la fin, celui-là sera sauvé. » A l'entendre, on balance entre la fin du monde et l'aurore d'une Arcadie heureuse. Le psaume cinquante et un me revient :
« Tu aimes mieux le mal que le bien
Le mensonge que la justice
Tu aimes toute parole qui dévore,
Langue d'imposture. »
Un imposteur, voilà ce que tu es, Barracuda. Un IMPOSTEUR.
C'est l'attitude des autres qui me navre le plus. Pas un mot. Pas une objection. Même les plus saints d'entre nous sont restés muets. J'ai vu pleurer Amadeo. Le frère Gratiano, un être simple et inoffensif, serrait les dents et marmonnait dans sa barbe. Mais personne n'a hurlé son écœurement. Moi non plus. Je ne vaux guère mieux que ces pauvres types que je blâme.
Le mal ne vient pas de Dieu. Il niche dans l'homme. Dans chaque âme, il y a un diablotin en effervescence, comme un cachet d'aspirine qui rend l'eau trouble. Dieu ne peut pas l'empêcher de s'ébattre dans sa chambre de jeu. Nous péchons effectivement en pensées, en paroles, en actions, en omissions sept fois sept fois par jour. Le plus vil de ces péchés est l'omission. Car en laissant faire, on conforte la crapule. Mais, misérable que je suis, je recule devant le martyre comme un

cheval rétif devant l'obstacle. Ce serait pourtant l'occasion de me donner enfin un sens. Depuis ma « crisette », je prie davantage, mais rien ne monte en moi qui me dicte une conduite. *Nada*. Silence total. L'Éternel n'est pas en état de vous recevoir, revenez demain. Je me suis tellement barricadé contre « sa volonté » que mon âme est enlisée dans la poix. Comment pourrait-il faire sentir sa présence dans un espace empuanti par les miasmes de mes rancœurs ? A quand la fin de ma puberté spirituelle ? Je suis culotté de l'espérer. Je n'ai de cesse d'attendre l'Illumination. Elle viendra. A condition que je me mette dans la disposition de l'accueillir. Je ne sais même pas comment m'y prendre. « *Ecce sto ad ostium et pulso* [1] », dis-Tu. Depuis combien de temps Te tiens-Tu à ma porte, Seigneur ? Depuis combien de temps frappes-Tu ? Depuis belle lurette assurément, mais il y a un tel tintamarre dans ma maison, un orchestre de big rap en délire, que même si Tu cognais à coup de marteau, je n'entendrais rien. Persévère quand même, Enzo. Non plus Enzo. Fini Enzo. Mais Franco. Je ne suis plus une bure anonyme. *Ricorda* : Pâques.

Husayn veut la guerre, semble-t-il. Ce général aussi. Comment n'éclaterait-elle pas dans une telle unité de vue ? A propos de ce général dont la photo trônait à la une des quotidiens censurés (on le couvre de louanges, même le *Corriere*. D'ailleurs, de nouveaux noms apparaissent au bas des articles ; la purge a commencé), à propos de ce général donc, je suis formel : il est venu ici à plusieurs reprises. Pas plus tard que la semaine dernière. Complot, disait-on. Il faut que je trouve le moyen de communiquer ces informations à qui de droit ainsi que la liste des numéros d'immatriculation. Les journaux, il n'en est plus question. Reste ce cardinal Videgarai. Mais c'est compliqué. Impossible d'écrire, de pictophoner. Tout est sous contrôle. Gino est mon seul recours. Je vais l'appeler sous prétexte de m'inquiéter de sa santé et d'exprimer le désir de le revoir. Il est malin, il comprendra que j'ai besoin de lui. Mais pourra-t-il arriver jusqu'ici avec toutes les restrictions imposées par ce fumier de général ? Pas avant Pâques en tout cas, les visites sont interdites pendant le Carême.

Avec la bénédiction de Gildas, j'ai obtenu que Gino vienne.

---

1. Voici que je me tiens à la porte, et que je frappe.

Rien qu'à découvrir ma tête rasée et ma mine hagarde, il a compris que j'espérais son aide. En effet, à peine m'étais-je enquis de sa santé, tout à fait florissante soit dit en passant, qu'il m'a dit souhaiter me rencontrer ; il ne se sent pas très bien, il veut... se confesser. Elle est bien bonne. Lui, l'athée convaincu, se confesser ! Gildas a fait une apparition tout à l'heure, je l'ai vivement remercié : mon frère est inquiet pour sa santé, il désire se convertir. Le brochet a tout avalé avec cette condescendance cléricale qui signifie : vous voyez, ils finissent tous par en arriver là.

J'aurai également besoin de mon cher frère pour autre chose : Leonardo a annoncé qu'il devait subir une petite opération chirurgicale. On murmure que sa prostate extravague. Je ne peux m'empêcher de pouffer. Je me figure Barracuda en train de pisser à jet discontinu toutes les demi-heures. Voilà l'occasion rêvée pour investir ses appartements et sonder ses murs. Gino est tout à fait capable de repérer le mot de code qui en protège l'entrée. Aujourd'hui je suis sûr que Léon a vu juste. Ce souterrain existe et il a un rapport avec les activités louches de notre seigneur et maître.

Je suis obsédé nuit et jour par les attentats qui ont détruit tous ces chefs-d'œuvre. *Calamitas.* « J'abandonne ma maison, je rejette mon patrimoine, je le livre à la poigne de mes ennemis. » Ces versets de Jérémie me soufflettent le visage.

Prophéties interchangeables. Mais qu'arrive-t-il à ce pauvre monde déjà si mal en point ? Qu'est-ce qui les démange à tous ces détraqués ?

Ironie du calendrier liturgique, on commémore aujourd'hui les quarante martyrs. Quarante soldats chrétiens qui, vers trois cent vingt, refusent de renier leur foi. On les expose sur un étang gelé. L'un d'eux perd courage et quitte ses compagnons pour apostasier. Alors, un des gardiens aperçoit des anges apportant quarante couronnes. Subitement converti, il se joint aux trente-neuf autres et obtient comme eux la récompense de sa foi. Tout cela ressemble à un conte des Mille et une Nuits. La réalité est autrement sordide et nos prières restent inexaucées. On immole toujours des victimes, mais leur sacrifice ne semble profiter à personne. Infortuné Pape. Je prie pour sa délivrance, mais si j'en crois l'expérience de l'ignominie humaine, son salut n'est pas pour demain.

Cependant, en écrivant ces lignes, j'ai l'impression que des images, encore mal éclairées à cause de mes interférences peccantes, commencent à se former dans ma cave. Flashes lumineux sans contours précis, accompagnés de bouffées d'allégresse. Curieuse sensation de chaleur, alors que rien n'est en mesure de me réjouir. C'est une espèce de décharge d'adrénaline immatérielle qui parcourt mon corps entier, jusqu'aux extrémités de mes doigts de pied. Pendant vingt ans, je n'ai rien vu, rien qui confère un sens quelconque à la durée qui s'écoule. Chaque jour, chaque mois, chaque année, identiques. Le changement sans changement. Inétendue temporelle disposant, paraît-il, le moine à gagner l'inétendue spirituelle par la médiation d'une contemplation axée sur un unique point sans contours, l'éternité. Le temps, disent les mystiques, est un tremplin vers le divin. Longtemps, je me suis demandé si tout cela n'était pas de la littérature. Comme tant d'autres, je suis demeuré prisonnier de l'invariant, sans entrevoir la moindre ouverture. Routine stérile, sans contrepartie extatique. J'ai passé ma vie à descendre le fleuve, sans atteindre la mer. C'est une première, je perçois un frémissement. Impression soudaine d'une présence. Mon cœur ne brûle-t-il pas ? Pourquoi maintenant ? Qu'est-ce que j'ai à voir avec toute cette histoire ? Quand j'étais un moine anodin, Il a eu tout le loisir pour me faire un dessin. Et voilà qu'Il se manifeste sans crier gare, comme le voleur d'illusions qu'Il est. Conclusion : le Maître a besoin de moi. Il ne brade pas ses faveurs. Il les dispense avec une parcimonie de pingre quand elles servent à quelque dessein mystérieux. Ce serait donc cela « la sainteté » ? Esquisser un pas de révolte avant de tirer sa révérence ? Au moment où le chronomètre de l'histoire s'accélère au point qu'elle se fragmente en portions de moins en moins discernables, au moment où je me dispose à courir les pires dangers, il me fait un plein d'énergie. J'y verrais une coïncidence, si je n'étais persuadé du contraire. Pourquoi moi ? J'éprouve la nette impression d'être un soldat de réserve qu'Il lance dans la bagarre, parce que son big-bazar tourne à la catastrophe.

Bon. Je joue au mystique, histoire de me rassurer. Mais quand même, après vingt ans de silence, ça me fait tout drôle d'obtenir un sucre d'orge divin. Mais je Le connais, c'est du donnant-donnant. J'ai toujours eu une sympathie pour le gars qui enterre son talent et se fait massacrer parce qu'il ne l'a pas fait fructifier. Il faut oser. Moi j'en connais quelques-uns qui l'auraient purement et simplement dépensé. Le fameux surcroît des évangélistes, ce sera sans doute pour le paradis. *Andiante*, Franco. Essaie de terminer ton parcours honorablement.

Depuis peu, c'est le calme plat à l'hôtellerie. Trois retraitants en tout et pour tout. Finis les messieurs dames en grosses bagnoles. Bizarre.

Grosse amélioration dans ma vie de fumeur : je n'ai plus besoin des allumettes de la sacristie. J'ai ici tous les briquets que je veux. L'heure du dîner. Enfin ! Si on peut appeler dîner le brouet immonde qui va nous être servi. J'attends Gino avec impatience. C'est quand même curieux que je me sente aussi bien. Pâque(s) !

Rome
Mercredi 23 mars 2020

« Les êtres propulsés dans la débâcle effrénée d'un fleuve charriant les débris d'une civilisation dégrisée, mutilés, rejetés sur des berges glacées, retournent aux temps lointains du primitivisme. » Ces lignes furent les dernières écrites par Carlo Mancini. Son épouse l'avait retrouvé, au petit matin, effondré sur son bureau, dans une mare de sang, un revolver serré dans la main droite. La police appelée sur les lieux conclut hâtivement au suicide. Depuis qu'il avait été démis de ses fonctions de rédacteur en chef, Mancini n'était plus que l'ombre de lui-même. Son acte désespéré s'expliquait donc par un état dépressif. Ce fut du moins la version officielle de sa mort. Mais ses proches étaient formels, il avait été assassiné. S'il avait été très affecté par son éviction, il n'était pas homme à renoncer. Son dernier article, destiné au journal clandestin qu'il dirigeait en sous-main, au titre éloquent, *Le Retour des Barbelés*, en faisait foi. Mais personne ne le prouverait jamais. Il était bien évident que son franc-parler dérangeait pas mal de monde, mais c'était sans conteste la lucidité de ses analyses qui avait provoqué sa liquidation. La presse annonça en termes navrés que le célèbre journaliste du *Corriere* s'était donné la mort.

Le nouveau pouvoir s'était mis en place avec une rapidité telle qu'il devint patent que tout cela avait été prévu de longue date. Comme de bien entendu, nombre d'opportunistes s'affilièrent au parti du Général, le Front national européen, parti unique de la Confédération. Maillard n'éprouva donc aucune difficulté à pourvoir tous les postes importants de fonctionnaires, le petit doigt sur la couture du pantalon. Un séisme et les rats sortent des égouts, propagateurs de la peste. La répression sévissait, accompagnée de son cortège d'avanies, d'exactions et d'injustices. Le président Van Gelder avait été arrêté en même temps que les anciens membres de son gouvernement. Leur procès pour délit d'incurie et de corruption s'ouvrirait en été. Francis Maillard s'était autoproclamé Premier ministre-Président. La chasse aux adversaires potentiels du régime battait son plein.

Les rues de la Ville Éternelle avaient pris l'aspect sinistre de l'occupation. Quand la liberté s'en va, les passants accélèrent le pas. Visages apeurés, regards furtifs, bouches closes. Barrages,

235

contrôles d'identité, rafles. L'arbitraire régnait en maître. Il n'avait pas fallu longtemps pour que les magasins soient assaillis par des chalands obsédés par la psychose de la pénurie. L'ère du chacun pour soi. Le marché noir avait fait son apparition. Mais en même temps, la résistance s'organisait. Si les dirigeants avaient pu s'illusionner, imaginant des populations avachies, incapables de réagir, ils faisaient chou blanc. C'est la jeunesse qui avait sonné la charge. N'ayant rien à espérer d'une société sans avenir, elle se mobilisait pour une cause grisante, « beatniquer les keufs » comme ils disaient dans leur jargon euro-verlan. Aussi devinait-on des groupuscules s'engouffrant sous des porches obscurs. Les réunions clandestines rassemblaient de plus en plus d'enthousiastes. Des moins jeunes les rejoignirent, encadrant leur ardente inexpérience. Une armée de l'ombre naissait au nez et à la barbe des tyrans.

De la chronique des siècles, il ne restait que des rêves, des images floues de bonheur. La laideur, la vulgarité, la brutalité d'un quotidien dont le souvenir avait été entretenu par les livres et le cinéma ébranlaient d'autant plus les esprits qu'on avait cru ce passé définitivement révolu. Voilà que les archives de l'histoire se rouvraient cruellement. Le cauchemar recommençait. Un voisin de palier disparaissait, des Arabes étaient lynchés, des défilés militaires tenaient lieu de distraction. On avait beau se frotter les yeux, l'horrible réalité dépassait les fictions les plus crédibles. Ces mêmes citoyens qui avaient bruyamment exprimé leur soutien à l'infortuné Mancini se terraient désormais chez eux. Chaque journée apportait sa ration de malheurs.

Alors que la presse se déchaînait contre le boycott des jeux olympiques qui devaient se tenir à Bruxelles en juillet, un nombre croissant de nations se désistaient. Étrangement, il n'était plus question de guerre avec l'Islam. Il n'était plus fait référence aux attentats meurtriers du « dimanche du diable ». L'enlèvement du Souverain Pontife ne faisait même plus la une, comme s'il existait une intention d'effacer au plus vite ces faits de la mémoire collective. Des affiches fleurissaient sur les murs, dénonçant les activités des « terroristes » et menaçant des pires châtiments ceux qui les protégeraient. *Nihil novi sub sole.*

Plus accablant encore, le cardinal Doyen Dezza était apparu sur les écrans, enjoignant « les hommes et les femmes de bonne volonté à se plier aux ordres du preux général Maillard. En combattant la Bête acharnée à la perte de l'humanité, il œuvrait pour le bien de tous ».

L'Église lui apportait donc un soutien inconditionnel. Dezza s'exprimait comme s'il était déjà pape. Il ne fit qu'une brève allusion au sort « de notre bien-aimé Saint-Père, objet de nos prières et de notre sollicitude ».

Chacun s'interrogeait, même les athées invétérés : « Que fait Dieu ? Où est-Il ? Pourquoi permet-Il une fois de plus la victoire des ténèbres ? En expiation de quelle faute ? Est-ce la fin ? »

– Éminence ! Éminence !

Cafarelli, le souffle court, fit irruption dans le bureau du Cardinal. Celui-ci le considéra avec inquiétude.

– Que se passe-t-il, Claudio ?

– Remio et le Commissaire ont été arrêtés.

– Quand ?

– Ce matin. Remio aurait été emmené à la prison centrale par trois policiers en civil, alors qu'il s'approvisionnait dans une échoppe de Tivoli. Quant à Aurelio, c'est sur le chemin du travail qu'il aurait été intercepté.

– Et Giannalia ?

– Apparemment saine et sauve.

Videgarai prit un temps de réflexion. Un pli sévère barrait son front. Soudain, il dit d'une voix cassante :

– Vous allez vous rendre à mon domicile, Claudio, et vous ramènerez mes oripeaux de Cardinal.

Cafarelli voulut poser une question, mais le Cardinal le renvoya d'un geste impatient.

Une heure plus tard, en grande pompe, précédé par deux motards, empourpré jusqu'au chapeau, le cardinal Videgarai se présentait à l'entrée de la prison centrale. Il exigeait de parler au responsable. Manfredo Pirelli, récemment intronisé directeur, accourut à l'annonce qu'un prince de l'Église souhaitait l'entretenir. Petit maigrichon au regard fuyant, il transpirait la servitude par tous les pores. Videgarai s'adressa à lui d'une voix sèche :

– Je suis le cardinal Videgarai, Préfet de la Congrégation pour la Doctrine de la Foi. Vous détenez deux de mes collaborateurs, mon neveu Remio Videgarai et le commissaire Aurelio Graziani. Je vous prie de les libérer sur-le-champ.

Pirelli sortit un mouchoir de sa poche et s'épongea le front. Il s'inclina devant la majesté cardinalice et baisa l'anneau que Videgarai lui tendit avec raideur.

– Manfredo Pirelli, Directeur. Veuillez m'excuser, Éminence, mais ces deux hommes sont considérés comme très dangereux. Ils sont au secret. Il me faudrait un ordre de Bruxelles pour accéder à votre requête.

– Si vous n'obéissez pas immédiatement, je contacte le général Maillard et je puis vous garantir que vos jours comme directeur de cette prison seront comptés.

Pirelli, complètement affolé, tenta de biaiser.

– Mais que je sache, Éminence, et ce malgré l'immense respect que je vous dois, votre neveu est journaliste et ce Graziani policier.

– Je vous répète, et c'est la dernière fois, ce sont mes collaborateurs. Oseriez-vous mettre en doute la parole d'un prince de l'Église ? Je vous ordonne de les libérer.

Le directeur tremblait de tous ses membres, pris entre le sabre et le goupillon ; il réalisait que quoi qu'il fît, il se trouverait dans de sales draps. Il pourrait toujours se réfugier derrière l'impossibilité de s'opposer à un personnage aussi illustre. Aussi, capitula-t-il à contrecœur.

– D'accord, Éminence. Je vais vous les remettre. Mais à la condition que vous acceptiez, pour ma propre sauvegarde, de signer une décharge.

Videgarai lui lança un regard méprisant, se déganta et signa d'une main ferme la feuille que Pirelli poussa devant lui.

Lorsque dix minutes plus tard Remio et Aurelio aperçurent le Cardinal en grande tenue, ils n'en crurent pas leurs yeux.

– Mais... Mais, mon oncle, tu es déguisé en Cardinal.

– Tu peux constater, Remio, que cet accoutrement produit encore son effet. Mais dépêchons-nous de filer d'ici.

Une fois revenu au Vatican, Videgarai prit des mesures pour éloigner le trio de Rome au plus tôt. Un couvent tapi dans les Dolomites ferait l'affaire. Giannalia les accompagnerait.

– Et vous-même, Éminence, ne courez-vous aucun danger ? demanda Aurelio.

– Jusqu'à nouvel ordre, cher Commissaire, les sbires de Maillard ne s'en prennent pas à l'Église. Et pour cause, il reçoit ses instructions de l'intérieur du Vatican. Bien sûr, on ne peut écarter l'éventualité que nos comploteurs cherchent à se débarrasser des gêneurs. Ils l'ont fait avec le pauvre Mancini. Mais je pense qu'ils éviteront de recourir à des procédés qui pourraient se retourner contre eux. Non, pour l'instant du moins, je n'ai rien à craindre. Quoi qu'il arrive, je dois rester au poste. On doit pouvoir me joindre à tout moment.

– Mes amis, ajouta-t-il avec gravité, ne vous faites plus pincer. *Bis repetita non placent*. L'heure approche où j'aurai besoin de vous. Je ne puis vous pictophoner. Mais l'abbé Simon, un de mes vieux amis, vous procurera chaque jour le *Corriere*. Lisez attentivement les petites annonces. Le message « Les oiseaux se cachent pour mourir » signifiera qu'il vous faut regagner le Vatican dans les plus brefs délais. Votre retour sera organisé.

Malgré les circonstances, les deux copains ne purent s'empêcher d'éclater de rire.

– Tu deviens romantique, mon oncle.

– L'âge sans doute, Remio, l'âge.

Le visage sans couture du Cardinal souriait avec malice.

– Bien. Une voiture banalisée vous conduira à cette adresse, chez Evaristo Conti, un ancien détenu qui m'est très attaché. Il vous procurera une fausse identité et des armes. De là, par étapes, vous vous rendrez au monastère Sainte-Anne. C'est un endroit austère, mais vous y trouverez paix et sécurité.

Avant de les laisser partir, Videgarai les serra tous les deux dans ses bras.

– Bonne chance, amis. Ne perdez pas courage. Nul n'arrive au paradis sans larmes.

Cinq minutes plus tard, Aurelio et Remio quittaient le Vatican par une porte dérobée. On ne peut pas affirmer que leur moral était au beau fixe. Aujourd'hui était à la patience. Mais le moment venu, ils entreraient dans l'histoire.

VI

SANCTUS, SANCTUS, SANCTUS

In nomine patris et filii et spiritus sancti. Amen. Le cardinal Dezza, flanqué de Babuski et de Pelligrini, envoyait sa bénédiction au monde depuis la loggia de Saint-Pierre. Malgré la douceur d'une matinée printanière, à peine quelques centaines de personnes s'étaient déplacées pour assister à cette mascarade, davantage animées par la curiosité que par une quelconque dévotion. La silhouette tassée du Doyen paraissait bien lointaine aux spectateurs quadrillés par les barrières de protection. Contrastant avec le vide inhabituel de la célèbre place en cette commémoration de la résurrection, presque tous les sièges réservés aux personnalités devant le parvis étaient occupés. Les services du Vatican avaient battu le rappel afin que la cérémonie ne tourne pas au fiasco. Les télévisions avaient été priées de couvrir ce non-événement. Et pourtant, par dissociation mentale, Dezza se prenait déjà pour le Pape. A la manière d'un pontife, il levait les deux bras pour saluer le maigre public. Bien sûr, dans son allocution, il avait évoqué la haute figure de notre bien-aimé Jean XXIV qui, l'espérait-il, réapparaîtrait bientôt aux yeux des croyants. Mais le ton adopté était celui d'une oraison funèbre comme on le ferait en mémoire d'un prédécesseur décédé. Si quelques applaudissements polis avaient ponctué son discours, des lazzi et des sifflets avaient jailli, rapidement ravalés à cause de la présence d'un important service d'ordre. Sans demander leur reste de gloire éphémère, Dezza et ses acolytes se retirèrent, avalés par la façade de Maderno. Qu'elle était triste cette fête de Pâques sans pontife et sans liberté ! Cette année, les cloches n'avaient pas quitté Rome, les enfants ne trouveraient pas d'œufs en chocolat dans leurs jardins.

Un mois s'était écoulé depuis la disparition du Saint-Père, depuis que la dictature s'était refermée sur la Confédération. Après des débuts fracassants, Maillard et ses comparses s'étaient assagis, obéissant en cela aux injonctions du président des États-Unis, Dick Palmer. Celui-ci jouait au monsieur bons offices et ne manquait aucune occasion de rappeler aux dirigeants européens les sacro-saints principes de la démocratie. La semaine dernière, on l'avait aperçu paradant entre Maillard et Husayn sur un porte-avions de la Navy en pleine Méditerranée. Il avait obtenu une poignée de main et un traité de paix entre les antagonistes. Depuis lors sa cote de popularité, au plus bas dans les sondages en cette année électorale, avait grimpé jusqu'à dépasser son rival démocrate, donné vainqueur avant cette démonstration de savoir-faire international. A l'instar de Chamberlain en mille neuf cent trente-huit, il était rentré triomphalement à Washington, l'opinion américaine redoutant comme la peste un conflit dans cette zone économiquement privilégiée. Pantalonnade évidemment, puisqu'il n'avait jamais été question de guerre entre l'Islam et la Confédération. Mais Palmer était un naïf aux idées courtes et simplistes ; il ne comprenait rien à ce qui se passait hors des States. La volonté d'apaisement affichée par Francis Maillard ressortissait davantage aux troubles internes qui croissaient de jour en jour qu'à un désir sincère de revenir à la normalité. De fait, les manifestations pacifiques se succédaient, le pouvoir était impuissant à les contrer, car soit il usait de la force et démontrait que la Confédération était bien un état totalitaire, soit il laissait faire, mais alors il muselait de moins en moins une population qui verrait dans cette apathie un aveu de faiblesse. En quelques semaines, le nombre d'utilisateurs connectés à Crossworld avait quadruplé, les messages de la résistance passant par son réseau. Pour endiguer l'hémorragie libertaire, le gouvernement multipliait les déclarations lénifiantes ; même l'exode des Arabes avait été interrompu. Le scandale des camps de ralliement cerclés de barbelés et de miradors avait provoqué une vague de protestations de la part des nations libres. Le tollé s'était encore amplifié quand un cameraman de la *NBC* avait réussi à filmer clandestinement des visages tuméfiés, des corps torturés, des enfants en larmes, des femmes hébétées. Ces images avaient fait le tour de planète. On commençait à murmurer que le nouveau pouvoir préparait un génocide. Les camps furent donc fermés, ses occupants libérés. La masse des Arabes avait reflué vers les villes ; vaille que vaille, ces malheureux, aidés par une partie de la population, avaient retrouvé à se loger et à se nourrir. Un fameux camouflet pour les va-t-en-croisade.

Sur le minuscule territoire indépendant du Vatican, l'Église visible se réduisait aux apparitions du cardinal Dezza et de quelques cardinaux de la curie. En léthargie, l'Église retenait son souffle. La plupart des membres du Sacré Collège avaient pris leurs distances à l'égard de la clique de Dezza et des nouveaux apparatchiks de la Confédération ; les uns, par opportunisme, les autres, par conviction intime qu'il y avait quelque chose de pourri. Confiné dans son bureau au deuxième étage du palais du Saint-Office, le cardinal Videgarai demeurait invisible. Certaines rumeurs, rapidement démenties, avaient fait état de son arrestation. Depuis les événements de février, tant les fidèles que les non-croyants mettaient de grands espoirs en lui. Cependant, sa passivité présente décevait. Pourquoi n'avait-il pas réagi lors de l'instauration de la dictature ? Pourquoi se taisait-il ? Avait-il peur ? Qu'étaient devenus les héros du Hofburg ? Ce qui amenait une question plus large : qui avait kidnappé le Pape ? Ce n'étaient pas les islamistes puisque la paix était intervenue. Alors qui ?

Le plus déroutant, c'est que l'enlèvement de Jean XXIV n'avait toujours pas été revendiqué. L'enquête s'enlisait. En réalité, elle était au point mort, les différentes cellules du BERC se neutralisant mutuellement. Des instructions contradictoires brouillaient les pistes. On avait appréhendé des truands qu'on avait ensuite relâchés, faute de preuves. La Camorra avait informé l'opinion qu'elle n'y était pour rien. Apparemment, la guerre des polices arrangeait bien les ravisseurs. En aparté, on se demandait s'il existait une volonté réelle de retrouver le Saint-Père.

En ce jour de Pâques, l'instinct de vie subsistait en fragile équilibre avec l'instinct de mort. Le découragement cédait à l'espoir ; le message de la résurrection s'effaçait devant les ténèbres du Vendredi saint.

Abbaye de l'Immaculata
Journal secret du frère Enzo
Mardi 14 avril 2020
Deux heures après le couvre-feu

Alleluia ! Gino est venu le jour de Pâques. Quelle joie de retrouver ce frère si proche et si lointain. Il fait partie de mes racines. Avec le temps, le besoin d'un retour aux sources se fait plus impérieux, sorte d'antidote à la mort. Autant nous étions peu intimes pendant notre enfance – il était le grand que j'admirais et dont je me méfiais à la fois – autant aujourd'hui je reconstruis notre passé commun. Avec l'âge, on clarifie son histoire en la découpant en séquences. Ainsi j'enlumine de dorures chaque souvenir d'un contact privilégié avec lui. Galerie de tableaux. Je me souviens de mon bonheur, le jour où rentrant d'un séjour aux États-Unis, il m'avait offert une casquette de Top Gun. Ou encore quand incidemment il se penchait sur mon épaule afin de m'aider à résoudre d'infernaux problèmes de géométrie. Plût au ciel que j'eusse davantage profité de sa présence ! Certes la mort de nos parents nous rapprocha, mais cet embryon de familiarité ne dépassa pas les limites de notre chagrin. Je n'ai jamais rien su de lui, ses rêves, ses amours, ses problèmes. Nous cheminions sur deux voies parallèles. Ce n'est que beaucoup plus tard, lorsque je fus moine, qu'il se dévoila quelque peu. Alors que j'étais à l'Immaculata depuis plusieurs années, il m'interrogea sur les motivations de ma vocation. De fil en aiguille, il entrouvrit les portes de sa vie. J'ai aperçu un homme sans complexes, dépourvu de la morbide angoisse métaphysique qui m'a régulièrement rogné les ailes. J'ai dépassé alors le stade de l'admiration pour en arriver à une amitié naissante. Nous sommes devenus complices et, comme je l'ai déjà écrit, il a contribué à me rendre le bagne supportable. Cher Gino, tu es parti depuis deux jours, tu me manques.

Dimanche après-midi, nous avons déambulé dans les bois de l'abbaye, au cœur d'une végétation en pleine exubérance. De petite taille, Gino accuse une cinquantaine de viveur. Poil gris et broussailleux, visage couperosé, regard espiègle aux aguets de l'insolite, bajoues flasques, lèvres épaisses, menton lourd. Il arbore un jubilant embonpoint. Depuis sa visite précédente, voici neuf mois, il m'est apparu plus vieux que sur l'écran du pictophone. Par ailleurs,

246

son rire tonitruant, son verbe fleuri, ses gauloiseries corrigent son aspect délabré. Mon frère exhale la jeunesse éternelle et la confiance indéfectible en la vie. Paradoxe : l'athée respire la paix, tandis que le croyant pantelle entre deux abîmes. Quand l'un ricane, l'autre rit et les rires sont les cantates des jeunes. Le vieux, c'est moi, son puîné de plus de dix ans. Devant un étang glauque où trônaient deux cygnes noirs, je lui ai glissé la lettre dans laquelle j'avais consigné mes observations et mes inquiétudes. Il l'a parcourue rapidement puis l'a empochée. Il m'a demandé si Leonardo était connecté à Crossworld. Je lui répondis par l'affirmative. « Alors pas de problèmes, petit frère : via le réseau nous entrerons dans la caverne d'Ali Baba. Quelle clé ouvre la porte de ton salopard ? » « L'empreinte de son pouce : on est dans un monastère. Le silence est de rigueur, même pour l'Abbé. Donc, pas la voix », ai-je répliqué, certain que cette précision constituerait un obstacle insurmontable à toute forme d'effraction. Il éclata de rire. « Rien ne résiste à l'informatique, Franco. Pas même les coffres de fort Knox. » Ensuite, avec une patience infinie, il a expliqué à l'ignare que je suis comment il s'y prendrait. Quelques heures ou quelques jours de recherches. Question de chance. Lorsqu'il aurait trouvé le code d'accès, il en transmettrait les données à un « polycom [1] » qu'il me ferait parvenir. Dès que je serais devant la citadelle de Barracuda, grâce à ce gadget sophistiqué, je communiquerais avec lui et ouvrirais la porte. Pas plus chinois que cela. En ce qui concerne le souterrain, une fois dans la place, de chez lui, par image virtuelle, il sonderait les murs et repérerait son emplacement, dont il était probable que l'entrée obéisse aux mêmes mécanismes. Toutes les éventuelles défenses seraient forcées semblablement. Cette brillante démonstration des miracles de l'électronique me laissa pantois. Gino se moqua gentiment de mon air sidéré. « Comme tu le constates, petit frère, les voies de Dieu ne sont pas impénétrables. » « Mais, lui ai-je rétorqué, comment me dépêcheras-tu ce précieux sésame ? Une deuxième visite de ta part en un aussi court laps de temps serait mal venue. Tu connais les règles en vigueur ici. » J'esquissai un geste en direction de la masse austère de l'abbaye en citant l'Évangile : « Voici ma mère, voici mes frères. » Son hilarité résonna dans les frondaisons. Les deux cygnes effrayés s'envolèrent dans un bruissement d'ailes. « Je vis actuel-

---

1. *Note de l'auteur* : Un « Polycom » est un gadget électronique aux fonctions multiples. Ici, il sert visiblement à communiquer et ouvrir la porte de Leonardo.

lement avec une petite amie qui, comme une majorité de femmes, oscille entre les extases érotiques et les effusions mystiques. Une journée de recueillement dans ta caserne n'aura rien pour lui déplaire. Cosima Ricardi te remettra le viatique. J'espère que mon existence dissolue ne scandalise pas ton âme innocente ? » Je posai la main sur son bras. « Tu ne me scandalises nullement, Gino. C'est toi qui as la meilleure part. Tu es vivant et moi, à demi mort. » Il m'a dévisagé avec émotion en murmurant : « Personne ne sait qui a la meilleure part, petit frère. Je me suis souvent gaussé de toi parce que je ne comprends rien à... ta vocation. Tu ne comprends rien à l'informatique, je suis opaque au spirituel. Peut-être nous complétons-nous ? » Gino n'est guère enclin aux épanchements sentimentaux. Aussi se reprit-il, en changeant de sujet. « Si je saisis bien, tu es persuadé que tu trouveras la clé des mystères dans le souterrain de ton Abbé. Si c'était le cas, sois prudent. Parce que si Leonardo est bien l'arsouille que tu décris, tu cours un danger réel en te lançant dans cette expédition. » Je lui ai répondu : « Tu as entièrement raison, mais, des tréfonds de mon être, une voix me dicte cette conduite. J'éprouve le très net pressentiment que l'enjeu est capital. Comme toujours, j'ignore ce que je cherche, mais je sais qu'il y a quelque chose à trouver. » A son tour d'être impressionné. Il repartit avec une profondeur que je ne lui connaissais pas : « Chercherais-tu ce que nous cherchons tous ? Qui sait, Franco, tu es peut-être plus près du but que tu ne le penses. Moi non plus, je n'ai jamais très bien su ce que je cherchais, mais, au contraire de toi, j'ai éludé la question en m'enivrant d'action, de fric, d'ambitions professionnelles, de liaisons passagères, de grandes bouffes, de courses échevelées. Au fond, ce que j'en dis n'est pas exact : j'ai toujours considéré qu'il n'y avait rien à chercher d'autre que du concret. Je n'envisage jamais l'échéance de la mort. Se préoccupe-t-on du néant ? Et pourtant il me guette. » Il avait désigné la place de son cœur. J'en fus tout remué. « Tu n'es pas malade ? » fis-je. « Non, pas vraiment, mais mon médecin m'a averti : si je continue à boire, m'empiffrer, bosser, baiser comme je le fais, la machine finira par rendre l'âme. Rendre l'âme. A qui ? Je te le demande. » Fier de sa pirouette, il éclata de rire. Ainsi est Gino tel qu'en lui-même, pudique et vrai. Je ne tenterai jamais rien pour le convertir. Si Dieu existe, il l'accueillera dans son paradis comme on reçoit un prince. Car c'est un seigneur, mon frère. Qu'il aille son chemin au gré de sa nature joyeuse et il atteindra le Graal. Il existe autant d'itinéraires que d'humains.

Après cette halte rafraîchissante devant l'étang, nous avons poursuivi notre promenade en empruntant une allée bordée de pins. Une idée me vint soudain : « Si tu parviens à entrer dans l'ordinateur de Leonardo, ne pourrais-tu inventorier son courrier, sa comptabilité ? » Il réfléchit un court instant. « C'est faisable, mais si ton Leonardo a des choses à cacher, il sait comme n'importe quel novice en informatique qu'un petit malin pourrait pénétrer son système. Il a certainement pris ses précautions, je te promets d'essayer. » J'objectai : « Mais dans ce cas, l'ouverture de ses appartements n'est-elle pas également inaccessible ? » « Non, petit frère, et cela pour deux raisons : la première, c'est qu'il ne lui est certainement pas venu à l'esprit qu'un bon moine tente ce petit exploit ; en second lieu, pour entrer chez lui, il a besoin de son système de sécurité. » Il se tut. Je voyais bien que quelque chose le tracassait. Lorsque nous avons bifurqué, au bout de l'allée, vers le cimetière, il s'est tourné vers moi, le visage grave. « Crois-tu vraiment comme tu l'indiques dans ta lettre, qu'il existe un rapport entre les activités de l'Abbé et les récents événements ? » Je lui ai répondu sans hésiter, d'instinct : « Oui. Mais quant à te dire lequel, c'est une autre paire de manches. » Il hocha la tête comme s'il prenait soudain conscience de la partie qui se jouait. « Tu peux compter sur moi comme sur toi-même. » « Il y a encore autre chose, lui dis-je. Je voudrais faire parvenir une lettre au cardinal Videgarai. Mais je ne suis pas encore en mesure d'étayer mes soupçons par des preuves. J'ai besoin d'un peu de temps. Lorsque je serai prêt, je te pictophonerai sous prétexte de m'enquérir de ta santé. Il conviendra alors que tu m'envoies quelqu'un pour réceptionner mon courrier. » « La personne que je t'adresserai, qui ne pourra plus être Cosima évidemment, fera comme si elle venait assister à une messe conventuelle. Je porterai moi-même ta lettre au Vatican ; je ne la lâcherai qu'en présence du Cardinal. » Je le remerciai chaleureusement. Après ce bol d'air, nous goûtâmes à l'hôtellerie. Quand il s'en alla, nous avions tous les deux le cœur gros. Jamais je ne m'étais senti aussi proche de mon frère.

Si j'ai relaté cette rencontre dans le détail, c'est pour n'en perdre aucun mot, pour en conserver la mémoire à jamais. Il m'a fallu deux jours pour m'y mettre, tant j'avais été secoué par ce que nous avions partagé. J'ai attendu que mon émotion s'apaise afin que, l'esprit clair, j'en fasse une narration objective. Quel contraste entre ma Pâque et celle des pauvres gens qui croupissent sous la férule d'un dictateur. En ce qui me concerne, l'absolutisme, je connais.

Quand tout sera terminé, il s'avérera que l'oppression aura été déterminante dans l'accomplissement de mon destin. L'âme au bain-marie dans le potage ecclésiastique, privé de liberté physique, miroir aux alouettes de bien des prétentions humaines, j'ai été acculé à me construire de l'intérieur sans disposer d'une boussole axiologique pour m'orienter. Longtemps j'ai séjourné dans une bulle aux contours délimités, m'adonnant à l'introspection et à la dérision. Quelle acrobatie pour s'extraire de soi. Mais c'est fait : la bulle a crevé. Mon âme s'éparpille dans toutes les directions, enfin disponible. Sans la contrainte extérieure, jamais je ne serais sorti de mon tombeau. Ma nouvelle condition entraîne des responsabilités ; en pleine lumière, impossible d'éluder l'essentiel et les faux-fuyants légitimant la procrastination de ma conversion sont inacceptables. L'aujourd'hui de Dieu ne supporte pas les délais. Je ne puis même plus alléguer l'ignorance aux fins de justifier mes faiblesses. Je sais. Pâques ! Il me l'avait promis, mais quel vertige ! J'ai enfin obtenu ce à quoi mon âme aspirait. *Resurrexit sicit dixit, resurgo sicut dixit.* Tout est signe et aucun signe n'est innocent. « *Rabbouni* », une fois le maître reconnu, il est urgent de l'annoncer. Tout ce qui a reçu cette grâce se trouve enceint d'un cinquième évangile. Malgré ma peur, je devine comment je dois l'écrire. Et cette lucidité me terrorise. Cependant, si je reculais maintenant, je galvauderais mon talent comme un mauvais serviteur. Ma Pentecôte est arrivée. Dehors, Franco ! Ouste ! Va proclamer la bonne nouvelle.

La fête de la résurrection s'est déroulée sans surprise apparente. Leonardo a mis l'accent sur la Passion, passage obligé vers le renouveau. Au sens large, il n'a pas tort, mais ses arrière-pensées n'ont plus de secret pour moi. Je voudrais ne plus le haïr, seulement le plaindre en le combattant. Une fois l'énigme du sphinx déchiffrée, il perd sa raison d'être. Dimanche soir, à la sortie du réfectoire, il m'attendait, les bras enfoncés dans ses manches. « Comment se porte votre frère ? » m'a-t-il demandé, son regard d'inquisiteur en promesse de bûcher jurant avec le ton patelin de sa question. « Sa santé me cause du souci, Révérend Père Abbé. » « Morale ou physique ? » a-t-il poursuivi. « Ne souhaitait-il pas se confesser ? » Comme de juste, le fidèle Gildas avait fait son rapport. « L'âme et le corps sont atteints, Révérend Père Abbé. N'étant pas médecin, je n'ai pu lui apporter que les secours de notre religion. » « Ce sont les plus efficaces, frère Enzo. Votre frère est ingénieur, n'est-ce pas ? (aïe !) Les ingénieurs sont souvent des

êtres prosaïques et agnostiques. Les victoires de la science les enorgueillissent, au point de les rendre, à leur insu, complices des perversions diaboliques. Votre frère est un *homo mundo crucifixus*. »
Je lui aurais volontiers collé ma main dans la figure. Je pensai :
« Mon cher Gino est un larron, tu n'es qu'un sépulcre blanchi, il sera avant toi au paradis. » Ravalant ma colère, très marmelade d'oranges, je fis dans le suave. « Hélas, ai-je miaulé, votre analyse est ô combien pertinente, Révérend Père Abbé. Mais je ne désespère pas de l'élever. » « Pour élever les âmes médiocres, il convient d'abord de les inquiéter. » Petit silence. « Son état de santé précaire ne l'empêche pas de rire aux éclats. » Il nous avait donc fait espionner, le judas. S'il savait ce que je manigance avec Gino. « C'est sa manière de se conforter, Révérend Père Abbé. » « Le rire est indécent pour un pécheur. C'est une forme d'insulte au Seigneur. Rien ne prête à rire dans l'Évangile. Jésus lui-même n'a jamais ri. » Je l'ai remercié avec effusion de l'intérêt qu'il manifestait à l'égard de mon aîné. Intérêt, ai-je écrit de manière réflexe. Avant de disparaître dans la pénombre du couloir, il m'a avisé d'un œil soupçonneux. « Votre cher (tiens !) frère n'a-t-il rien laissé pour nos œuvres ? » Je l'attendais, celle-là. Cette recrudescence d'amabilité était l'indice de sa rapacité. « Il m'a remis cette enveloppe, Révérend Père Abbé. J'ignore ce qu'elle contient » (tu parles ! il s'était fendu de cinq mille euros, mon habile frangin. Au moyen de ce « pot d'eau bénite », il achetait la bienveillance du sagouin à mon encontre). Sans pudeur aucune, il en avait vérifié le contenu devant moi. Un sourire démasqua sa denture carnassière. « Votre frère Gino, c'est bien ainsi qu'il s'appelle (voilà qu'il a tout d'un coup un prénom), malgré qu'il vive dans le péché, est un homme généreux. Le Seigneur lui en saura gré. Je prierai pour le salut de son âme. » (Son âme se porte mieux que la tienne, fesse-mathieu. C'est sa santé qui m'inquiète.) J'ai gardé pour mon usage personnel le whisky, les chocolats, les romans et le... tabac qu'il m'avait refilés en douce. Trésor déjà dissimulé, bien évidemment.

Depuis que je suis hôtelier, j'ai constitué un dossier d'articles de journaux et de photos. L'air de rien, je les ai montrés à Amadeo. Il a aussitôt reconnu Maillard, von Armsberg, plusieurs ministres, le directeur d'*Ora Undecima* et quelques autres. « Ces personnes sont passées à l'Immaculata ; certaines à plusieurs reprises. » « Lesquelles ? » Je frémissais d'énervement. Il désigna von Armsberg, Maillard, le ministre de l'Intérieur et le directeur d'*Ora Undecima*. « En quoi cela vous intéresse-t-il, frère Enzo ? » Amadeo est un être simple. Pour lui, le mal est théorique. On lui volerait sa bure qu'il y verrait une aimable plaisanterie. A regret, je lui cachai la vérité. « Petite vérification en vue de faire quelques statistiques. » « Mais vous n'ignorez pas combien notre Père Abbé tient à ce que ces visiteurs-là ne soient pas recensés. Ce sont des visiteurs personnels, m'a-t-il toujours affirmé, qui n'ont rien à voir avec l'activité hôtelière. » « Je suis au courant, frère Amadeo. Cependant, il n'est pas inutile de faire un relevé des repas et des nuitées. » Amadeo sourit. « J'admire votre zèle, frère Enzo. » Ensuite, ce naïf murmura alors même qu'il n'y avait personne pour surprendre notre conversation : « Soyez discret. J'ai toujours été convaincu que ces personnages importants ne venaient pas à l'abbaye animés par des préoccupations spirituelles. » Sans m'en dire davantage, il s'en est allé, la mine soucieuse. Confirmation éclatante de mes soupçons. Ces représentants du gotha sont liés au coup d'État. Barracuda aussi. Je serai bientôt en mesure d'envoyer un dossier complet au cardinal Videgarai.

Cette période pascale est fertile en informations. Ma conviction se renforce de jour en jour. Désormais je ne suis plus seul. Gino et... Dieu sont à mes côtés. Tout ce qui n'est pas partagé demeure improductif.

La lecture des quotidiens est édifiante. Tout va bien. Le présent est une chance pour la Confédération. Le moindre pet du général Maillard est commenté avec des onomatopées dithyrambiques. La censure règne. Cependant, en lisant entre les lignes, on devine que tout n'est pas rose. Il y aurait comme des terroristes, des réactionnaires, réprimés bien sûr avec la plus grande sévérité. Mais cela signifie « résistance ». L'avenir radieux des putschistes s'assombrirait-il déjà ? Le culot de ce cardinal Dezza d'avoir voulu singer le Pape. On évoque une foule immense assistant à sa bénédiction. Cela m'étonnerait fort. Je m'interroge sur le rôle que joue le Vatican. A grand renfort de publicité, on annonce pour dimanche prochain, à Paris, un rassemblement des jeunesses européennes organisé par le PNE. Le cardinal Pelligrini présiderait la manifestation. On se croirait revenu à Nuremberg en trente-trois.

Je me régale des pralines à la liqueur de Gino. Quelle merveille ! En cette époque de restrictions, ces douceurs ont dû lui coûter un maximum. Brave Gino. Frère aimé. Une bouffée de tendresse gonfle mon cœur. Pour peu, j'en pleurerais. Comme il serait agréable de me prélasser dans son salon tamisé par une lumière indirecte, sirotant une grappa devant un feu de bois, sa Cosima virevoltant autour de nous comme un papillon des îles, un labrador nous contemplant d'un regard affectueux. C'est curieux, je n'imagine jamais le bonheur sans la présence d'une femme, d'un enfant, d'un chien. A propos d'enfants, j'ignore si Gino a souhaité en avoir. Mais il faut que je me reprenne : ma datcha, à moi, est intérieure.

Mon interrogation sur mon rôle persiste. Soudaine inspiration, comme un écho à mon embarras. C'est incroyable, mais j'éprouve Sa Présence. Je suis un précurseur, me susurre-t-il. Un aplanisseur de chemins. Une voix qui crie dans le désert. C'est plaisant, merci. L'autre a laissé sa tête sur le plateau d'Hérodiade. Bon. Admettons. Puisqu'Il le dit. Mais précurseur de qui, de quoi ? Attention, Franco, ne te prends pas pour Moïse, sinon tu n'entreras pas dans la terre promise. En toute hypothèse, un précurseur ne participe pas au grand soir. Brrr ! Il a beau dire, mais il m'affole. « Un autre nouera ta ceinture qui te conduira là où tu ne veux pas aller. » En plein dans le mille. Il n'est donc pas possible d'être bêtement heureux dans ce monde. Seigneur, tu es un emmerdeur, un lèse-félicité. Je me sentais si bien il y a quelques jours lorsque, pour la première fois de ma vie, tu m'as invité à rompre le pain avec toi. Comme chez les bourgeois, les convenances m'imposent de t'inviter à ton tour. C'est fatal. Va pour précurseur. Mais je proteste. Tu m'as laissé sur le banc pendant vingt ans et tu me lances dans le match quand l'équipe perd cinq à zéro. Tu me mets au défi de marquer six fois. Je dois me taire. Simplement me laisser faire. « Un autre... » Amen ! Fiat !

« Que bondisse, joyeuse, la foule des anges dans le ciel ! Que se fassent joyeux les mystères divins ! » Cocasse ! Mon trouble s'est dissipé. Saint Jean de la Croix : « Pour venir à savoir tout, ne veuillez rien savoir en aucune chose... Ne veuillez avoir goût en chose quelconque. Pour parvenir à ce que vous ne goûtez, il faut aller par où vous ne goûtez. » Je n'avais jamais rien compris au sabir du mystique espagnol. Aujourd'hui, c'est clair. Il avait prévu ce qui m'advient, Juan de la Cruz. Pour que les mystères divins soient « joyeux », il convient que les serviteurs s'affairent à l'office. *Todo, nada. Exultet* quand même.

Il est très tard. Par ma fenêtre ouverte entrent les senteurs du printemps, plus fortes que l'arôme du tabac. Bizarre ! Encore ce vrombissement d'hélicoptère. Comme je ne suis pas certain d'arracher quelques lambeaux de sommeil, je veillerai et je prierai jusqu'à matines. Précurseur ! Mais pour qui me prend-Il.

Bel après-midi. La nature s'exaltait en douceur sous la caresse du printemps. Juchés sur un escarpement rocheux d'où la vue s'étendait jusqu'aux eaux vert émeraude du lago di Braies, Remio et Giannalia, la main dans la main, défaillaient devant la beauté pure de ce paysage immobile. A droite et à gauche, des pinèdes ; à leurs pieds, agrémentée de plaques de neige rutilantes, une raide pente rocailleuse dégringolant par saccades jusqu'à la vallée émaillée de prairies en fleur. Plus haut, derrière eux, le monastère Sainte-Anne, caché par une abondante végétation. Plus élevée encore, à deux mille huit cents mètres, la masse sévère de la Croda di Becco. Au loin, d'autres montagnes. Immensité silencieuse voilée par une vapeur légère. Un aigle royal patrouillait dans le ciel. Trois semaines déjà qu'ils nichaient sur ce sommet. Ils avaient beau éplucher les petites annonces du *Corriere*, ils n'y avaient pas découvert plus de message que de noyau dans une pomme. S'ils avaient eu tout le loisir d'explorer leurs corps et leurs âmes, de mesurer l'intensité de leurs sentiments, Remio de peindre des aquarelles, Giannalia de le regarder faire, ils se faisaient du souci pour Aurelio, qui tournait en rond comme un singe en cage. Le Commissaire était un citadin que les grands espaces déprimaient. S'il avait réussi à donner le change pendant quelques jours, le temps passant, son moral s'était lentement dégradé. Malgré la gentillesse des moines, les attentions de ses amis, il sombrait dans la mélancolie. Plus rien ne lui agréait, ni les blagues de Remio, ni les livres, ni les balades, ni les bons repas, ni même les petits verres du soir. Rien à quoi il pût raccrocher son âme en déroute. Ils étaient conscients que l'épanouissement de leur amour aigrissait encore davantage son humeur ; non qu'il fût jaloux, mais leur bonheur excluait le monde entier de leur intimité récente. Lors d'une veillée, Remio, le cœur en apesanteur amoureuse, avait soupiré : « Je passerais bien le reste de ma vie dans cet éden », Aurelio avait renversé sa chaise et était sorti en claquant la porte. Depuis cet incident, ils évitaient d'étaler devant lui leur joie d'être ensemble. Mais comment se conduire quand l'allégresse fuse par tous les pores ? Leur passion débordait de leurs regards, de leurs silences, voire de leurs propos les plus anodins. Tous deux adoraient Aurelio et ils ne savaient comment le secourir dans sa détresse. L'abbé Simon, consulté, avait promis de contacter le Cardinal, mais étant donné les circonstances, cela prendrait du temps. Leur inquiétude était d'autant plus vive que le Commissaire ne se montrait plus. Claustré dans sa cellule, il refusait visites et nourriture. La solution eût été de le rapatrier dare-dare dans son univers familier. Mais, à Rome, il était indésirable. A peine débarqué, il se retrouverait en prison. Au pire, il subirait le sort de Mancini. Tout avait été tenté pour le distraire et le soigner. L'herboriste lui préparait des décoctions ravigotantes, le bibliothécaire l'encourageait à se mettre à l'étude des hiéroglyphes. Rien n'y faisait. Aurelio Graziani avait perdu le goût de vivre. Remio avait eu beau le raisonner, lui rappeler le but qu'ils poursuivaient, l'importance qu'ils représentaient aux yeux de son oncle. Seuls des mots amers et désabusés récompensèrent son effort : « Je me moque du Cardinal », « La paix et la sérénité m'ennuient. » « C'est râpé. » « Je suis bon à rien » et le reste à l'avenant.

– Tu ne crois pas qu'une solide engueulade serait plus efficace que le fait de le plaindre et le dorloter ? Il nous fait du chantage, Aurelio.

Giannalia s'énervait, incisive.

– Facile à dire, ma fleur. Nous baignons dans la joie, il se morfond dans le marasme. Il est seul, nous sommes complices. Tu peux toujours essayer. Tu vois, ce qu'il lui faudrait, c'est une mission. Mais laquelle ? Nous sommes bloqués. Nous, à Sainte-Anne, mon oncle, à Rome. Bon ! D'accord, va pour l'engueulade.

Après une ultime étreinte, ils regagnèrent le monastère par un chemin montueux. Sans perdre une seconde, Giannalia alla frapper à la porte d'Aurelio. N'obtenant pas de réponse, elle entra franc battant. L'écho de ses vociférations parvint jusqu'à la chapelle. Les moines, des vieux, peu habitués aux éclats de voix, se regardèrent, effarés. Bientôt s'élevèrent, frénétiques, les imprécations du Commissaire. Un duo digne des plus belles scènes de ménage. Remio, se tenant à l'affût, se réjouit de la riposte. « Quand on s'époumone, c'est qu'on est vivant », songea-t-il. Et de fait, quelques instants plus tard, ils apparurent non sans continuer à s'invectiver. En dépassant son ami, Graziani aboya : « Une fameuse enquiquineuse, ta copine. Non mais, pour qui se prend-elle ? » Mais, victoire, il lui adressa un clin d'œil.

Ce soir-là, ils banquetèrent et picolèrent plus que de raison. Aurelio se paya une crise de larmes tout en évacuant le trop-plein de son cœur. Ils eurent droit au récit de son enfance malheureuse, de ses amours ratées, de son putain de métier. Une véritable cure. Vers minuit, après le coup de l'étrier, ils montèrent se coucher.

Remio rêvait. Il courait, éperdu, à travers une lande déserte à la recherche de son adorée. Il se réveilla, affolé. Ouf ! Ce n'était qu'un cauchemar. Elle dormait, lovée contre lui. Après cette soirée épique, ils s'étaient aimés comme des fous. Remio eut soudain l'impression d'une présence. Cette fois, il ne rêvait pas. L'abbé Simon se tenait devant eux. « Que se passe-t-il ? » articula-t-il d'une voix pâteuse. Sans avoir l'air étonné de trouver Giannalia dans son lit, l'Abbé murmura : « J'ai entendu un bruit d'hélicoptère. » « Un hélicoptère ? » L'information l'atteignit comme une balle. Remio se redressa d'un bond. Il secoua Giannalia. « Réveille-toi, ma chérie. Vite. » Ils se précipitèrent dans la cellule d'Aurelio dont les ronflements s'interrompirent dès que Remio posa la main sur son épaule. « Un hélicoptère, Aurelio ! » « Quoi ! Qu'est-ce que tu racontes ? » Ils s'habillèrent en toute hâte, saisirent leurs armes et suivirent l'Abbé.

Nuit d'encre. L'abbé Simon entrouvrit une fenêtre du premier étage. Odeur de pins. Pas le moindre son n'émanait des alentours. Aurelio chuchota : « Combien de temps depuis que vous avez entendu l'hélicoptère, mon Père ? » « Moins de dix minutes. Je n'ai pas souvenance d'un hélicoptère rôdant dans les parages », fit l'Abbé d'une voix à peine audible. « Je n'aime pas ça », dit Aurelio. « Où a-t-il pu se poser ? » « Il y a une pâture à cinq cents mètres sur notre gauche », répondit l'Abbé. A ce moment précis, ils perçurent un craquement de branche morte. Pas de doute, on approchait. Remio souffla au Commissaire : « Ne restons pas ici. Sortons pour les accueillir. » Giannalia tremblait de froid et de peur. « C'est dingue de sortir. On se jette dans la gueule du loup. » Remio lui prit la main. « Nous ne pouvons courir le risque de les voir pénétrer à l'intérieur du monastère. La vie des moines serait en danger. C'est nous qu'ils cherchent. » Ils enfilèrent leurs parkas et se glissèrent à l'extérieur par une petite porte que l'abbé Simon déverrouilla. « Que Dieu vous garde », fit-il en esquissant une bénédiction. Une fois dehors, ils se faufilèrent le long du mur. A l'angle du bâtiment principal, ils pivotèrent à droite, longeant une allée étroite, vers le terre-plein gravillonné précédant le portail d'entrée. N'osant s'aventurer plus avant, ils s'arrêtèrent, sondant la nuit opaque. Aurelio coula un œil en direction du terre-plein. Rien ne bougeait. Ils s'accroupirent, leurs cœurs battant la chamade. Pendant quelques instants encore, rien ne se produisit. Soudain, à quelques mètres devant eux, une silhouette sortit de la pinède. S'avançant avec mille précautions jusqu'au portail, l'ombre fit un signe et deux comparses émergèrent de la nuit. Aurelio chuchota : « Ce sont des professionnels, armés jusqu'aux dents. Ils portent des lunettes à infrarouges. Je vais tenter une diversion classique. » Il projeta le plus loin possible, au-delà du commando, une grosse pierre qui chut avec un bruit sourd dans les taillis. Les trois hommes s'immobilisèrent, puis avec un ensemble parfait, s'élancèrent dans la nature. Aurelio se redressa. « Foutons le camp. » Dos courbés afin d'éviter les branches basses des pins, ils s'enfoncèrent dans les bois. Malgré leurs efforts pour se faire les plus silencieux possibles, leur fuite ne passa pas inaperçue. La traque s'engagea. Ils progressèrent aussi rapidement que leur permettait le terrain accidenté. Quelques minutes plus tard, ils aperçurent l'hélicoptère. Aurelio maugréa : « Ah ! Si je savais piloter cet engin. » L'homme, en faction, mitraillette au poing, qui les avait entendus venir, pointa son arme dans leur direction. Sans hésiter, le Commissaire fit feu. L'homme tomba. A toute allure, ils franchirent l'espace découvert. Parvenus de l'autre côté, ils traversèrent un rideau d'arbres et se heurtèrent au mur d'enceinte de l'abbaye. Remio jura. « Trop haut ! Il doit bien y avoir un trou quelque part. » Ils obliquèrent à gauche en quête d'une anfractuosité. Un salut momentané s'offrit à eux sous la forme d'une grille rouillée. S'agrippant des deux mains aux barreaux, Aurelio la franchit en ahanant. Remio aida Giannalia à sauter l'obstacle ; à peine eut-elle touché le sol qu'il la rejoignait. « Si on les attendait ici ? fit Remio, on bénéficierait de l'effet de surprise. » « Trop risqué. Prenons plutôt du champ », répliqua le Commissaire. Ils se mirent à grimper la pente à travers un enchevêtrement de ronces, se retournant régulièrement pour mesurer la distance qui les séparait de leurs poursuivants. Cent mètres à vue de nez. Ils se trouvaient désormais dans leur collimateur. Une rafale, suivie d'une autre. Les balles sifflèrent au-dessus de leurs têtes. La pente s'accentuait. Giannalia était terrorisée. « Ils vont nous rattraper », gémissait-elle. Remio l'encourageait. « Courage, ma douce, on s'en sortira. Nous ne devons surtout pas nous affoler. » Au fond de lui-même, il savait que, faute d'un miracle, leur destin trouverait ici son terme. Il pensa à son oncle et, pratique inédite, pria dans son cœur : « Dieu, si Tu existes, délivre-nous de ces salauds. » La progression était lente et pénible. Leurs vêtements s'accrochaient aux épines. Ils atteignirent le couvert d'une forêt de conifères. Aurelio se retourna : « C'est l'occasion pour essayer de les semer. » L'épuisement commençait à les gagner. Giannalia se prit le pied dans une racine ; elle s'affala lourdement. « Zut ! Je crois bien que je me suis tordu le pied. » Remio la releva et la propulsa sans ménagement vers l'avant. La forêt s'épaississait. Les branches basses fouettaient leurs visages. Bientôt la déclivité devint telle qu'ils durent se tenir par la main et se haler mutuellement. Afin de dérouter leurs poursuivants, ils changeaient continuellement de direction. Profitant d'un faux plat, ils s'immobilisèrent, les sens en éveil. Ils perçurent distinctement des raclements de pieds. Manifestement, les tueurs avaient repris du terrain. Ils se déplaçaient à une cinquantaine de mètres en contrebas. La panique accéléra leurs pas jusqu'à un piton rocheux qui découpait un espace plus clair dans l'obscurité. Titubant de fatigue, Aurelio et Giannalia étaient au bord de l'effondrement. Ils respiraient de plus en plus difficilement. Avant peu, ils ne pourraient plus mettre un pied devant l'autre. Allaient-ils mourir bêtement dans cette désolation ? Leurs armes étaient de peu d'utilité ; ils avaient affaire à des cibles invisibles tandis que leurs chasseurs les distinguaient comme en plein jour. Aurelio saisit le bras de Remio : « Continuez, vous deux. Je vais les attendre ici. Je les flinguerai comme au tir aux pipes. » « Tu es fou, Aurelio. Viens. Suis-moi. » « C'est foutu, Remio. C'est notre seule chance. Vas-y, emmène-la. Si j'échoue, tant pis, j'aurai au moins essayé. Foutez le camp, nom de Dieu ! » La mort dans l'âme, Remio emporta Giannalia qui, complètement abrutie, n'était plus consciente de rien.

Quelques minutes plus tard, une fusillade éclata. Elle cessa aussi soudainement qu'elle avait commencé. Un silence total étreignait la forêt. Un oiseau nocturne s'envola. Remio et Giannalia, figés, tendirent l'oreille, mais rien ne bougeait, comme s'il n'y avait qu'eux deux dans cet univers inhospitalier. Remio écarquillait les yeux. Aurelio avait dû leur régler leur compte ; il allait apparaître, goguenard, indestructible. Giannalia demanda d'une voix blanche : « C'était quoi ces coups de feu ? Où est Aurelio ? » Remio, la gorge nouée par l'angoisse, ne put prononcer une parole. Agrippant la main de son aimée, il entreprit une descente prudente. « Qu'est-ce qui te prend ? protesta-t-elle. On va se faire avoir. » Il s'entendit proférer. « Je pense que tout est terminé. Tu n'as plus rien à craindre. » Ils parvinrent au piton rocheux. Le Commissaire était bien là à l'endroit où ils l'avaient quitté. Allongé sur le dos, son « Andreotti » serré dans la main droite, une large tache rougeâtre souillant son parka. Il exhalait une respiration sifflante. Remio prit sa main. « Aurelio, vieux frère, tu ne vas pas nous faire ça. Tu es vivant. On va chercher du secours. » Il sanglotait. Aurelio les regarda tous les deux et fit un geste vers sa gauche : « Tu vois, l'ami, malgré que je sois myope, je les ai eus. » Remio se tourna vers la direction indiquée. Trois corps disséminés gisaient sur un tapis d'aiguilles. Giannalia, qui venait de comprendre ce qui s'était passé, tenait le buste du Commissaire enlacé. « Aurelio, Aurelio, je t'en supplie, ne meurs pas. Nous t'aimons tant. » Il la dévisagea avec tendresse : « Il en faut toujours un qui fasse le boulot. » Il émit un râle. Remio se pencha et l'entendit murmurer : « *Gli uccelli si nascondono per morire* [2]. » Un hoquet. Un flot de sang jaillit de sa bouche, sa tête s'inclina. Il expira dans un sourire. Remio lui ferma les yeux. Ils pleurèrent abondamment celui qui était parti en héros, sauvant leurs deux vies. Giannalia déposa un baiser sur les lèvres d'Aurelio Graziani. Ils demeurèrent à ses côtés sans réussir à détacher leurs regards de ce visage éclairé par la grâce.

L'abbé Simon, accompagné de quelques moines, émergea de la nuit. Anéantis par la douleur, Remio et Giannalia ne les avaient pas entendus venir. Les moines formèrent un cercle autour du corps sans vie. L'Abbé donna l'absolution *post mortem* et pria pour le repos de l'âme du Commissaire. Ensuite, avec maintes précautions, ils le soulevèrent et l'emportèrent. Avec un égal respect, les frères emmenèrent les dépouilles des trois tueurs. Le retour vers le monastère se fit au rythme des porteurs, les moines psalmodiant les prières des défunts.

Lorsqu'ils se retrouvèrent dans la chapelle, ils déposèrent les cinq corps sur des catafalques improvisés. L'abbé Simon prit Remio à part et lui parla avec douceur : « Je partage votre souffrance, mais nous sommes obligés d'aviser rapidement. Je dois prévenir la police. J'expliquerai que vous vous êtes enfuis après avoir abattu vos agresseurs. Nous devons donc enterrer votre ami cette nuit même dans le cimetière du monastère. A-t-il de la famille ? Une épouse ? Des enfants ? » Remio répondit tristement : « Non, mon père, il n'avait personne. Il vivait seul. Désespérément seul. » « Pauvre homme, soupira l'Abbé, nous le considérerons désormais comme l'un des nôtres. » « Il ne croyait pas en Dieu », ajouta Remio. « Qu'est-ce que croire en Dieu ? répondit l'Abbé. La foi n'est pas nécessairement explicite. Elle peut s'extérioriser comme

---

2. Les oiseaux se cachent pour mourir.

cela a été le cas pour le Commissaire, qui a offert sa vie. Croire en une cause est une manière de croire en Dieu et cela dit sans vouloir récupérer son acte héroïque. » Remio secoua la tête : « Il était au bout du rouleau. Son offrande, comme vous dites, mon Père, n'était peut-être qu'une forme de suicide ? » « Non, Remio, il a agi d'instinct, suivant l'élan de son être authentique, pour vous deux. Pas une seconde, soyez-en persuadés, il n'a pensé à lui-même. Vous avez vu son expression heureuse, c'était la physionomie d'un homme accompli, et non d'un réprouvé. » Remio opina : « Vous avez raison, mon Père, qu'il me pardonne mon opacité. » « Je comprends votre désarroi. Les hommes sont souvent déroutants. C'est leur grandeur et leur faiblesse. En oscillant entre les pleurs et l'enchantement, il arrive à certains d'entre eux d'entrevoir une issue vers l'absolu. » L'Abbé se tut un instant avant de continuer sans transition : « Nous assurerons votre sécurité. Vous vous cacherez, vous et votre amie, dans un réduit inaccessible. Le Cardinal m'avait fourni un mot de passe à lui communiquer en cas d'urgence. Il organisera votre départ de Sainte-Anne. » Remio acquiesça. Il dit encore d'une voix brisée par l'émotion : « Merci, mon Père. Merci pour tout. Je déraille. Il m'est difficile d'accepter la mort d'un ami si cher. » Il ne put poursuivre. Avec le dos de sa main, il essuya ses larmes. « Sanctifié par son sacrifice, votre ami est dorénavant votre intercesseur auprès du Seigneur. Je ne vous l'affirme pas en guise de consolation, mais parce que je crois que c'est la vérité. Rejoignez votre amie, elle a besoin de votre appui. Pour elle aussi, l'épreuve a été terrible. Après l'inhumation du commissaire Graziani, je vous montrerai l'endroit où vous pouvez vous cacher. »

Une heure plus tard, Aurelio reposait au milieu d'une couronne de moines qui avaient consacré leur existence à louer et servir Dieu. Sépulture digne de son courage. Remio et Giannalia lui dirent un au revoir déchirant.

La police ne tarda guère. Des inspecteurs en civil fouillèrent le monastère pour la forme, mais bien entendu, il ne trouvèrent que des religieux en oraison. Les explications de l'abbé Simon durent être convaincantes, car ils s'en allèrent rapidement, emportant les quatre cadavres et l'hélicoptère. L'Abbé commenta leur peu de zèle : « Ils avaient la conscience moins sereine que nous. Je suis convaincu qu'ils ne feront aucune publicité autour de ce carnage. Ils m'ont posé un minimum de questions comme s'ils étaient informés de la mission de ces hommes. Quand ils se sont enquis de votre présence à Sainte-Anne, j'ai déclaré que vous souhaitiez vous reposer. L'un d'entre eux a grommelé entre ses dents que vous étiez des individus dangereux, mais, d'un geste autoritaire, son chef l'a fait taire. Visiblement, cette enquête les embarrasse. Ils auraient pu m'accuser de recel de malfaiteurs, mais ils s'en sont abstenus pour une raison évidente : toute cette affaire est secrète. »

Sous l'haleine embaumée du soleil de midi, Remio et Giannalia se recueillaient devant l'humble tombe d'Aurelio. Leur peine s'était évaporée comme la brume du matin sous l'effet d'une chaleur estivale. Alors qu'ils étaient ravagés par le chagrin, quelques heures auparavant, une brise mystérieuse les avait enveloppés. Il leur semblait entendre Aurelio rire sous les voûtes de leurs âmes, d'un rire clair, joyeux, d'un rire d'enfant, pur comme l'éternité, un rire victorieux tel un défi à la barbarie, beau comme une espérance pour les obscurs passagers de la vie.

– C'est étrange, fit Giannalia, je sens comme une fête en moi. Sa mort n'est pas triste.

– Moi aussi, s'étonna Remio. Alors que je devrais être catastrophé, j'ai envie de danser. Aurelio est vivant, ma chérie, il nous fait partager son éblouissement. Sa dernière parole, « les oiseaux se cachent pour mourir », le signal promis par mon oncle, est un appel pressant à ne pas rompre, à ne céder ni à la peur ni au roulis.

Il hésita puis reprit :

– Mon oncle ! Tout se passe comme s'il avait eu la prémonition de ce qui est arrivé.

Mue par une impulsion soudaine, Giannalia se tourna vers lui :

– Quand tout sera fini, accepteras-tu de m'épouser, *caro mio* ?

Pour toute réponse, Remio l'étreignit longuement dans ses bras. Là-haut, dans le ciel, Aurelio battait des mains, en écho à leur amour.

Le lendemain, ils quittaient Sainte-Anne, dissimulés dans un camion transportant des produits maraîchers. On était le samedi 18 avril 2020.

VII

HOC EST ENIM CORPUS MEUM

Rome
Mardi 21 avril 2020

– *Espresso, Evarista, per favore !*
– *Subito, Fabricio.*
Evarista Conti, petit homme râblé, vigoureux, énergique, frisant la cinquantaine, gérait le « Garofano », une pizzeria vieillotte et feutrée, dans le quartier du Trastevere. A dix heures du matin, on n'y comptait que quelques clients, des habitués qui discutaillaient devant le bar. Conti affichait une mine impassible, sans autre signe distinctif que de la méfiance. Homosexuel, criminel repenti, il n'avait dû qu'à l'intervention du cardinal Videgarai de sortir de prison avant le terme de sa peine. Depuis cette libération inespérée, il s'était rangé, vouant une fidélité indéfectible à son protecteur. Si bien que celui-ci pouvait demander n'importe quoi à cet homme plein de ressources : il lui aurait réclamé un char d'assaut que Conti l'eût satisfait. Hier soir, Videgarai lui pictophonait. Il souhaitait réserver la salle de l'étage pour une réunion discrète avec des amis. Ils y prendraient leur repas de midi.
Janice pleurait, Hans Meyer cachait son visage avec ses mains, Giuseppe Cirrea serrait les poings, Nino Bontempi et Roberto Brancardi contenaient mal leur émotion, Claudio Cafarelli dodelinait de la tête, le Cardinal avait les larmes aux yeux. Giannalia mâchait nerveusement un chewing-gum, l'angoisse du cauchemar qu'ils avaient vécu revenait à mesure que Remio progressait dans son récit. Quand il eut terminé, un long silence succéda à l'évocation de la geste d'Aurelio. Remio temporisa quelque peu comme s'il ne trouvait pas les mots adéquats pour conclure :
– Nous avons alors senti très nettement sa présence en nous et compris qu'il était vivant. Plus vivant que chacun d'entre nous. C'est difficile à décrire, mais nous éprouvions moins le chagrin de l'avoir perdu que la joie de l'avoir retrouvé. Il s'était comme évadé, transporté dans un monde meilleur d'où il était revenu pour nous investir et nous confier que cela ne suffisait pas, une vie à la petite semaine, qu'il fallait exister avec une dimension supplémentaire, franchir un pas, animés par un désir suraigu de croître.
Le Cardinal dévisageait son neveu avec tendresse.
– C'est vrai que tu as changé, Remio.
– C'était radical, mon oncle. Tu n'ignores pas que j'étais plus

265

Eh bien !Au risqueJe vous garantisAu risqueAu risque

que circonspect à l'égard des bondieuseries. Eh bien ! Au risque de paraître naïf, Aurelio m'a retourné comme une crêpe.

– C'est ce qui s'est produit en moi aussi, confirma Giannalia qui avait retrouvé sa sérénité. Elle abonda dans le même sens que Remio :

– Je ne saisis toujours pas ce qui s'est réellement passé. Mais je vous garantis que nous n'avons pas été victimes d'hallucinations. En pareil cas, nous n'aurions pas vécu cette expérience en même temps. C'était... vertigineux...

Janice avait écouté, le rouge aux pommettes ; sa voix vibra :

– Ne vous excusez pas. Votre transfiguration est authentique. Ce n'était pas de l'autosuggestion. On s'en convainc rien qu'à vous regarder. Vous revenez de l'enfer et vous rayonnez. D'autres, en pareilles circonstances, seraient demeurés longtemps prostrés. Dans une moindre mesure, j'ai fait une expérience semblable. Une certitude non recherchée s'imposant soudainement à mon esprit comme si elle était évidente et n'attendait qu'un signal pour s'imposer.

Cafarelli approuva en secouant le chef.

– Moi aussi, j'ai eu pareillement l'âme chamboulée.

Il décocha un regard au Cardinal dont le visage avait recouvré sa tranquillité.

– Je vivais dans le péché comme on disait autrefois. Oui, j'ai une maîtresse. Je n'en avais pas honte... sauf devant lui.

Il désigna Videgarai qui souriait.

– Un jour, il s'est intéressé à moi sans pour autant me juger et...

Il eut l'air de celui qui s'efforce de se faire pardonner une incongruité.

– ... et comme saint Paul, je suis tombé de mon cheval. Foudroyé en pleine crise de désespoir. Quand je me suis relevé, j'étais un autre.

Il ajouta à l'adresse du Cardinal :

– Gina a accepté, il y a deux jours, Éminence. Nous allons nous marier. J'ai brûlé mes vaisseaux.

Le Cardinal accueillit la balbutiante profession de foi de son collaborateur comme une nouvelle espérée.

Le Jésuite Hans Meyer avait quarante-huit ans et paraissait déjà vieux. Ce religieux froid était un cérébral. Psychanalyste de formation, il avait été souvent frappé par les comportements pathologiques auxquels conduisait une certitude excessive. Il préférait ceux qui croyaient tout en adjoignant une apostille diététique à leur foi, un espace de doute qui se résumait en un « on verra bien ». Par ailleurs, la spiritualité de la Compagnie de Jésus n'encourage guère les débordements du cœur. Dans ses Exercices Spirituels, saint Ignace de Loyola désire certes amener ses disciples à être « *in actione comtemplativi* », mais le parcours du retraitant est balisé avec une telle méticulosité qu'il laisse peu de place aux folles embardées. Même la contemplation est organisée comme une fête de famille puritaine. Les révérends pères qui se posent en franciscains ne sont guère appréciés de leurs supérieurs. On les considère comme de doux rêveurs, inefficaces. L'efficacité est le maître mot de la formation jésuite. Un bon compagnon de Jésus est un « spirituel », c'est-à-dire un obéissant, actif, mortifié, homme de prière, malléable et personnel (personnel, il a droit à l'avant-dernier mot ; malléable, il s'incline *in fine*). Le discernement des esprits que favorise l'examen de conscience biquotidien est la clé de voûte de cette spiritualité. A la fin du siècle dernier, quelques-uns d'entre eux, dûment mandatés, s'engagèrent dans le mouvement charismatique parce qu'un Jésuite doit être de son époque et ne négliger aucune « terre » de mission, mais sans pour autant perdre de vue l'objectif prioritaire du rendement apostolique. Cependant, une porte s'était entrebâillée. Le manque de vocation aidant, on se montra plus coulant à l'égard des jeunes, une nouvelle génération naquit ; les plus stricts, qui auraient volontiers réendossé la soutane, cohabitaient avec les « atypiques », Jésuites P.D.G., cinéastes, barmen, S.D.F (gyrovagues), chanteurs pop, présentateurs à la télévision, amoureux. Hans Meyer était plutôt du genre classique. Il n'avait donc jamais été frappé par un coup de foudre unitif ni emporté par une extase sentimentale. Ce qu'il exprima d'une voix rauque :

– En ce qui me concerne, n'ayant aucune disposition pour la contemplation, je n'ai jamais ressenti ce que vous décrivez. Ma vie est grise comme la mer du Nord.

Il exhala un soupir triste :

– Une vie de tâcheron sans aspérité aucune. Le plat pays du serviteur fidèle. Si je me suis rangé à vos côtés, Éminence, c'est uniquement parce que je possède le sens de l'équité et que je hais le mensonge. Ma révocation comme directeur de l'*Osservatore* m'a conforté dans l'idée qu'il n'y a pas de justice, même dans l'Église ; des intérêts sordides mènent les hommes, y compris ceux qui devraient œuvrer au seul triomphe de la vérité. Il n'y a que des rouages de la justice. Pas de justice en elle-même. Tout dans l'Église est politique. Même les béatifications. Il y a toujours une intention cachée derrière ce qu'on proclame officiellement. Mon vœu d'obéissance m'a obligé à avaler nombre de couleuvres. Je n'ai donc jamais accédé à autre chose. Si cela avait été le cas, je me serais fait chartreux. A l'exception de quelques satisfactions intellectuelles, organiques ou sociales, de la joie amère du devoir accompli, qui sont de menus plaisirs, je pense pouvoir dire que le bonheur est pour moi une pure abstraction. Je n'ai donc que des intuitions. Envers et contre toutes les tempêtes, je survis sur mon radeau, en expectative ; peut-être aborderais-je un jour une terre ? Cependant, l'attente suffit-elle à nourrir une existence dite consacrée ? Consacrée à quoi ? Je l'avoue, j'envie ceux qui passent derrière le rideau. Je voudrais croire à leurs témoignages. Ce n'est pas que je mette leurs assertions en doute, mais ma déformation d'intellectuel critique m'empêche d'y adhérer. Néanmoins, Remio, votre expérience est indéniablement marquée du sceau de l'authenticité. Loin de moi la volonté de tenter de la banaliser, de la réduire à de l'émotionnel. Pardonnez mon scepticisme, ma lourdeur.

Il prononça ces derniers mots d'une voix empreinte d'une profonde affliction, son regard guettant anxieusement les réactions sur les visages qui l'entouraient. Il n'était visiblement pas homme à s'épancher. Sans doute fut-il surpris par ses confidences, inavouables en d'autres lieux. Bontempi, Cirrea et Brancardi affichaient des mines ahuries. Complètement dépassés par les événements, ils étaient imperméables à ces histoires d'âmes. Alors qu'ils avaient imaginé participer à un conseil de guerre, ils mijotaient en plein théodrame. Pas leur tasse de thé. Ils ne reconnaissaient plus Remio, le joyeux compagnon avec lequel ils avaient fait cent fois la bringue. Bien sûr, il avait trinqué, mais de là à ressusciter le brave Aurelio. Ils en étaient à ce point de leur stupéfaction lorsque le Cardinal, après un court silence, dit paisiblement :

– Cher père Meyer, la connaissance dépend de l'angle sous lequel on regarde une chose. Un fait anodin, un objet quelconque, un visage trivial, un mot usuel, un paysage, une fleur offrent des potentialités infinies de lecture. La plupart du temps, on se satisfait d'une interprétation, identique à celle du commun des mortels, une caricature du réel, parce qu'il est plus sécurisant de ne pas diverger de son voisin. Quand éventuellement se présente une disponibilité intérieure inaccoutumée – à l'occasion, par exemple, d'un profond sentiment d'insatisfaction – l'ordinaire apparaît soudain étrange, multiforme, et la sphère d'exploration du sens s'élargit. Il y a comme un trouble dans le champ de vision, on voit en relief. Une perspective à l'infini comme dans un jeu de miroirs. Généralement, cette illumination s'éteint aussi vite qu'elle s'est produite. Quand elle perdure, l'existence change : elle s'imprègne d'une épaisseur légère. Les paramètres imposés par l'habitude se dissipent devant l'incommensurable. La Pentecôte ! Rappelez-vous les réflexions des témoins de la métamorphose des apôtres : « Tous ces gens qui parlent ne sont-ils pas Galiléens ? c'est-à-dire identifiables. Ne disons-nous pas : " C'est un Américain " avec un air entendu ? C'est le regard que nous portons sur un objet, sur une personne qui les enrichit ou les appauvrit. Lorsque nous sommes admirés, cette reconnaissance d'autrui ne nous donne-t-elle pas des ailes ? Ne puisons-nous pas dans nos ressources en attente, afin d'être dignes de leur estime ? Et par la même occasion, ne découvrons-nous pas de l'insolite en nous-mêmes ? C'est ainsi qu'on acquiert la troisième dimension, comme tu disais, Remio. C'est la source de la poésie et de la mystique. »

Brancardi surprit tout le monde. Critique cinématographique, il était rodé à l'exégèse des scénarios les plus tordus. Les idées du Cardinal le fascinaient.

– Si je vous suis bien, Éminence, vous êtes en train de nous expliquer qui si on abandonne une conception rationaliste au profit de... l'intuition, on en apprend davantage ?

– Ce n'est pas une question d'instruction, Monsieur Brancardi, mais une affaire d'être. On n'apprend rien, simplement on devient ce qu'on est. Aussi longtemps que l'objet communique avec notre tête, il s'apprécie en fonction des critères limités de notre intelligence. Remio nous décrivait ce processus tout à l'heure. Sitôt que l'objet s'attarde dans notre cœur, il s'accroît. C'est une énigme passionnante. Pas étonnant, dès lors, que certains sages considèrent l'être humain comme dieu. Un dieu n'a ni commencement ni fin. Comme Empédocle, je pense que le semblable connaît le semblable. Aussi l'homme tissé d'infini est-il en mesure d'appréhender l'infini. Mais comme il est corporel, il a besoin de médiations. Ces médiations sont les objets que j'évoquais. Commencez par contempler la mer. Lorsqu'elle sera entrée en vous, vous saurez contempler les hommes. Une révélation se manifestera, celle du mystère. On passe d'un monde étale à un univers pluridimensionnel. Illuminé, on est en prise avec le mystère. Si on poursuit cette quête, on pressent que Dieu est ce mystère. Et on débouche sur la prière, verbe divin.

Brancardi insista :

– Mais pourquoi alors, Éminence, si peu d'entre nous accèdent à cette connaissance... mystique ? Je le déplore, mais ce terme m'a toujours rebuté comme si celui qui l'utilisait ignorait à quoi il s'appliquait et cherchait à éluder les problèmes. Quand on dit « C'est un mystère », on dit tout et rien.

La concentration était totale. Chacun, y compris Cirrea et Bontempi, prêtait une oreille attentive à ces propos jamais ouïs. Hans Meyer, en particulier, l'œil allumé, ne perdait pas un mot de ce qui se disait.

– Les hommes, cher monsieur, détestent être dérangés. La vie à la va-comme-je-te-pousse est plus confortable que la vie aux années-lumière. Et puis, ils ont des excuses, il y a tant de difficultés quotidiennes, d'épreuves, de heurts, de confusions, de frustrations, tant de priorités superficielles, mais indispensables, imposées par le milieu, par l'éducation. Ainsi, la faculté de voir à travers les choses est refusée à la plupart. La nature de chaque être demeure un arcane. Pourquoi celui-là est-il tel et cet autre différent ? Je n'ai pas de réponse. Beaucoup d'humains vont, suivant une erre qui leur a été imprimée par les hasards de leur situation, sans moyens pour conduire leur embarcation par eux-mêmes. C'est injuste. Je le sais. Cette impuissance justifie les prophètes, les saints, étoiles polaires à l'usage des navigateurs solitaires. Mais aujourd'hui le ciel est couvert, les repères sont invisibles.

Janice jubilait. Elle brûlait d'intervenir dans le débat.

– Comment interprétez-vous la mort d'Aurelio ?

– Aurelio est mort en parlant un langage codé, Janice.

– Qu'entendez-vous par langage codé ?

– Je veux dire que sa mort est cryptée. Ses dernières paroles furent : « Les oiseaux se cachent pour mourir. » Une phrase que j'avais proposée comme signal de retour lorsqu'elle paraîtrait dans les petites annonces du *Corriere*. Une phrase donc qui n'avait de signification que pour ceux qui en possédaient la clé. Elle traduisait autre chose que sa littéralité mélodramatique. Or, c'est cette phrase qui lui est venue alors même qu'il agonisait, que son être s'abandonnait déjà à la mort. N'indiquait-il pas ainsi que sa mort avait un sens ? Il ne fallait pas la comprendre comme une mort naturelle, elle avait une portée énigmatique. Elle conférait un sens à son existence, mais également à celles de Remio, de Giannalia, la nôtre. « Les oiseaux se cachent pour mourir » est la conclusion du syllogisme qui synthétise chaque vie. Tous les hommes sont mortels, or moi, Aurelio, je suis un homme, donc... Ma mort découle logiquement de ma nature humaine, mais elle est enceinte d'un mystère. Sa conclusion est comme un sceau apposé au bas d'un contrat. Raison et déraison de la vie sont ramassées en cette formule. La mort d'Aurelio est une espèce d'allégorie, à saisir au sens horizontal par le penser, au sens vertical par le sentir.

Cirrea, l'informaticien, regimba :

– Pour ma part, Éminence, j'éprouve une certaine peine à vous suivre. Votre dialectique se fonde sur un préalable : il y a un sens caché. Qu'est-ce qui nous prouve qu'il y a quelque chose à voir hors de la temporalité ? L'esprit humain n'invente-t-il pas un autre monde pour justifier un réel décevant ?

– Votre objection est légitime, monsieur Cirrea, aussi longtemps que l'on n'accorde de crédit qu'à l'intelligence. Vous n'avez pas tort : nous nous cantonnons dans le rationnel parce qu'il souscrit à nos maigres évidences tout en nous méfiant de l'émotionnel, particulier et scientifiquement invérifiable. Si notre société s'est tant rétrécie depuis des siècles, c'est à cause de ce réductionnisme. L'homme du vingt et unième siècle n'use que d'une partie de ses aptitudes. C'est pour cela qu'il est manchot et que nous sommes décadents. Mais je conviens avec vous que la pertinence de la subjectivité n'est pas démontrable. Nous n'avons pour l'étayer que les témoignages de ceux qui ont exploré sa fiabilité. Le penser est sûr, le sentir aventureux. Cependant, ne vaut-il pas la peine de risquer un œil de ce côté, même si l'éventualité de l'échec ne peut être exclue ? Au fond, les événements auxquels nous assistons depuis quelques mois ne sont-ils pas les séquences d'une parabole incomplète que nous comprendrons lorsqu'elle sera achevée ? La vie n'est-elle pas l'enfance de l'éternité ?

Evarista Conti passa la tête par l'entrebâillement de la porte.

– Puis-je servir le déjeuner, Éminence ?

– Faites, Evarista, répondit le Cardinal.

Cette invite détendit l'atmosphère. Tous se mirent à parler en même temps. Nullement convaincu, Cirrea poursuivit en aparté sa discussion avec le Cardinal. Arrosées de Verdicchio, les pizzas furent vite consommées. On était au café lorsque Remio interpella son oncle.

– Tu nous as éclairés sur le fond, même si tout le monde ne partage pas ton point de vue. Il reste la forme. Une question me turlupine : comment ce commando nous a-t-il retrouvés ? Qu'allons-nous faire maintenant ?

– Il est patent, Remio, que nous n'avons pas pris assez de précautions. Vos photos ont été exhibées dans les journaux, à la télévision, sur Crossworld. Des terroristes en fuite, affirmait-on. Il n'y a pas que des moines à Sainte-Anne. Un visiteur de passage a peut-être reconnu l'un d'entre vous ? Le saura-t-on jamais ? Mais c'est le présent qui importe. Je vous ai dit que j'attendais un signe. Sur le fond, la mort d'Aurelio en est un ; il reste à en recevoir un sur la forme, comme tu dis. Ce signe se manifestera sous peu. Il annoncera la fin de Patmos. Ayez confiance.

Giannalia, impressionnée par l'assurance du Cardinal, demanda *sotto voce* :

– Qu'est-ce qui vous rend aussi catégorique, Éminence ?

– Depuis le début, j'ai la conviction intime que Dieu ne nous abandonnera pas. Angélisme, naïveté de ma part ? Cependant, elle s'impose à moi, aussi indéniable que la lune et le soleil.

Bien qu'ébranlé par l'analyse du Cardinal, Hans Meyer s'étonna respectueusement :

– Tout va de travers, Éminence. Le Saint-Père s'est évaporé dans la nature. La dictature s'est installée. La population est traumatisée. La résistance subit de durs revers. Il n'y a pas de recours possible. Tout est cadenassé. Comment nous en sortirons-nous ?

– La vérité, lorsqu'elle éclatera, détruira le mal. Ce n'est pas à coups de canon que nous l'emporterons ; la vérité est notre seule arme, mais elle est imparable.

Chacun, dans son for intérieur, même les sceptiques, se sentit en osmose avec la confiance communicative du Cardinal. Ils se séparèrent, rassérénés, après qu'il leur eut recommandé la plus grande vigilance. Demeurer dans la clandestinité sans prendre d'initiative. Tandis que Videgarai et Cafarelli regagnaient le Vatican par des voies détournées, qu'Hans Meyer retournait à la curie généralice des Jésuites, que Janice réintégrait son appartement de la via Andrea Doria, les cinq autres, grimés comme des clowns et chapeautés comme des cow-boys, se fondirent dans la foule anonyme.

Abbaye de l'Immaculata
Journal secret du frère Enzo
Mercredi 29 avril 2020
Deux heures après le couvre-feu

Je ne sais par où commencer, en ce jour où nous commémorons saint Pierre de Vérone. Dominicain du treizième siècle, il consacra sa vie à combattre les cathares albigeois qui prétendaient que le monde matériel, le corps humain étaient l'œuvre d'un dieu mauvais. Pour Pierre de Vérone, toute la création est l'œuvre de Dieu ; le mal réside dans l'homme et pas ailleurs. Il mourut en martyr, tabassé à mort par des fanatiques, traçant sur le sol, avec son sang, les premiers mots du Credo : « *Credo in unum Deum, patrem omnipotentem, factorem caeli et terrae...* » Cette nuit, je me sens proche de toi, saint Pierre. Si, au cours d'une existence obscure, je n'ai rien accompli de notoire, il en va autrement aujourd'hui. Moi aussi je suis en butte aux cathares. Les événements m'amènent à les combattre sans l'avoir cherché. Cependant, depuis que le Seigneur loge dans mon âme, il s'y est installé comme chez lui. C'est lui qui dirige désormais mes manœuvres. Je n'ai eu qu'à consentir à la présence de ce squatteur dérangeant. Cette infusion permanente du divin, fertilisant mes racines, me dope littéralement. La peur m'a quitté. Comme un tabernacle ambulant, je vis au rythme de pulsations d'éternité.

Leonardo est parti lundi pour subir son opération chirurgicale. J'ai remarqué qu'il paniquait. Il n'affichait pas sa morgue habituelle. « Le grand homme » craint la mort. A l'évidence, ce matamore ne s'est jamais départi d'une démonologie primaire. Il s'est bloqué au stade anal de la spiritualité. En vue de conjurer ses obsessions infernales, il a pactisé avec les ténèbres. Faust d'opérette, il a assurément consacré davantage de temps à amadouer Lucifer qu'à prier Dieu. A l'instar des pharisiens hypocrites, il arbore une foi de convenance, inscrite sur son front mais absente de son âme. Il a tout faux. Satan est un leurre. D'où viendrait-il ? Un ange déchu ? Difficile à digérer. Le mal est seul réel. Pas besoin d'un diable fourchu, les hommes font le travail eux-mêmes. Leonardo s'est placé face au vent, dos à la lumière. Suppôt d'une géhenne improbable, il s'est mis au service d'une cause infâme, ennemie de l'homme, et dont la tragédie actuelle illustre clairement les inten-

273

tions perverses. Je détiens maintenant une part des secrets de Barracuda ; dans la nuit de lundi à mardi, j'ai fracturé ses appartements et découvert le souterrain de Léon.

Vendredi dernier, une jeune femme très décontractée s'est présentée à l'hôtellerie. J'ai pu admirer le bon goût de Gino. Quelle beauté ! Quelle élégance ! Ces pages feraient partie d'un roman que je me lancerais dans une description sulfureuse : son panache sauvage, sa bouche d'enfer, ses sinuosités... Si je n'avais été sanctifié par la grâce, je l'aurais draguée sans pudeur. Mais le Seigneur veillait au grain, le vieux bouc lubrique tapi dans mes recoins secrets ne s'est pas réveillé. Autre conséquence de l'alchimie divine. Tout de même, le tintinnabulement de ses bracelets dorés qu'elle agitait au moindre mouvement de son bras droit a eu quelques échos dans mes entrailles... je sens encore des fourmis dans ce qu'il me reste de... Avec une ingénuité enfantine, Cosima a feint la ferveur. Ses yeux rieurs démentaient ses propos enrobés de miel pieux. Des scrupules de conscience la taraudaient, hasarda-t-elle. Elle avait besoin du réconfort de la religion... et patati... et patata. Nous avons visité l'église, monstrueuse construction du XIXᵉ siècle, chef-d'œuvre de « néo » n'importe quoi. Elle s'est pâmée. « C'est d'un kitsch ! » s'est-elle écriée. Ensuite, elle a insisté pour avouer ses fautes dans un confessionnal traditionnel.

« Je suis un peu vieux jeu », a-t-elle minaudé. Nous nous sommes donc escamotés derrière les rideaux du tribunal de la pénitence. J'ai passé l'étole violette. Elle a glissé un petit crucifix en bois par le passage prévu sous la grille pour ceux qui souhaitent étayer le sacrement de la réconciliation par un don substantiel. « Pardonnez-moi, mon Père, car j'ai beaucoup péché. Il suffit d'appuyer sur le clou des pieds et de parler. Gino sera au poste. La date ? En pensées, en paroles, en actions... surtout en actions », a-t-elle marmonné. « *Ego te absolvo a peccatis tuis*, le lundi vingt-sept à vingt-trois heures*, in nomine patris et filii et spiritus sanctus. Amen.* Vous réciterez trois *pater* et trois *ave* avec la ferme résolution de ne pas retomber dans l'erreur. Allez en paix, ma fille », ai-je psalmodié. Elle n'est pas partie immédiatement après cette sainte parodie ; nous avons même eu une conversation très sérieuse sur la vie, la mort, le bonheur, Dieu. Cosima ne dédaignait pas de « s'encanailler » l'âme avec un moine. Cependant, à aucun moment, notre entretien n'a pris un tour personnel, nous nous sommes tenus aux grands principes. Elle ne m'a pas demandé pourquoi je m'étais fait religieux comme un micheton s'intéresse à « la vocation » de son épongeuse. Pour ma part, je me suis abstenu de toute indiscrétion la concernant. Après son départ, un tantinet mélancolique, je me suis abîmé en oraison afin de régler ma pendule psychique.

Alberico, le sacristain, un valet de l'impérialisme léonardien, m'avait aperçu en compagnie de la voluptueuse. Il me déteste parce qu'il estime que je lui ai soufflé la place d'hôtelier. Je sais très bien pourquoi Barracuda ne l'a pas nommé : Alberico lui est plus utile à l'intérieur de l'abbaye comme informateur potentiel. Toujours à fureter à gauche et à droite : dans cette grande taule, il représente le mouton idéal. « Alors, frère Enzo, a-t-il persiflé, on joue avec le feu ? Je constate que vous ne vous ennuyez guère à l'hôtellerie. » Je lui ai rétorqué avec la componction d'usage : « Une femme peut être très belle, frère Alberico, et n'en être pas moins " homme ". Trois enfants en bas âge, battue par un mari alcoolique, au chômage, vous concevrez aisément qu'elle puisse avoir besoin d'un soutien moral. N'est-ce pas à cela que nous servons, secourir les âmes en détresse ? » Pas dupe, le gaillard, il s'est éloigné non sans railler : « Et le corps en fête. » La méchanceté rend lucide. Il ne va pas louper l'occasion de me calomnier. Mais je m'en tape. D'autant plus que Leonardo me tient pour un *minus habens* et puis, comme supra, il a l'esprit ailleurs. Sa prostate est mon paratonnerre.

Génial Gino. Incruster un polycom dans un crucifix. Le Rédempteur et l'électronique réunis en un même symbole. Pendant les trois jours suivants, j'ai mis mon plan au point avec une étonnante *tranquillitas animi*. Si j'avais dû entreprendre ce fric-frac avant de recevoir un télex du ciel, j'aurais paniqué au point de tout faire rater. Au contraire, l'anticyclone s'est maintenu durant tout le week-end. J'avais même la tête à me plonger dans les journaux. Immobilisme sur tous les fronts. R.A.S. Tous les quotidiens ressemblent désormais à *Ora Undecima*. Tout va bien. L'enlèvement du Saint-Père est réduit à un entrefilet épisodique. Arès 1 et Arès 2 poursuivent leur vol sans histoire. Les attentats de mars sont encore évoqués sobrement, sans plus aucune allusion à l'Islam. Nous sommes en paix, la contestation entourant les jeux Olympiques à Bruxelles s'amplifie. On signale des actes de vandalisme, notamment dans les régions les plus éloignées de la Confédération telles l'Irlande, la Hongrie ou la Grèce. Évidemment, la répression doit y être plus aléatoire. Maillard se porte au mieux. Il n'en finit pas de se féliciter de son action. Le comte Lothär von Armsberg a été bombardé ministre de la Culture. Elle est loin, la petite sauterie bavaroise. Je me remémore les deux héros dont j'ai oublié les noms. Ce seraient actuellement de dangereux terroristes. Hier héros, aujourd'hui proscrits, et vice versa. Le pouvoir change, le vocabulaire s'inverse. C'est l'apanage des puissants de corriger le dictionnaire. J'ai repoussé ce tas de fumier. Une pensée m'est venue, sans rapport direct avec ce que j'avais lu : le vrai privilégié est celui qui peut regarder Dieu en face, d'homme à Dieu. C'est mon cas. Quand on ne Le redoute plus, on ne redoute plus rien. Je disais qu'il n'y avait pas de lien avec ce que j'avais lu. En fait, il y en avait un : des « cybercons » ont inventé un nouveau gadget, « Supraworld ». Si j'ai bien compris ce qu'on en dit, grâce à ce procédé « ingénieux » chacun peut faire, à domicile, une visite virtuelle du paradis. Par le truchement d'un avatar, on peut s'entretenir familièrement avec Dieu le Père, Homère, Jules César, Adolf Hitler, Elvis Presley, papa, maman, sur fond de concert angélique. Le paradis à portée de main. Pas plus loin que les antipodes. Vite fait, entre deux séries américaines. L'imbécillité n'a décidément plus de bornes. On clone déjà n'importe quel demeuré. On ne tardera pas à cloner l'Éternel en personne. Demain, Maillard aura peut-être sa petite armée de copies conformes, des assassins déshumanisés ? Seigneur, je sais maintenant que tu es là, que tu veilles. J'espère en toi, même si le monde fout le camp. J'ouvre l'Apocalypse au chapitre vingt et un : « Alors je vis un ciel nouveau et une terre nouvelle... et la cité sainte, la Jérusalem nouvelle, je la vis qui descendait du ciel, d'auprès de Dieu. » J'ai fermé les yeux, fait le vide en moi. Puis, je lui ai demandé : « Quand ? » La réponse n'a pas traîné : « Bientôt. » Mon cœur s'est embrasé. Ma certitude ne me quittera pas.

Lundi fut une journée féerique. Quand un brouillard taquin eut emmitouflé la vallée en douceur et se fut esquivé avec un sourire amical, un concerto à deux mains retentit, soleil et nature se répondant en une harmonie parfaite. J'ai vaqué à mes occupations... préludes à la nuit d'une taupe.

Envie de fumer. Je résiste. Fumerai après. A vingt-deux heures cinquante-cinq, mobilisation générale. Dieu, mon ami, guide mes pas ! Jamais je n'aurai eu tant besoin de Toi. Je sors de ma cellule et me glisse furtivement le long du couloir désert éclairé par une unique veilleuse. Je dispose de trois heures avant les matines. Chaussés de gros bas, mes pieds foulent le plancher de sapin avec légèreté. Surtout, éviter de faire craquer une lame vermoulue. En l'occurrence, l'escadrille des ronfleurs, neumes d'un grégorien

276

névrotique, me protège comme un brouillage involontaire. Merci, mes frères, de me couvrir. Vous l'ignorez encore, mais c'est à votre délivrance que j'œuvre. Entre deux vrombissements, me parvient le tic-tac de l'horloge à carillon qui sonne tous les quarts d'heure, scandant les nuits des martyrs de l'insomnie. J'éprouve un bien-être inconnu : dynamisme, griserie, chaleur, transparence. Le corps désaffecté, simple coquille d'âme ; c'est un esprit qui se déplace. Quelque chose d'indicible culmine en moi, comme si j'étais un autre. Un état de réceptivité inaccoutumé. Passage obligé, le large escalier qui mène au premier étage, seule issue à partir du deuxième : c'est de cette manière que le prieur contrôle les allées et venues. Accroché à la rampe, j'effleure à peine les marches. Alors que je devrais être concentré sur ma « mission », des images biscornues affluent à mon cerveau, des associations surprenantes surgies du passé, sorte de suc mental inhibant la peur. Je revois la panthère rose de mon enfance se mouvant à pattes de velours. Ouf ! Pas de rai de lumière sous la porte de Gildas. Il ronfle comme un bovidé repu. Virage à droite. Le corridor luxueux de Leonardo. Les murs, décorés de reproductions de tableaux mises sous verre, ont été rafraîchis récemment : une odeur de peinture se mêle à celle, entêtante, de l'encaustique. Le sol est recouvert de chêne luisant. Devant la porte capitonnée, un canapé en cuir brun. Que de fois je m'y suis assis, fesses serrées et cœur battant. Plaise au ciel qu'il ne prenne pas la fantaisie à un mysticoïde quelconque, en mal d'heures supplémentaires, de se payer une visite impromptue à la chapelle. J'entrouvre la porte capitonnée. Onze heures sonnent. Je presse le clou magique du polycom. Pardon, Seigneur, de jouer avec tes pauvres pieds. « Tu es là, Gino ? » « J'y suis. » Sa voix grave me parvient avec une étonnante netteté. Miracle de la science, la porte de Barracuda s'ouvre comme la caverne d'Ali Baba. Soulagé, je referme derrière moi. Des effluves sophistiqués chatouillent mes narines. Atmosphère des salons de coiffure triestins. « Je suis dans la place. Peux-tu repérer l'entrée du souterrain ? » « Il y a une bibliothèque sur ta gauche. Mets-toi en face. » J'obéis. Je nage en plein fantastique. Brusquement, un pan de mur s'écarte, découvrant une béance obscure. « Tu es un as, Gino. » « Prudence, petit frère, vas-y doucement. » Un escalier en ciment s'enfonce dans les profondeurs. Au moment où je m'y engage, il s'éclaire. « C'est toi qui as allumé ? » « Non, c'est automatique. L'ordinateur est intelligent. Heureusement ton abbé ne l'a pas réglé sur le son de sa voix. Le PC a déjà enregistré ta présence, mais

j'efface ces informations au fur et à mesure qu'il les enregistre. »
Je dénombre soixante-six marches et débouche dans un long tunnel.
Cette construction est récente. Leonardo en est l'architecte. Il a
profité de l'agrandissement de l'abbaye, qui a duré deux ans, pour
creuser ce souterrain. Dans mon imagination défilent les ouvriers
de pharaon éliminés pour raison d'État. Je me demande comment
il s'y est pris, Sésostris, pour garder secrète une entreprise aussi
insolite. Il faudra que je me renseigne sur l'identité de l'entrepreneur. Je ne vois pas le bout. Des tuyaux courent le long des parois.
Je contemple mentalement l'Immaculata telle qu'on l'aperçoit à
partir de la vallée. Édifiée à flancs du Monte Miletto, elle s'étire
sur deux cents mètres, le terrier de Leonardo se situant approxi-
mativement au milieu. Après une centaine de mètres, je devrais me
trouver sous une masse rocheuse. Progression lente. « Tu distingues
quelque chose, Franco ? » « Rien qu'un couloir interminable.
Aucun accès sur les côtés. » Je m'interromps pour écouter. Silence
complet. Je reprends ma marche. Le souterrain s'incurve. Je fris-
sonne. J'aurais dû emporter ma cape. J'ai les pieds gelés. Je vais
comme dédoublé, j'éprouve de la peine à réaliser que je ne suis
qu'à une petite distance de ma cellule. J'erre dans un autre monde,
absorbant la consistance des lieux pour alimenter ma propre réalité
onirique. Des souvenirs s'entrechoquent, j'imagine des collusions
à distance, réminiscence de jeux vidéo. Décidément, mon enfance
me rattrape. Ces flashes cauchemardesques ne m'effraient pas.
« Pourquoi tu te marres ? » s'étonne Gino. « J'évoque des fictions. » Je l'entends rire. « Star Trek au couvent ? » « Quelque
chose comme ça. » L'ivresse ne me quitte pas. Je vais enfin savoir.
Un peu comme le patient condamné par la faculté qui attend avec
impatience d'apprendre s'il existe ou non une extension infinie à
sa courte apparition terrestre. Par l'entremise de mes neurones,
l'éternel et le temporel se confondent en une symbiose chroma-
tique, réel et imaginaire indissociables. Je circule sous terre, en
prise sur l'invisible. Mon exploration est fertile en potentialités
inépuisables. Comme si ce que j'allais découvrir n'était pas le
simple bout d'un tunnel, mais un chemin inédit vers l'Esprit.
Comme s'il y avait des blancs pleins d'un sens ésotérique entre les
lignes d'un texte clair. Des mots inconnus surgissent en moi sans
que leur matérialité corresponde au contexte, comme s'ils appartenaient à une autre langue. Puis ils éclatent dans ma tête comme
des bulles de savon, en laissant des traces irisées. Ces blancs
s'élargissent jusqu'à former une page de silence, au-delà des mots.

Cette impression m'habite avec une netteté telle qu'il m'apparaît impensable qu'elle soit dénuée de fondement. Quant à dire lequel ? Curieux état d'esprit : interférences d'images émergeant de l'inconscient, mots non convoqués mêlés à une perception de décalage entre ce que je fais et la portée de mon acte. Phénomènes singuliers qui tissent une toile invisible, cohérente.

« Une porte, Gino. » « Presse le bouton du polycom. » Elle s'ouvre. Je pénètre dans une salle aux plafonds hauts, vaste comme un hall de gare. A peine suis-je entré qu'elle s'éclaire d'une lumière crue. Entièrement vide. Une odeur indéfinissable. Gazeuse ? Azotée ? Sur ma droite, je dénombre cinq portes closes. A même le sol bétonné, comme des plaques d'égouts. Il y en a quatre. En face, une porte identique à celle qui commande l'entrée. Je détecte des caméras encastrées dans les murs latéraux. « Des caméras, Gino ! » « Pas de panique, petit frère. Elles sont reliées au système de surveillance installé dans le bureau de l'Abbé. Je les neutralise. » Passablement inquiet, je traverse la salle. Et si Gildas jouait au voyeur ? Si j'avais déclenché une alarme ? J'avise Gino : « Non, rassure-toi, je ne vois rien en dehors des appartements de l'Abbé. » J'arrive devant la porte du bout. Pression sur le polycom. Elle s'ouvre. Escalier en ciment. Je l'emprunte. Quarante-trois marches. Petit hall. Nouvelle porte large comme celle d'un garage. Je la franchis. L'air est vif, le ciel brillant d'étoiles. Me voilà en pleine nature. J'avance sur un espace essarté. « Je suis sorti. Il y a ici comme un terrain plat. » A une centaine de mètres devant moi, je devine la masse sombre des bois de pins qui couvrent la montagne. Je me retourne. La lune jette une lueur blême sur le vaisseau de l'Immaculata qui se dresse vers le sud. Je suis gelé. Je décris la topographie du lieu à mon frère. « Je parierais un terrain d'atterrissage pour hélicoptère. » Un éclair dans mon cerveau. Un hélicoptère, bien sûr. Voilà pourquoi, à plusieurs reprises, j'ai cru entendre son bourdonnement caractéristique. Évidemment ! Comment accéder à cet endroit, si ce n'est par voie aérienne. D'ailleurs, je ne discerne aucune route débouchant sur cette esplanade. En revenant sur mes pas, je constate qu'elle est camouflée par un recouvrement rocheux. Close, elle se confond avec le paysage. Je retourne dans la grande salle et m'escrime sur les portes latérales. Inviolables, tout comme les plaques scellées dans le sol. « D'autres codes les commandent », fait Gino. Je me rends compte que le temps passe. Il faut que je regagne ma cellule au plus vite si je ne veux pas être pris la main dans le sac. « Opération terminée pour aujourd'hui, Gino. Je dois décrocher. » « La moisson est déjà plus qu'instructive », répond-il. « Je reprendrai contact avec toi cet après-midi à dix-sept heures, dis-je. Je consignerai mes observations à l'intention du cardinal Videgarai. Cette fois, j'ai du solide à lui apprendre. » « Tu es dans le bon, Franco. Tout ça pue le coup fourré à cent lieues. Reste calme. Je suis avec toi. » Bref silence. « Je t'aime, petit frère. » « Moi aussi, grand, je t'aime. » Fin de parcours.

A deux heures moins le quart, exténué mais heureux, je réintègre ma cellule. Il est trop tard pour fumer une pipe. Dieu sait pourtant, si le désir m'en démange furieusement. Pendant le chant des matines, je suis inondé par une joie exaltante. Je participe à un mystérieux plan divin qui motive mes actes. « Venez, crions de joie pour le Seigneur, acclamons le Rocher qui nous sauve... En sa main sont les creux de la terre et les hauts de montagnes sont à Lui... C'est Lui notre Dieu, et nous le peuple dont Il est le berger... Quarante ans cette race m'a dégoûté, et je dis : Peuple égaré de cœur, ces gens-là n'ont pas connu mes voies ; alors j'ai juré dans ma colère : jamais ils n'entreront dans mon repos. » Jamais ces versets ne m'ont tant inspiré. Ils résonnent comme un écho à ce que je viens de vivre. Jubilation. Les hautes montagnes sont à lui ; Il tient l'Immaculata dans le creux de sa main. Il est notre berger et ceux qui Le « dégoûtent » n'entreront pas dans son repos. On ne peut être plus explicite. La vie est le plus bel instrument dont on puisse jouer. *Eureka !*

A l'instar de mes frères, j'ai passé le reste de la nuit en oraison. Ces frères si méprisés, je les inclus dans mes prières. Ils sont prisonniers d'une baleine comme autant de Jonas. Je suis le vomitif qui va les rejeter dans l'immensité de la mer. S'il y a effectivement parmi eux des complices du tyran, les autres sont des victimes, les dupes d'un idéal dévoyé. Ils méritent des égards. Pardon, Seigneur, pour mes dix années d'égocentrisme forcené. Il a suffi à Leonardo de remplacer le bon Barnabé pour que mon cœur s'enfielle. Comme si l'amour d'autrui dépendait d'une nomination. Quelle injustice ! Cette prise de conscience affermit ma résolution de ne rien laisser au hasard. « Ma nuit de feu » m'a appris que cette découverte dépassait le cadre restreint d'une abbaye, qu'il y allait d'autre chose, l'essentiel.

Assassinats de voyantes. Vaticinations apocalyptiques. Accusations contre l'Église. Prédictions de Malachie ! Hofburg. Leonardo. Visiteurs étranges. Mort de Léon. Enlèvement du Pape. Attentats.

Islam. Coup d'État. Souterrain. Pièces d'un puzzle diabolique ? Quelque chose de capital se dégage de ces épisodes divers, apparemment sans relation. Des faits épars qui se fondent en un paysage unique. Plus je réfléchis, plus ma conviction s'étaie. Une telle accumulation d'événements dramatiques en si peu de temps n'est pas fortuite. Un cerveau tire les ficelles. Barracuda ? Non, un sous-fifre. Maillard ? Un exécutant. J'opte pour une gigantesque machination. Mais au profit de qui ? Je miserais sur une révolution religieuse qui trouve nécessairement son origine dans les plus hautes sphères du Vatican. Sinon, pourquoi aurait-on enlevé le Saint-Père ? Une ivresse me submerge. Je détiens un secret... mortel. A n'en pas douter, je devrai retourner dans le souterrain. La clé du mystère se cache derrière les portes du grand hall. Entreprise périlleuse. D'autant plus qu'il faudra intervenir de l'extérieur. Plus question d'entrer chez Leonardo.

J'ai interrogé innocemment Amadeo sur les constructions de Barracuda. Qui était l'entrepreneur ? Avec quels ouvriers a-t-il travaillé ? « Il y a de cela neuf ans, des équipes de maçons sont venues d'on ne sait où. Ce n'étaient pas des Italiens, plutôt des Slaves, Polonais ou Russes. L'entrepreneur était Italien, m'a confié Amadeo. Étrangement, il est mort accidentellement peu après l'achèvement des travaux. Maintenant que vous me posez la question, frère Enzo, je me rappelle que ces transformations ont été entourées de mystères. Rappelez-vous, la communauté fut très peu informée sur leur destination – l'Abbé avait invoqué la nécessité d'agrandir à cause du nombre de vocations –, sur leur financement – nous n'avons jamais été avisés du montant exact de la facture. Mais ce qui m'avait particulièrement intrigué, à l'époque, c'était la disproportion entre le but avoué initialement et l'importance du chantier. D'autres éprouvèrent sans doute la même perplexité, mais se gardèrent bien de l'exprimer ouvertement. Vous connaissez notre Abbé », murmura-t-il avec un sourire. J'ai une confiance totale en Amadeo. Il ne révélera rien de notre conversation. J'aurais pu le mettre dans la confidence, lui faire part de mes découvertes, de ma théorie. Cependant, un scrupule m'en empêcha, je ne voulais pas mêler un vieil homme malade à cette histoire. Comme en d'autres circonstances, il ne chercha pas à en savoir davantage. Cependant, au moment de sortir de mon bureau, il se retourna et me bénit. Ce geste d'affection me médusa. Amadeo est un saint. Dieu habite les profondeurs de son âme. Son regard enluminé par une vision intérieure voit à travers les choses. Il pressent plus qu'il ne connaît. Il devine que je suis préoccupé par un lourd problème, mais respecte ma liberté. Comme nous sommes désormais sur la même longueur d'onde divine, il perçoit par osmose ce qui me hante. C'est un homme comme lui qu'il nous eût fallu comme abbé, de préférence au profanateur.

Hier, à dix-sept heures comme convenu, j'ai contacté Gino. Vendredi prochain, quelqu'un viendra relever le courrier. Me voilà face à mes responsabilités. Les dés sont jetés. Ce Cardinal va peut-être me prendre pour un fabulateur, mais, tant pis, sans une aide extérieure, je ne pourrai pas progresser vers la vérité. Je me suis déjà attelé à la missive la plus délicate de mon existence. Qui peut augurer de ses conséquences ? Que le Seigneur guide ma main. Il trouvera les mots. C'est difficile pourtant. Tant de choses s'évaporent en passant du senti à l'écrit.

Je repense au cher Léon. Comment a-t-il fait pour dénicher ce souterrain ? Énigme à jamais irrésolue. Avant de mourir, il m'a transmis le témoin : à moi de franchir la ligne d'arrivée. Du haut du ciel, vieux frère, tu dois te fendre la pêche en me voyant me débattre dans ce sac de nœuds. C'est ça la communion des saints. Enfin dans la mesure où ma « croisade » est sainte, je le deviens peut-être moi-même un peu. Ouvrier de la onzième heure, j'ai une chance de participer au banquet des bienheureux.

Leonardo revient demain. A sa tête, je verrai tout de suite s'il s'est aperçu de mon intrusion.

Saint Pierre de Vérone me revient. « Seigneur, garde sous ta protection ceux qui luttent pour la défense de la foi. » Le secours du ciel m'est indispensable. Une bonne pipe et puis, au lit. Je dois être en forme pour affronter les orages à venir. Car tout est loin d'être terminé. Je suis en paix, anormalement en paix.

Une idée : je dois prévenir le Cardinal de l'endroit où je cache ce journal. Au cas où. « *In manus tuas, Domine...* »

Claudio Cafarelli brandissait un exemplaire du *Corriere*.

– Comme nous le pressentions, Éminence, le Vatican renoue des relations diplomatiques avec l'État islamique. Et cela, sans que le Sacré Collège ait été consulté.

– Nous ne sommes plus consultés sur rien, Claudio. Le cardinal Doyen, entouré de ses fidèles, dispose de l'Église comme s'il en était le seul dépositaire. Ma dernière rencontre avec lui remonte à plus d'un mois. C'est d'ailleurs sans importance, tout ce qu'il décide dans le contexte actuel s'avérera inopérant dès que la situation se normalisera.

– Cette normalisation se fait attendre, Éminence. Pour ma part je n'entrevois aucune lueur d'espoir.

– « Déracine-toi et va te planter dans la mer. »

– Je ne comprends pas ce que vous voulez dire, Éminence.

– « Si vous aviez la foi, vous diriez à ce sycomore : déracine-toi et va te planter dans la mer. » La foi consiste à croire à l'impossible. C'est du moins ce que Marc affirme, Claudio. Alors, que raconte le *Corriere* ?

– Votre confrère Pelligrini justifie la reprise des relations avec l'Islam en des termes pour le moins équivoques.

Cafarelli se mit à lire :

– « Accuser l'État islamique de terrorisme procède d'un préjugé commode chez ceux qui veulent faire taire la voix de cette nation sur les questions internationales. Les islamistes n'ont jamais été des terroristes. Peut-être ont-ils par le passé apporté un soutien idéologique et financier au terrorisme. Mais isoler un État n'est pas un moyen de résoudre les problèmes politiques. Nous ne sommes pas pour l'isolement, mais pour le dialogue. »

Le Cardinal gratifia Cafarelli d'un sourire amusé ; celui-ci hocha la tête et poursuivit sa lecture :

– « D'aucuns accusent la République islamique des attentats meurtriers qui ont anéanti des monuments historiques. Des niaiseries. Husayn est prêt à collaborer avec notre justice. Il a même versé un subside à l'Unesco pour la reconstruction des sites détruits. Nous verrons bien où se trouve la vérité. La décision du Vatican affaiblit la politique d'isolement des États-Unis contre le régime du Caire. Si on voulait tenir compte des seuls attentats contre la vie, le Saint-Siège ne pourrait pas entretenir de relations diplomatiques avec les États-Unis, ce pays qui investit effrontément dans le tiers-monde pour la planification familiale par le biais d'une politique en faveur de l'avortement. » Et ainsi, on s'aligne sans vergogne sur la politique du gouvernement Maillard, en occultant les violations permanentes des droits de l'homme, et de la femme en particulier, qui sont monnaie courante dans le paradis des mollahs. C'est purement scandaleux, Éminence.

– Ce n'est pas scandaleux, Claudio, c'est de la politique. Le Vatican, vous ne l'ignorez pas, est passé maître dans l'art du double langage. Sitôt ses intérêts en jeu, il n'hésite jamais à nier jusqu'à l'évidence.

– L'Église, Éminence...

– L'Église, Claudio, est humaine. C'est parfois dans les ponctuations d'un texte officiel qu'on discerne un souffle évangélique.

Le Cardinal éclata de rire devant la mine effarée de son secrétaire.

– Vous plaisantez, Éminence ?

– Le rire, Claudio, est l'antidote contre la *combinazione*. Cela dit, il n'est jamais bon d'isoler une nation. En la reconnaissant, on exerce sur elle une forme de droit de regard et on soutient les légitimes revendications de sa population. Car, en définitive, ce sont les êtres humains qui comptent et non leurs dirigeants.

– Pourquoi s'en prendre à l'avortement ? Le Saint-Père l'avait permis à certaines conditions.

– Maillard l'interdit. Et Maillard est la voix de son maître. Si le Cardinal Doyen l'osait, il publierait un bref annulant les dispositions précédentes.

Cafarelli opina distraitement. Une idée cheminait dans son esprit.

– Mais, si vous me permettez, Éminence, vous-même, par votre fonction, n'êtes-vous pas complice de ces manigances cauteleuses ?

– Je le suis, Claudio, comme tout ce qui participe à un pouvoir. Cependant, vous le constatez, je me suis toujours tenu à l'écart de ces manigances, comme vous dites. C'est pour cette raison, ajouta-t-il avec suavité, que je me suis fait nombre d'ennemis. Peu de prélats apprécient les chevaliers blancs, comme ils dénomment ceux qui se veulent sans concession avec la vérité. On les considère comme des simplets ou des hypocrites. Mais je fais partie du Sacré Collège, je porte donc une part de responsabilité par rapport à tout ce qui s'y décide.

– Mais, Éminence, tel que je vous vois, vous êtes dépourvu de toute ambition personnelle. Alors pourquoi avoir accepté le chapeau alors que vous saviez pertinemment que vous vous saliriez les mains, ne fût-ce que par contagion ? Pourquoi avoir endossé une charge des plus controversées ? Le Préfet pour la Doctrine de la Foi a toujours eu la réputation d'être le grand inquisiteur, l'allumeur de bûchers.

Le Cardinal devint grave.

– J'ai accepté, Claudio, parce que je le devais. Sans autre motif qu'une espèce d'impératif catégorique. Aujourd'hui, je commence à comprendre les raisons de cette décision prise à l'aveuglette. Je crois simplement qu'il fallait que je sois à ce poste. Cafarelli ravala les objections qui lui brûlaient les lèvres. Il se tut, ébloui par la sincérité de la réponse. Elle confirmait quelque chose d'indéterminé qu'il éprouvait au fond de lui-même, Marchangelo Videgarai est un homme providentiel. Il n'osa cependant pas exprimer ouvertement cette opinion.

L'interphone se manifesta. « Une personne qui n'a pas de rendez-vous insiste pour s'entretenir avec vous, Éminence. Un monsieur Gino Maldini. Il affirme que c'est très urgent. » « Introduisez-le, Fausto. »

Un homme de petite taille, rondouillard, au visage franc et ouvert, animé par deux yeux protubérants pétillant d'intelligence pénétra dans le bureau du Cardinal. Cafarelli s'éclipsa.

– Vous avez souhaité me rencontrer, monsieur ?

– Vous ne me connaissez pas, Éminence. Je m'appelle Gino Maldini. Je suis ingénieur. Je viens pour une affaire de la plus haute importance.

– Asseyez-vous, cher monsieur. Je vous écoute.

– Voilà, Éminence. Je suis porteur d'une lettre de mon frère Franco qui est moine à l'abbaye de l'Immaculata.

Videgarai dressa l'oreille.

– L'Immaculata, dites-vous ?

– Oui, c'est une abbaye située sur le Monte Miletto.

– Je la connais. Elle jouit d'une bonne réputation. Et alors ?

– Mon frère, Enzo dans la vie religieuse, a observé une série de faits étranges qui s'y sont produits. Il les a notés dans une lettre qui vous est adressée personnellement. La voici. Par prudence, il ne l'a pas expédiée par la voie normale, son courrier étant censuré. Nous avons donc dû employer la ruse pour arriver jusqu'à vous.

Le Cardinal prit connaissance des révélations d'Enzo. A mesure qu'il lisait, son visage s'éclairait. A plusieurs reprises, il hocha la tête en signe de satisfaction. Sa lecture terminée, il scruta la physionomie de Gino.

– Pourquoi avoir recours à moi, cher monsieur Maldini ?

– Mon frère a appris par les journaux que vous ne partagiez pas les vues du cardinal Dezza, que... vous étiez réfractaire à la dictature. Il en a déduit que vous étiez la personne indiquée pour recevoir ces révélations et les utiliser à bon escient.

Videgarai dévisagea son interlocuteur. Il sourit. L'homme qu'il avait en face de lui était un pur et non un traître quelconque qu'on lui dépêchait pour le faire tomber dans un piège.

– Avez-vous lu cette lettre, monsieur Maldini ?

– Non, Éminence, mais j'en connais les grandes lignes.

– Quelle bonne idée de la part de votre frère d'avoir relevé les numéros des plaques d'immatriculation ! Ainsi Maillard, von Armsberg et d'autres fréquentaient l'Immaculata. L'analyse de votre frère est en tous points lumineuse ; elle confirme ce que nous subodorons depuis un certain temps. Et vous-même, avez contribué à la découverte de ce souterrain ?

– Franco n'aurait pu réussir sans l'aide de l'informatique.

– Êtes-vous sûr qu'il soit en sécurité ?

– J'ai effacé toutes traces de sa présence, Éminence. A moins qu'il n'ait renversé un pot de fleurs, l'Abbé ne détectera pas son passage.

Le Cardinal appuya sur la touche de l'interphone : « Venez, Claudio. »

Avant même que Cafarelli ait eu le temps de s'asseoir, Videgarai lui tendit la lettre d'Enzo. Pendant qu'il la parcourait avec une exaltation croissante, le Cardinal apaisa Gino qu'il voyait s'inquiéter de l'intrusion d'un tiers.

– Monseigneur Cafarelli est mon secrétaire. Il a toute ma confiance. Alors, Claudio, qu'en pensez-vous ?

– C'est le signe que vous attendiez, Éminence. Un signe lumineux. C'était donc l'Immaculata, le repaire de nos brigands.

– Auriez-vous l'obligeance de rester avec nous, cher Monsieur ?

– Vous pouvez disposer de moi aussi longtemps que vous le souhaitez. J'ai d'ailleurs d'autres informations à vous communiquer.

– Vous ne sauriez croire combien vous tombez à point nommé. Votre démarche aura des conséquences incalculables.

Le Cardinal s'adressa à Cafarelli :

– Envoyez immédiatement le mot de passe à nos amis. Qu'ils soient au « Garofano » dans une demi-heure. Que Conti ouvre sa porte arrière et nous réserve sa salle. Avant de nous rejoindre, Claudio, cherchez dans votre ordinateur tout ce qui concerne cette abbaye, son passé, son abbé, ses occupants. Pour les plaques d'immatriculation, joignez le commissaire Fontanelli : il est fiable, c'était un collègue d'Aurelio. Je sais qu'ils s'appréciaient mutuellement. Ensuite, vous ramènerez les fruits de votre cueillette chez Conti. Venez, cher Monsieur.

Par mesure de précaution, le Cardinal conduisait lui-même. Gino s'étonna de l'accoutrement de son convoyeur. Chemise ouverte, pantalon gris, souliers noirs. Il ne correspondait pas du tout à l'idée qu'il se faisait d'un prince de l'Église. Pendant le trajet, le Cardinal l'interrogea :

– Votre frère vous a-t-il confié qu'il tenait un journal ?

– Oui, Éminence.

– Quel genre d'homme est-il ?

– J'ai toujours eu une certaine peine à le cerner. Par exemple, je n'ai jamais compris pourquoi il s'était fait moine. Lui non plus, semble-t-il. Je pense qu'il a été plus ou moins heureux à l'époque de l'abbé Barnabé. Avec l'arrivée du nouvel abbé, ce ne fut plus le cas. Il l'a pris en grippe et n'est resté à l'Immaculata que par habitude. Franco est un routinier. C'est un homme équilibré. Je le crois très intelligent. Lorsqu'il est devenu hôtelier, sa vie s'est modifiée. Un confrère, Léon, lui avait signalé l'existence d'un souterrain. Au début, il n'a pas pris la chose très au sérieux, Léon étant un écervelé. Mais ce dernier a été chassé de l'abbaye et est mort peu après, à Turin, sa ville natale, dans un accident de la circulation.

– Votre frère considère d'ailleurs cette mort comme suspecte. D'après lui, l'entrepreneur qui aurait fait des travaux à l'Immaculata aurait subi le même sort.

– Comme hôtelier, il est bien placé pour observer les allées et venues. Très rapidement le nombre de visiteurs personnels de l'Abbé l'a intrigué.

– Mais pourquoi l'abbé Leonardo l'a-t-il mis à ce poste de confiance ? Car enfin, ce faisant, il introduisait le loup dans la bergerie.

Gino sourit.

– Je pense que l'Abbé ne se méfiait pas de Franco. Il le prend pour un demeuré.

– Et voilà comment une erreur de jugement va changer la face du monde. Étrange, non, cher Monsieur ?

– Personnellement, Éminence, je ne mesure pas encore l'ampleur de ses découvertes. Mais suite à votre réaction, je commence à percevoir les liens pouvant les rattacher à d'autres affaires en cours. Qui sait, peut-être les drames que nous avons connus ces derniers temps ?

– Vous êtes perspicace, cher Monsieur. Mais vous-même, où situez-vous votre rôle ? Jusqu'où êtes-vous prêt à coopérer ?

– Mouillé comme je le suis, Éminence, c'est désormais une question d'honneur familial, je vous suivrai jusqu'où vous l'estimerez nécessaire.

– Merci, monsieur Maldini. Votre aide nous sera précieuse. Je suppose que je ne dois pas vous mettre en garde contre les dangers que vous courez, ni insister sur votre discrétion absolue ?

– Cela va de soi, Éminence.

Vingt minutes plus tard, ils ralliaient le « Garofano ». Les autres attendaient, anxieux de connaître la cause d'une convocation aussi pressante.

– Mes amis, dit le Cardinal sans s'embarrasser de vains préambules, grâce à la diligence de monsieur Maldini que voici, nous avons une chance réelle d'identifier ceux qui se cachent derrière Patmos. Le signe espéré s'est manifesté. Nous possédons désormais suffisamment d'éléments pour déjouer le complot qui se trame dans la Confédération et dans l'Église.

Un silence tendu accueillit les paroles du Cardinal. Chacun sentit qu'on allait franchir une nouvelle étape. Impatients d'entendre ses explications, ils s'abstinrent de tout commentaire. Videgarai lut la lettre d'Enzo et résuma les éclaircissements apportés par Gino. Ce fut un beau concert d'exclamations. Quand le calme fut revenu, Hans Meyer exerça son redoutable esprit critique :

– Je me réjouis de ces révélations capitales, Éminence. Ne le prenez pas en mauvaise part, mais permettez-moi cependant de m'étonner : des politiques, des médias, des membres de la police, une confrérie de la pourpre vaticane, cela fait beaucoup de monde. De plus, l'Immaculata n'est sans doute que la face visible de l'iceberg. Comment pouvons-nous agir avec nos maigres ressources ? A supposer que nous parvenions à recueillir à l'Immaculata les preuves d'un mouvement subversif, les autres auront beau jeu de transformer nos menées en actions terroristes et nous nous retrouverons au pilori. Ils sont partout, ils commandent à tous les rouages du pouvoir. Comment pourrions-nous gripper une machine si bien huilée ? Et si nous aboutissons à un résultat, comment ameuter l'opinion publique, avec la censure omniprésente ?

Le Cardinal avait suivi son raisonnement avec la plus grande attention.

– Vos objections sont judicieuses, cher Père Meyer. Cependant, à mon opinion, notre force réside à la fois dans leur sentiment d'impunité et notre apparente insignifiance. On peut le vérifier, ils agissent à visage découvert, ce qui illustre bien qu'ils ne craignent rien. La résistance s'est émoussée et nombre de ses membres sont internés, plusieurs même ont été éliminés sans procès. Vous constatez que l'étau s'est quelque peu desserré : il y a moins de vérifications, moins de présence policière, la Confédération se donnant une image démocratique à usage externe. Cette conjoncture nous est favorable. Il n'en demeure pas moins que nous sommes des terroristes potentiels, que Remio et Giannalia sont toujours activement recherchés. Mais ils ne se doutent pas de ce que nous savons. Cependant, loin de moi, cher Père, de prétendre minimiser les risques. Nous devons les courir. A nous de veiller à ce que la mort d'Aurelio ne soit pas sans lendemain.

Janice intervint :

– Je partage votre avis, Éminence. Même si je ne vois pas encore comment procéder, je préconise le passage à l'action.

– D'accord avec toi, mon oncle, pour tenter l'impossible, acquiesça Remio.

Giannalia, en jean et chemisier écarlate, ne proféra pas un mot mais inclina la tête. Cirrea, Bontempi et Brancardi approuvèrent bruyamment. Le Cardinal se montra ravi de cette belle unanimité. Hans Meyer ne voulut pas être en reste.

– Pour ce que j'en disais tout à l'heure, c'était afin que nous évaluions exactement ce à quoi nous nous engageons. Moi aussi, je marche avec vous. La vie n'est pas drôle : pour une fois qu'elle vaut la peine d'être vécue, pour rien au monde, je voudrais ne pas en être.

– *Magis* [1], mon Père, murmura le Cardinal.

– *Magis*, Éminence. Le visage sévère de Meyer se détendit. Il adressa au Cardinal un sourire fraternel empreint d'une légère ironie.

Videgarai désigna Gino.

– Monsieur Maldini nous apporte son concours. Nous ne serons pas de trop.

Gino narra par le menu tout ce dont il avait connaissance. Il décrivit l'abbaye, parla longuement de son frère et termina par une remarque personnelle :

– Au contraire de chacun d'entre vous, je suppose, je ne suis pas croyant. Cependant, mon agnosticisme ne m'empêche pas d'épouser votre cause. Et puis il y a mon frère, je suis décidé à ne pas l'abandonner à un sort qu'il ne mérite pas. Désormais, sa vie ne tient qu'à

---

1. Devise des Jésuites : Davantage.

un fil. Plus vite nous interviendrons, plus il aura de chances de s'en tirer indemne.

Claudio Cafarelli fit son entrée au moment où Gino prononçait ces dernières paroles.

— Alors, Claudio, qu'avez-vous appris ? interrogea le Cardinal.

Monseigneur était essoufflé tant il avait mis de hâte à les retrouver. Il essuya la sueur qui coulait de son front.

— Pardonnez-moi, Éminence, mais je suis en nage. J'ai dû me garer à plus de cinq cents mètres d'ici.

— Buvez un peu de ce Chianti de maître Conti. Il est de premier ordre. Dès que vous aurez repris vos esprits, nous serons prêts à vous écouter. Vous avez certainement des informations intéressantes à nous communiquer.

— Malgré le peu de temps dont je disposais, Éminence, les résultats que j'ai obtenus sont effectivement des plus instructifs.

Il extirpa quelques feuillets d'une mallette élimée.

— L'Immaculata a été fondée en dix-huit cent quatre-vingt-quinze. Au départ, c'était une abbaye bénédictine. Vers la fin du vingtième siècle, avec le changement des mentalités, elle a évolué vers un syncrétisme religieux.

— Syncrétisme ! répéta Bontempi comme en écho.

— Mélange de genres, précisa Cafarelli. Les deux derniers abbés, Barnabé et Leonardo, chacun à leur façon, ont puisé dans les diverses spiritualités existantes ce qui leur semblait le plus conforme à répondre aux exigences des jeunes, notamment. En réalité, l'Immaculata est devenue intégriste. D'une manière humaine, sous la houlette de Barnabé, mais plus rigide aussitôt que Leonardo en a pris les commandes. Un indult de Jean-Paul II avait en effet autorisé le retour à la liturgie de Saint Pie V. Il a donc restauré la loi du latin, la clôture, appliqué la règle dans sa plus stricte observance, écarté tout ce qui était susceptible de distraire les moines. Pour résumer, il a coupé l'abbaye du monde. Cette politique a porté ses fruits puisque le nombre de vocations a augmenté dans des proportions telles qu'il a fallu bientôt agrandir le monastère.

— Et construire un souterrain, ironisa Remio.

— Et construire un souterrain sans aucun doute, poursuivit Cafarelli. Beaucoup de moines, jugés trop mous, en ont été chassés. En ce qui concerne Leonardo lui-même, c'est un cas, si je puis m'exprimer ainsi. Il n'a pas été élu par la communauté comme le prescrit la tradition monacale. C'est l'Abbé Général, Clément, qui l'a imposé aux suffrages des moines. Il est né dans les Abruzzes, à Pescara, il y a cinquante-deux ans. Sa mère, qui vit toujours, gérait une galerie d'art, son père, courtier d'assurances, est décédé alors que notre homme n'avait que deux ans. Enfant unique, Domenico Ganz a fait dans le civil de brillantes humanités chez les Jésuites. Après deux années d'études de sciences politiques et sociales à la Sapienza, il entre au Monte-Cassino. Après son noviciat, son abbé l'envoie à la Grégorienne d'où il sort docteur ès théologie dogmatique. Le sujet de sa thèse, appréciée « *summa cum laude* » est éloquent : « Les dogmes chrétiens sont-ils applicables aux constitutions démocratiques ? »

Janice persifla :

– Il annonçait déjà la couleur.

Cafarelli lui fit un clin d'œil et enchaîna :

– Il réintègre le Monte-Cassino où il exerce pendant trois ans la charge de sous-prieur. Puis il retourne à la Grégorienne. Il y professe la dogmatique pendant dix ans. Vers la fin de cette période, il y a quelques obscurités dans son curriculum. J'ai contacté un vieux maître de la Grégorienne, votre confrère Prospero Guzman, mon Père.

Hans Meyer confirma :

– Je le connais. Il est mon voisin de chambre au Borgo Santo Spirito. C'est un homme remarquable.

– Merci, mon Père. Il semble qu'il a été remarqué par un jeune cardinal dont le père Guzman ignore le nom. Leonardo a même failli devenir l'évêque d'un diocèse jugé trop libéral au goût du Saint-Père. Toujours est-il qu'il réapparaît en Belgique où il enseigne dans un institut de théologie jésuite réputé pour ses prises de position traditionalistes. A l'époque, l'Archevêque de Paris y envoyait ses séminaristes.

Nouvelle intervention d'Hans Meyer.

– Je connais, fit-il avec un sourire sibyllin. En dépit du décès de leur gourou, le père Cantor, ils persistent et signent.

Cafarelli lui rendit son sourire et poursuivit :

– Pendant cette période, il est rattaché au Mont-César, dirigé par Dom Clément, futur Abbé Général. C'est de là qu'il est bombardé à l'Immaculata en deux mille dix. Dans les rapports que j'ai pu consulter, il est décrit comme un homme austère, intransigeant, pieux et excellent gestionnaire. On le qualifie même de « grand réformateur ». Une vie sans taches, presque sans ombres. La suite, nous la connaissons.

Hans Meyer demanda :

– Vous avez dit, Monseigneur, que c'était un cas. Qu'entendez-vous par là ?

– Un cas de figure, mon père. Un enfant gâté surprotégé par une mère possessive. Un religieux sans reproche. Ce portrait m'inspire de sérieuses réticences. C'est trop beau pour être vrai, si vous souhaitez connaître le fond de ma pensée. Quand je lis la lettre du frère Enzo, je me convaincs qu'il a bien caché son jeu. Vous vous souvenez de l'adage judiciaire : « Quelque crime précède toujours un grand crime. » Ce bénédictin si zélé me rend mal à l'aise par sa perfection même. Les purs ne le sont hélas souvent qu'en trompe-l'œil. Ce Leonardo doit être un fameux comédien, un bel hypocrite.

– Et ces plaques d'immatriculation, Claudio ? Sont-elles aussi instructives que le pedigree de cet Abbé « au-dessus de tout soupçon » ? s'enquit le Cardinal.

– Pleines d'enseignements, Éminence. Pleines à en déborder. Je me dois d'abord de dire que le commissaire Fontanelli est un homme charmant. Je me suis bien gardé de lui apprendre la mort du commissaire Graziani. Il m'a parlé d'Aurelio en termes amicaux, s'étonnant d'ailleurs de ne plus l'apercevoir au BERC. J'ai feint l'ignorance. Toujours est-il que la référence était bonne puisqu'il a souscrit à ma demande sans chercher à connaître la raison de mon intérêt pour ces immatriculations. Il a pourtant dû tiquer en identifiant leurs propriétaires. Voici. Le frère Enzo a relevé soixante-huit numéros différents dont certains sont venus plusieurs fois. Ils correspondent tous à des personnalités de premier plan. Pour ne pas être trop long, je vous dirai qu'il s'agit de huit ecclésiastiques – deux évêques, Gabriel Montin de Vannes et Peter Callaghan de Des Moines ; six religieux dont l'Abbé de Saint-Gall, cette abbaye restaurée depuis peu ; quatre journalistes dont le rédacteur en chef d'*Ora Undecima* ; douze hommes politiques dont le général Maillard, le ministre de l'Intérieur Valdez, le ministre de la Culture von Armsberg, la présidente du Front national européen Marie-France Tadorne ; dix industriels dont le P.-D.G de la SARDA, la plus grosse entreprise de reconversion de déchets radioactifs, soupçonnée depuis longtemps d'accointances avec la mafia russe et le directeur général d'Informatique-Europe, deux prix Nobel de chimie – le professeur Carré et le professeur de la Serna – deux directeurs de chaînes de télévision, Gert Braun de ETV2 et Sean Jakson de CBI ; trois procureurs généraux, cinq directeurs généraux du BERC dont le grand patron, Bjorn Bergmann ; trois ambassadeurs – de Suisse, de Panama et des Bahamas ; quatre directeurs de banques – la Sawa Bank de Tokyo, la Deutsche Bank, l'Union des Banques Suisses et la Banco di Santo Spirito ; quatre généraux – Ramon Perez, Hans von Blomberg, Lode Van Ackere et Philibert du Ponchon ; deux acteurs – Remi Ferré et Karin Anderson ; un réalisateur – Giorgio Pontone ; deux écrivains – Irving Carter et Jean de Vilars et cinq professeurs d'université. J'ai gardé le dernier pour la bonne bouche, le secrétaire général de l'OTAN, j'ai nommé Ulli von Papen.

Cette liste provoqua un effarement général. Seul le Cardinal ne parut guère étonné.

– C'est incroyable, fit Remio. Tous les champs d'activité sont représentés. Mais qu'allaient-ils magouiller avec cet Abbé ? Et pourquoi séparément ?

Videgarai répondit sans se départir de son impassibilité :

– Ils venaient tout simplement aux ordres. Cet Abbé est un intermédiaire, une boîte aux lettres. Chacun, dans son secteur, avait une tâche. L'abbé Leonardo centralisait les différentes composantes du complot et distribuait les rôles. Le frère Enzo signale une intensification des visites en mars peu avant la série d'attentats, l'enlèvement du Saint-Père et la prise de pouvoir de Maillard. Ensuite, calme plat. Plus besoin de consignes. Chacun sait ce qu'il doit faire. Le plan, préparé de longue date, est entré dans sa phase transitoire.

– Pourquoi transitoire, Éminence ? s'étonna Janice.

– Parce que, chère Janice, le dernier acte n'est pas encore joué.

– Le dernier acte de quelle pièce ? fit Hans Meyer.

– La passation du pouvoir politique au pouvoir religieux, mon Père. Stupéfaction.

– Qu'entends-tu par là, mon oncle ? dit Remio.

– J'entends par là que l'opération Patmos a comme but final de porter à la tête de la Confédération un pape « charismatique ». En bref, d'instaurer une République chrétienne.

Répondant à l'incrédulité qui se lisait sur quelques visages, le Cardinal poursuivit :

– Rappelez-vous le message des voyantes assassinées. Il annonçait une grande détresse lorsque l'Odieux Dévastateur serait installé dans le saint lieu et prophétisait l'approche du jour de la colère de Dieu. L'heure venait d'agir au nom de la vraie foi. Deuxième étape : *Ora Undecima* proclame avec emphase que nous assisterons bientôt à l'avènement de Petrus Romanus, le saint des derniers temps. Ensuite, dans un autre article, le premier d'une lignée qui conduira l'humanité vers une ère nouvelle. Troisième étape : les événements dramatiques que nous connaissons. La dernière étape sera donc l'élévation d'un pontife qui établira une dictature religieuse semblable à la République islamique. Je suis d'ailleurs convaincu que des liens ont été tissés entre Husayn et le cerveau de Patmos.

– Ce cerveau, l'avez-vous identifié, Éminence ? demanda Giannalia.

– Je vous ai déjà dit que j'avais ma petite idée. Cependant, je ne possède aucune certitude. Ce dont je suis assuré, c'est qu'il ne peut s'agir que d'un cardinal. Qui d'autre pourrait briguer le trône de saint Pierre ?

– L'abbé Leonardo reçoit donc ses instructions directement du Vatican ? Un membre du Sacré Collège porterait la responsabilité de toutes ces horreurs ? Un cardinal de Notre Sainte Mère l'Église aurait fait détruire des monuments historiques et encouragé l'instauration d'une tyrannie ? s'émut Janice. C'est dément. Comment une telle abomination est-elle pensable ?

– Un cardinal, Janice, peut être habité par un démon. Les monstres se logent n'importe où, y compris dans l'âme d'un serviteur de l'Église. Une ambition démesurée pousse aux pires extrémités. Vous l'avez entendu, le frère Enzo est parvenu aux mêmes conclusions. N'écrit-il pas textuellement : « Je miserais sur une révolution religieuse qui trouve son origine dans les plus hautes sphères du Vatican. » Dès le mois de février, Carlo Mancini, encore un martyr de la vérité, n'avait-il pas prédit ce qui est arrivé : « D'aucuns s'efforcent d'instaurer dans la Confédération un régime analogue à celui d'Husayn. »

Cafarelli lança un regard admiratif au Cardinal :

– Pardonnez-moi l'expression, Éminence, mais votre mémoire d'éléphant m'étonnera toujours.

– La mémoire, Claudio, est la grammaire de l'intelligence. Elle nous aide à établir des synthèses éclairantes. C'est parce que la mémoire se perd que les hommes réfléchissent si peu et se laissent embobiner par les faux prophètes.

Giuseppe Cirrea ne maîtrisait pas son énervement.

– Qu'attendons-nous pour agir et régler son compte à ce monstre, Éminence ?

– C'est ce que nous allons entreprendre, monsieur Cirrea. Mais nous le ferons posément, méthodiquement. Nous commencerons par pénétrer dans ce souterrain. J'ignore ce que nous y trouverons, mais je ne serais pas autrement surpris qu'il s'agisse du lieu de détention du Saint-Père. Cependant, je dois vous l'avouer, une angoisse m'étreint. Souvenez-vous du récit que nous ont fait Aurelio et Remio après avoir délivré Giannalia du Hofburg. Ils avaient remarqué une odeur de gaz et aperçu des bonbonnes. Peu après, le Hofburg a été détruit par un incendie et aucune pollution n'a été signalée. Qu'en déduire ? Si ce n'est que ces bonbonnes ont été déménagées en catastrophe. Où sont-elles entreposées ? A l'Immaculata, je présume. A quelle fin ont-elles été fabriquées ? C'est là mon angoisse. Plusieurs d'entre vous étiez encore enfants à l'époque où une secte japonaise avait tenté un coup d'État en asphyxiant au sarin des milliers de personnes dans le métro de Tokyo. Dois-je évoquer l'ypérite de la Première Guerre mondiale, le zyklon B des nazis, le tabun, le soman des Irakiens ? Depuis, la chimie a fait des progrès considérables. Je ne m'étonne donc pas de trouver deux prix Nobel dans la liste de Claudio. Je ne cherche pas à vous affoler, mais je me dois de vous confier le fond de ma pensée afin que nous sachions exactement à quoi nous en tenir : ils possèdent une arme effroyable qu'ils utiliseront en dernier recours. Les gaz modernes peuvent anéantir la population de la terre entière.

Cette terrifiante explication noua les gorges. Personne ne douta plus de l'enjeu : apocalyptique. Quelqu'un murmura : « La troisième prédiction de Fatima ! » Le Cardinal hocha la tête et dit tout bas comme pour lui-même : « Seule la foi... » Un certain temps s'écoula avant que Remio ne réagisse d'une voix blanche :

– Comment imagines-tu, mon oncle, que notre petit groupe puisse, à lui tout seul, sauver le monde d'un cataclysme ? J'ai une confiance totale en toi, mais, là, je suis complètement perdu. Comment délivrer le Pape, neutraliser un entrepôt de gaz mortel et mettre hors d'état de nuire une bande aussi puissamment organisée ? De surcroît, qu'est-ce qui nous garantit que ces bonbonnes n'ont pas déjà été disséminées ? Ne faudrait-il pas faire appel à l'ONU, aux États-Unis ? Déployer les grands moyens ? Nous ne sommes rien, en comparaison de cette pieuvre.

Le Cardinal contempla douloureusement le visage tourmenté de son neveu.

– Je te comprends, Remio, mais une intervention extérieure, comme tu le suggères, prendrait trop de temps. Tu me vois en train de persuader l'ONU, les Américains qu'il existe une telle menace pour le monde ? Tu conçois leur scepticisme, leurs atermoiements, leurs palabres. Et si, à la longue, ils décidaient de s'en mêler, les médias seraient au courant avant même qu'ils n'eussent fait cinq mètres. Ce serait un désastre. Non, nous aurons beau retourner le problème en tous sens, il n'y a que nous. Dérisoire, je sais. Mais il n'y a pas d'autre solution.

Gino, qui avait conservé son sang-froid, demanda :

– Mais comment réaliserons-nous cela, Éminence ? Car enfin, c'est une gageure énorme.

Un éclair passa dans les yeux du Cardinal.

– Nous ne détenons qu'une arme, monsieur Maldini : le temps. J'entends par là que nous avons une conception du temps différente de celle de Patmos.

Hans Meyer exprima son incompréhension :

– Là, Éminence, avec tout le respect que je vous dois, je ne vous comprends plus du tout.

– Je présume que nous admettons tous que nous sommes à un point crucial de l'histoire, répondit le Cardinal. Ça passe ou ça casse. Ce que je crois est simple, mais malaisé à transposer en phrases claires. La clique de criminels qui prétend prendre l'histoire en otage présuppose que le temps est linéaire. Mais cette perspective est fallacieuse : le temps est le piège qui se refermera sur leur obstination perverse.

Les autres regardaient le Cardinal bouche bée. Ils se demandaient comment il pouvait raisonner aussi tranquillement après avoir démontré que l'apocalypse était pour demain. De loin leur parvenaient les échos de la logomachie criarde des habitués du « Garofano ». Le Cardinal reprit :

– Pourquoi existe-t-il quelque chose ? Pourquoi sommes-nous ? Si ce n'est parce qu'une constante inobservable sous-tend le réel. Tout ce que nous voyons, sentons, flotte à la surface d'un autre univers où le temps n'existe pas. L'interaction entre l'apparence temporelle et la réalité éternelle est permanente. Si cette hypothèse est la bonne, Patmos se meut dans l'apparence, et nous, dans la vraie réalité. Ne voyez aucune présomption dans cette affirmation.

Giannalia écoutait comme ses compagnons, subjuguée, mais tout à fait dépassée.

– Au secours, Éminence. Je ne suis plus du tout. Quel rapport y a-t-il entre notre situation et... votre leçon de philosophie ? Et cependant, comment interprétez-vous le fait que je ressente une exaltation intérieure, comme après la mort d'Aurelio ?

– C'est le signe, chère Giannalia, que votre cœur comprend ce qui échappe à votre raison. Je veux dire qu'il existe entre Dieu, débordant d'amour et d'intelligence, et nous, une forme d'harmonie, un lien. Notre arme, mes amis, c'est l'aberration de ceux qui ne se réfèrent pas à Dieu, comme si l'histoire n'était que naturelle, comme s'ils en disposaient. Cette erreur leur sera fatale. Ils prétendent agir au nom de Dieu, ils n'agissent qu'en leur propre nom. Ils se meuvent dans une nuit obscure. En réalité donc, ils ne savent pas où ils vont.

Hans Meyer s'agita sur sa chaise, mais demeura muet. Janice, quant à elle, avait les yeux brillants d'émotion. Elle articula dans un souffle :

– Vous essayez de nous faire comprendre, Éminence, que nous avons comme une dimension supplémentaire et que Dieu va intervenir dans l'histoire pour en incurver la trajectoire ? Une sorte de miracle. A ma connaissance, une telle ingérence divine dans les affaire humaines ne s'est jamais produite. On nous a toujours enseigné que Dieu laissait l'homme se dépêtrer.

– Il n'intervient pas dans le cours du temps, chère Janice, il nous aide à l'apprécier à sa juste mesure, à le considérer d'un autre œil. Lors de l'Incarnation, certains Juifs de l'époque ne se sont-ils pas trompés en croyant que Jésus était venu pour les débarrasser des Romains ? Ensuite, qui prouvera que Dieu n'est jamais intervenu en d'autres circonstances, en des points critiques de l'histoire de l'humanité ? Nous sommes à un tournant. « Si le Seigneur n'avait abrégé ces jours de détresse comme il n'y en a pas eu de pareille depuis le commencement du monde... personne n'aurait eu la vie sauve. » Si tout à l'heure je n'ai pas voulu taire l'angoisse qui m'étreint devant la détresse du monde ce n'était cependant pas sans être sûr que nous contournerions cet obstacle.

Cirrea n'en croyait pas ses oreilles alors même qu'il se sentait envahi par la même brise légère qui gagnait ses voisins de table.

– Moi aussi... je ressens... je ne sais comment m'exprimer. Disons une respiration inconnue. Mais je ne comprends pas, Éminence, d'où vient cette invraisemblable conviction. Qu'est-ce qui vous autorise à être aussi catégorique ? Ou bien vous efforcez-vous seulement de nous rassurer ? Vous nous hypnotisez, mais n'est-ce pas une astuce pour nous doper le moral ?

– Si c'était le cas, je serais malhonnête, monsieur Cirrea. Je n'ai pas d'explications à vous donner. Je le sais comme une intuition incontournable. Même si mon intellect s'y opposait, je ne pourrais m'empêcher de le savoir.

Ils prirent leur repas dans une ambiance singulière. Chacun se promenait dans la vertigineuse perspective que le Cardinal avait ouverte. Hans Meyer fut le premier à retrouver l'usage de la parole :

– Et maintenant, Éminence, comment allons-nous opérer puisque c'est à nous que revient cette mission de la dernière chance ?

Le Cardinal les dévisagea lentement l'un après l'autre comme s'il voulait s'adresser à ce que chacun avait de plus profond. Puis il leur fit part de son plan. Un plan qui ne manqua pas de les surprendre tant il était précis et audacieux.

Ce soir-là, Remio et Giannalia, amoureusement enlacés, goûtaient à la volupté du plaisir physique, mais au-delà du partage de leurs jeunes corps, de leurs âmes confondues en une seule identité émanait une douceur généreuse qui les remplissait de plénitude. Leur complicité n'avait jamais été si étroite, leur orgasme si intense. Lorsqu'ils se détendirent, leurs sens apaisés, leurs entités fusionnées, Giannalia murmura :

– C'est bizarre, Remio, mais je n'ai pas peur. Nous allons réussir et nous vivrons longtemps dans un monde nouveau.

– Je pense, mon adorée, qu'une force venue d'ailleurs nous anime. Oui, comme toi, je pense que nous allons réussir et que tu seras ma femme pour l'éternité.

– Ton oncle est un saint, Remio.

– J'ignore ce qu'est un saint. Mais ce qui est certain, c'est qu'il est maître dans l'art de fabriquer du pain avec des miettes. J'étais sot et agnostique, et me voilà acculé à la sagesse et à la foi.

– J'étais timbrée et me voilà amoureuse de toi et envoûtée par ton cardinal d'oncle, susurra Giannalia.

Leurs deux âmes furent emportées vers le haut dans une spirale de rires et de lumière. Bientôt, le sommeil égalisa leurs respirations.

Janice, lovée dans un édredon, rêvait qu'elle escaladait sans difficulté une montagne enneigée au sommet de laquelle une ombre lui tendait les bras. Elle souriait en dormant.

Hans Meyer priait. Son âme était transcendée. « Oui vraiment, pensa-t-il, cet homme n'est pas comme les autres. »

Brancardi, Cirrea et Bontempi qui avaient renoncé à rejoindre leurs attitrées, discutèrent durant la nuit entière de ce qu'ils avaient vécu et ce non sans expédier moult canettes de bière. Au petit matin, avant d'aller rejoindre Remio, ils ne se sentaient nullement fatigués. C'est Brancardi qui trouva le mot de la fin : « Nous étions prompts à la connerie, lents à l'évidence. » Les deux autres approuvèrent joyeusement. Ils étaient prêts.

Pour la première fois depuis qu'ils vivaient ensemble, Claudio Cafarelli et Sofia échangèrent des confidences essentielles.

– Toi, il t'arrive quelque chose, s'étonna Sofia du tour imprévu que prenait leur dialogue.

– L'âge, sans doute, fit Cafarelli avec une grimace comique.

Gino Maldini percevait les rumeurs d'une éternité qu'il avait jugée jusqu'alors aussi improbable que la résolution des équations du cinquième degré. Cosima ne reconnaissait pas son amant, tant il avait changé en quelques heures.

Abbaye de l'Immaculata
Journal secret du frère Enzo
Dimanche 3 mai 2020
Deux heures après le couvre-feu

Troisième dimanche après Pâques. « Terre entière, crie à Dieu ta joie ; *alleluia.* » Leonardo a rappliqué, un peu pâlot, d'humeur maussade. Il a déclaré qu'il devait se reposer. Apparemment, rien dans son comportement ne laisse présager qu'il a décelé des traces de virus dans son programme. *Alleluia !*

Gino a rencontré le cardinal Videgarai. L'opération « *overlord* » a commencé. Je ne connais pas les détails, mais je sais qu'ils viendront de l'extérieur. J'espère que le temps sera beau. Mon rôle est presque terminé. Nonobstant, je les accompagnerai dans leurs investigations. L'heure de la vérité sonnera dans la nuit de lundi à mardi. Précisions demain après-midi. Après avoir vécu aussi longtemps en cale sèche, me voici au grand large. Il semble bien que les plaques de voitures se soient révélées instructives. C'est la confirmation que mon échafaudage de présomptions n'était pas sans fondement. L'avenir de Barracuda se cantonne désormais dans un mouchoir de poche. J'éprouve un plaisir jubilatoire à le savoir dans l'ignorance de l'orage qui se prépare. « *Acta est fabula* [2]. »

L'hôtellerie est déserte. J'ai tout le loisir pour prier et réfléchir. En moi, les idoles abhorrées se sont transformées en saintes icônes. Alors que je croyais ne déboucher nulle part, j'arrive dans l'ineffable. Le temps s'est immobilisé. Je suis dans l'éternité. Hier soir, un phénomène étrange s'est produit. Je lisais l'Apocalypse de saint Jean lorsque j'ai vu (je vais encore passer pour un débile !) une grande cité se briser en trois parties. J'ai entendu nettement une voix proclamer : « Malheur ! Malheur ! La grande cité, il n'a fallu qu'une heure pour dévaster tant de richesses. » Puis j'ai senti comme un zéphyr traverser mon âme. Un courant d'air pur. J'ai vu alors une terre nouvelle s'étendre à perte de vue, une terre vert et or. Mes yeux ont alors discerné une forme lumineuse qui m'invitait à avancer vers elle. Je me suis pincé le bras aux fins de vérifier que je ne dormais pas. J'étais bien réveillé, en pleine pos-

---

2. La pièce est jouée.

session de moi-même. La forme m'a adressé la parole : « Bonne est la mort qui n'enlève pas la vie mais la transporte ailleurs. » Des images corporelles voletaient autour de la forme. Plus je m'approchais, plus j'étais ébloui par la lumière qui en émanait. A travers un éclair, j'ai vu qu'elle me souriait. Puis soudain, tout s'est effacé : j'eus beau écarquiller mon regard intérieur, la vision avait disparu. Je demeurai en état de ravissement. Mon présent n'était plus perturbé par le ressac du passé, plus agité par le flux de l'avenir. Passé-futur fusionnant en un point unique, l'instant figé. Oserais-je affirmer que j'ai vraiment vu ce que je décris ? Aurais-je été abusé par mes sens perturbés ? Cependant, je n'ai jamais été porté sur le mysticisme. Oui, ce que je relate est vrai. Pendant quelques secondes (quelques minutes ? quelques heures ?) fixes, hors du temps, j'ai comme franchi un miroir liquide et contemplé l'autre monde. Signe d'authenticité : l'état de paix et de joie qui se maintient en moi. C'est avec une grande circonspection que j'affirme avoir été emporté hors de moi-même et enveloppé dans une nappe de lumière et de douceur. N'étant pas hallucinogène, inexpert en décorporation, je ne peux que souscrire à la réalité des faits. Je n'irai pas jusqu'à mentionner une apparition. Ce serait excessif. Mais n'empêche, la coïncidence avec les événements en cours me paraît tellement remarquable qu'il faudrait être aveugle pour ne pas la relever. Pendant la messe de ce matin, le mot « *jubilate* » m'a bercé comme des alizés marins. Et cependant, je ne me sens ni délirant ni excité. Je n'éprouve aucune envie de faire de la publicité autour de cette intrusion de l'éternel dans mon agenda. Ce message s'adresse à moi seul. Je sais désormais par quel bout s'enflamment les allumettes. Je sais que le château de sable édifié par Leonardo va s'écrouler sous l'effet d'un mascaret. Je sais aussi que je ne survivrai sans doute pas à la bataille qui va s'engager. Ma vie terrestre n'a plus d'importance en ce sens que je la perçois comme jouée. Le parcours est achevé : pardon à moi-même, réconciliation avec autrui, récognition de Dieu, vision de l'au-delà, sentiment de plénitude.

« Votre cœur connaîtra la joie, et cette joie, personne ne pourra vous la ravir[3]. » Une fois la vérité reconnue, ce journal n'a plus de sens. Le procès-verbal de mon aventure intérieure est dressé ; la suite de ma vie sera impossible à relater puisqu'elle s'apparen-

---

3. Évangile du troisième dimanche après Pâques.

tera à celle d'un moine ressuscité. Mon cinquième évangile est terminé. Les actes de l'apôtre sont le tissu de la mémoire du futur. « Pâque », m'avait-Il dit. Nous y voici. C'est Pâques. « *All'alté fantasia qui mancò possa ; Ma già volgea il mio disiro e il velle, si comme ruota che ingualmente è mossa, L'amor che muove il sole e l'altre stelle* [4]. » Un roi vient et à nouveau Excalibur émergera du lac.

Dans la nuit de lundi à mardi, je ferai abbaye-buissonnière, je ne participerai pas à matines. Le masque d'Enzo, le niais, tombera en même temps que l'empire de Leonardo. *Lux in tenebris*. Je vais glisser une lettre à Amadeo, lui expliquant mon attitude et lui indiquant où est caché ce journal. Demain viendra un émissaire du Cardinal.

Oui, la vie vaut la peine d'être vécue alors même qu'elle n'est qu'un intermède souvent douloureux. Finir ranci, âgé, non oblitéré : non merci. Plutôt le saut de l'ange entre ciel et mer.

---

4. L'imagination perdit ici ses forces ; mais déjà mon envie avec ma volonté tournaient comme une roue aux ordres de l'amour qui meut le soleil et les autres étoiles (Dante, *Divine Comédie*, Paradis, chant XXXIII).

Monte Miletto
Mardi 5 mai 2020
Deux heures trente

« Une silhouette nous fait signe, chuchota Remio à l'intention du Cardinal. Il s'agit certainement du frère Enzo. » Après quatre heures d'ascension, ils étaient blottis à la lisière de l'espace découvert qui précédait l'entrée du souterrain. Ils auraient pu accomplir une partie du trajet en auto par la route en lacets menant à l'abbaye, mais la solution d'une escalade diurne avait paru préférable, plus discrète. Ils s'étaient ainsi familiarisés avec le chemin qu'ils emprunteraient nécessairement pour regagner leur base de départ. Les étoiles scintillaient dans le ciel. Lune claire. Froid vif. Atmosphère imprégnée des odeurs âcres du terreau humide. Çà et là, des plaques de neige. Murmure joyeux des eaux ruisselantes libérées par le printemps. Équipés de lunettes à infrarouges et de gilets pare-balles, accoutrés comme des trappeurs, Remio, Giannalia, Nino, Giuseppe et Roberto portaient chacun en bandoulière un sac chargé de boissons, de vivres, d'une torche, de fusées éclairantes, de munitions, d'une carte et de médicaments de première urgence. En outre, ils étaient armés d'un revolver, d'un couteau, de grenades et d'un pistolet-mitrailleur Stone. Ce matériel avait été rassemblé par Conti en un temps record. « Je n'ai pas pu obtenir de silencieux », s'était-il excusé. Ils étaient en communication permanente avec Gino à l'affût devant son PC, avec le Cardinal et Nando Veneti, un jeune médecin ami de Cafarelli, embusqués à couvert dans un sous-bois de la vallée. Les trois Range Rover qui les avaient amenés étaient camouflées de manière à échapper à l'œil d'un quelconque satellite-espion. Marchangelo Videgarai était sans protection, encore que personne n'aurait pu reconnaître un cardinal sous sa tenue de chasseur. Les hommes avaient usé de tous les moyens de dissuasion imaginables, mais Giannalia avait exigé de les accompagner. Elle avait opposé à leurs objections une scène volcanique avec en point d'orgue un croassement lyrique : « Si tu dois mourir, Remio, je préfère mourir avec toi plutôt que de passer le reste de ma vie en veuve inconsolable. » Le Cardinal en personne n'avait guère mieux réussi à l'influencer. Un roc. Ils s'étaient résignés. Bontempi avait observé non sans humour : « Au moins, en cas de pépin, nous aurons une infirmière pour soigner nos bobos. »

« Je m'appelle Franco. Je suis le frère de Gino. » Emmitouflé dans une ample cape, il paraissait malingre, inoffensif. Petit, chauve, grandes oreilles, nez en patate, il avait des yeux sombres profondément enfoncés dans leurs orbites et, dans le clair de lune, il donnait une impression de rusticité madrée, tel un berger d'une Nativité du *Quattrocento*. Mais à le considérer de plus près, surtout lorsqu'il souriait, sous une écorce fruste, ils devinèrent une vive intelligence et une obstination à toute épreuve. « Nous venons de la part du cardinal Videgarai », murmura Remio. « Je suis au courant. Mon frère m'a averti. La paix soit avec vous. Vous êtes à l'heure. Comme vous le savez, Gino a décrypté les codes permettant d'accéder aux portes et aux plaques du hall. Je vous propose de nous introduire dans le souterrain. Nous avons peu de temps devant nous. Matines et laudes ne durent qu'une demi-heure. Ensuite, l'Abbé regagne son bureau. » Franco actionna le polycom et le faux rocher s'écarta, dégageant une ouverture de deux mètres sur trois. Un bref instant sidérés comme si la porte des Enfers béait sous leurs yeux, ils approchèrent à pas comptés. Dans le hall nu, éclairé par une lumière crue, Remio sursauta : « La même odeur qu'au Hofburg. Mon oncle avait raison. » Doigts serrés sur la gâchette, ils se dirigèrent vers les portes latérales au-dessus desquelles couraient de gros tuyaux verdâtres. Comme lors de la précédente visite de Franco, l'endroit semblait désert. A peine la première porte franchie d'où partait un escalier en ciment, ils perçurent un mouvement assourdi émanant des entrailles de la terre. Ils n'étaient plus seuls. Des gardes, vraisemblablement alertés par leur arrivée, se mobilisaient. « Gare à la casse », souffla Giuseppe. « Ne tirez qu'à coup sûr », ordonna Remio. « Ma chérie, tiens-toi en retrait avec le frère. Roberto, veille à ce que la porte ne se referme pas derrière nous. » Remio s'avança, la gorge congestionnée par l'anxiété, il percevait dans son dos le souffle oppressé de ses amis. Ils descendirent lentement. En bas, en face d'eux, un mur blanc ; un couloir perpendiculaire au pied de l'escalier partait à gauche et à droite. Soudain, deux hommes en combinaison noire débouchèrent au bout de la partie droite du couloir. « Planquez-vous », beugla Remio. Il tira sans hésiter. Les deux hommes tombèrent. « Fonçons. » Bustes courbés, ils s'élancèrent. Au bout du couloir, à sénestre, ils se retrouvèrent dans une salle où trois costauds, vêtus comme les autres se dressaient, ameutés par la fusillade, tournant le dos à une longue table couverte de bouteilles, de paquets de cigarettes et de cartes à jouer. Ils saisirent leurs armes, mais n'eurent guère le loisir de s'en servir : Remio, Nino et Giuseppe les abattirent. Trois cadavres supplémentaires. Giannalia et Franco les avaient rejoints. Le religieux traça un signe de croix et dit d'une voix calme : « Si l'un d'entre eux a eu le temps de déclencher un signal d'alarme, l'Abbé est au courant de notre présence. Dans ce cas, je ne réponds pas de la suite. » Ils avisèrent des portes au fond de la salle. « Vite, Gino », clama Franco. « Vas-y, petit frère, presse le bouton. » La première s'ouvrit. Vide. La suivante contenait un bureau, du matériel informatique et des armes accrochées à un râtelier. A la troisième tentative, une surprise de taille les attendait. Ils aperçurent une forme allongée sur une couchette. Un plateau garni de reliquats de nourriture était posé sur une chaise. Remio s'efforça de contenir la fièvre qui l'agitait : « Procédons avec méthode. Nino, Giuseppe, couvrez-moi. Giannalia, frère, avec moi. » Ils se penchèrent sur la forme immobile, qu'un plaid dissimulait presque entièrement. Remio la découvrit. Un vieillard, en pyjama bleu pâle, gisait là, respirant avec difficulté. « Nom de Dieu ! s'exclama-t-il, le Pape. » Aussitôt, il avisa le Cardinal. « Revenez immédiatement avec le Saint-Père. Ne vous préoccupez de rien d'autre, commanda celui-ci d'une voix ferme. L'alerte doit déjà avoir été donnée. » On entendit alors le timbre grave de Gino : « Branle-bas, les gars. L'Abbé est dans ses appartements. Il transmet un message. Grouillez-vous sinon vous risquez d'être faits comme des rats. » Ils déguerpirent à toute allure. Giuseppe portant le corps frêle de Jean XXIV dans ses bras musclés. Personne ne s'opposant à leur fuite – à l'évidence les geôliers du Pape avaient tous été éliminés –, ils regagnèrent le hall. Roberto ne s'embarrassa pas de questions à propos du paquet enveloppé dans un plaid que coltinait Giuseppe. Ils se ruaient au-dehors alors qu'une des plaques se soulevait automatiquement. Des cris et des pas précipités retentirent derrière eux. Ils étaient heureusement déjà à couvert et dégringolaient le Monte Miletto lorsque plusieurs coups de feu éclatèrent. En tête, Franco et Giuseppe serrant contre sa poitrine le précieux fardeau ; ensuite Giannalia, puis Remio, Nino et Roberto, tantôt s'arrêtant pour apprécier la distance qui les séparait d'éventuels poursuivants, tantôt dévalant la pente aussi vite que les jambes de Giuseppe le permettaient. La lune brillante était leur alliée. Ils contournaient les arbres et les buissons, attentifs à ne pas s'écarter du sentier qu'ils avaient suivi à l'aller. Il leur faudrait quatre heures de descente pour rejoindre le Cardinal. Remio fit une nouvelle halte. Plus haut, la nuit était silencieuse. Pas un signe de vie. Ils avaient dû renoncer à leur donner la chasse. « Tu entends quelque chose ? » dit-il à Nino. « Rien. Mais si tu veux mon avis, ils mijotent une opération pas très catholique. Leur attitude n'est pas normale. » « J'en ai bien peur, soupira Remio. Je crois qu'on n'est pas sortis de l'auberge. Quoi qu'il en soit, continuons : chaque mètre nous rapproche de la vallée. » Le clair-obscur les engloutit.

Hans Meyer consulta sa montre. Trois heures cinq. Toujours rien. Beppe Bottà, un technicien de l'imprimerie Mondadino, le regarda avec anxiété. Les distributeurs qu'ils avaient engagés, des durs sans états d'âme, fumaient paisiblement en attendant le moment de passer à l'action. Il avait encore à l'esprit les termes du Cardinal lorsqu'il lui avait exposé son idée. Une idée ingénieuse, mais hasardeuse. « Si nous retrouvons le Saint-Père, avait-il expliqué, si l'Immaculata est bien le repaire des comploteurs, si les bonbonnes y sont entreposées, alors, si vous êtes d'accord, je suggère de réaliser une fausse édition de l'*Osservatore* qui sera déposée dans les points de vente. Les autorités seront prises de vitesse. La population informée, une belle pagaille s'ensuivra qui nous sera bénéfique. » Le Jésuite s'était donc attelé à une édition-pirate de quatre pages avec gros titres et articles incendiaires dénonçant la conspiration, avec noms et détails croustillants à l'appui. Un seul nom manquerait : le concepteur de Patmos. Il y avait consacré son talent et toute son acrimonie. Tiré à trente mille exemplaires, ce serait un *Osservatore* comme on n'en avait jamais vu de mémoire de Romain. Tout à coup, le bip de son microlog se manifesta : « Allez-y, Hans. Ils ont retrouvé le Pape vivant. Les bonbonnes sont sans doute là, mais ils n'ont pas eu le temps de s'en assurer. Bonne chance. » Hans Meyer leva le pouce droit en signe de victoire. Aussitôt les rotatives se mirent en marche. Une demi-heure plus tard, les liasses de journaux étaient entassées dans trois camionnettes en tous points similaires à celles des messageries qui véhiculaient l'organe du Vatican. Quelques minutes encore de labeur et elles furent acheminées vers tous les kiosques de la Ville Éternelle. Hans Meyer envoya le signal convenu au Cardinal. Opération en cours. Une fois n'est pas coutume, l'*Osservatore* ferait sensation. Le temps de tout remettre en place et d'effacer les traces de leurs activités clandestines, Meyer et Bottà s'évanouirent dans la nuit finissante. Il était quatre heures trente-huit.

Trois heures. Une Janice Bergen méconnaissable, perruquée, maquillée, parfumée, vêtue d'un sweat-shirt noir de chez Misoni et d'un pantalon en cuir brun de chez Valentino, accoutrement qui rendait son identification hautement improbable, paraissait attendre son amant. Sa main droite tapotait nerveusement le volant de la Maserati vert émeraude que lui avait procurée Conti. « Une voiture volée, assurément, pensa-t-elle avec une pointe d'appréhension. Si une patrouille de police me contrôle, je suis bonne pour le trou. Et puis, zut ! Ne suis-je pas la princesse Aldobrandini au volant d'un véhicule immatriculé dans la Città del Vaticano ? Tabou. » Elle résista à l'envie d'allumer la lumière et de se refaire une beauté dans le rétroviseur. Janice, sage et vertueuse, prenait un plaisir certain à cette situation scabreuse. Elle s'imagina un bel homme sortant d'une maison cossue et l'emmenant dans un hôtel de luxe pour lui faire subir « les derniers outrages ». Rien qu'à cette idée, elle ressentit une délicieuse chaleur en ce point de sa personne qui n'avait jamais été visité par un mâle. Elle se secoua en se morigénant : « Tu n'es pas ici pour la bagatelle, ma petite Janice. » N'empêche que depuis quelque temps, elle se savait mûre pour une aventure : l'époque de la militante asexuée du Vatican était révolue. Mais, à son âge, on se montrait prudente et difficile. L'homme de sa vie devrait être orné de toutes les qualités : beau, tendre, viril, intelligent... « Et quoi encore, se dit-elle, cette perle rare ne court pas les rues à... » Derechef, elle consulta le cadran lumineux du tableau de bord. « ... trois heures dix du matin ». Soudain, un clignotement. « Oui », murmura-t-elle. « Il ne va pas tarder à se manifester. Soyez prête. » « Appel reçu, Éminence », répondit-elle dans un souffle. Effectivement, peu après, une ombre quitta à la hâte le palazzo qu'elle surveillait et s'engouffra dans une Mercedes stationnée devant la porte cochère. Elle se laissa distancer avant de démarrer à son tour. A cette heure, une filature était aussi aisée qu'aléatoire. Si elle commettait la moindre maladresse, elle serait repérée. « Il vient de partir. » « Ne le lâchez pas, Janice. Vous connaissez l'enjeu ? » « Je ferai de mon mieux, Éminence. Le Saint-Père est-il vivant ? » « Il est vivant. » « Dieu soit loué. » « Courage, Janice. » Elle songea : « C'est un homme comme lui qu'il me faudrait. » Elle se traita d'idiote et se concentra sur sa mission. Elle roulait maintenant sur la via Appia Antica en direction de Castel Gandolfo. A quelques kilomètres de la résidence d'été des papes, la Mercedes bifurqua à gauche vers le lago Albano. Janice ralentit. Combien de temps encore durerait cette randonnée nocturne ? Toutefois, sa patience ne fut pas mise davantage à l'épreuve : elle touchait au but. Au bord du lac, la grosse limousine tourna à gauche. Elle avait pénétré dans une des nombreuses propriétés riveraines. Janice se gara le long d'un mur que surplombaient des branches touffues. Elle se glissa jusqu'à l'endroit où avait disparu la Mercedes : une allée asphaltée qu'interrompait une grille à double battant, close, et flanquée de deux piliers sur l'un desquels était apposée une plaque de marbre : Villa Orsini. « L'oiseau est dans la cage », jubila-t-elle. Elle regagna sa voiture et communiqua sa découverte au Cardinal. « Bravo, Janice. Ne bougez pas d'où vous êtes. S'il devait ressortir, suivez-le. Mais je ne crois pas qu'il le fasse. » Il était quatre heures douze.

« Un hélicoptère », vociféra Remio. Le ronflement caractéristique venait du nord. « Dès qu'il apparaît, on fait le mort. » Quelques secondes encore et il les survolait. Un phare puissant disposé à l'avant de l'appareil balayait le moindre recoin de la forêt. « Un Cougouar ! Ce qu'on fait de mieux dans le genre », fit Nino. De l'endroit où ils se terraient, ils virent que la porte de l'appareil était ouverte et distinguèrent des silhouettes casquées, penchées, à l'affût du moindre mouvement dans la forêt. Le pilote suivait exactement le tracé du sentier. A l'aide d'un équipement perfectionné, il évoluait comme en plein jour. Avant chaque passage au-dessus de leurs têtes, ils se tapissaient, raides comme des momies. « Notre veine, si on peut appeler cela une veine, c'est qu'ils ne peuvent se poser nulle part. Seulement nous canarder », maugréa Giuseppe. « Ce coup-ci, on n'y échappera pas », gémit Giannalia. « Croise les doigts, mon amour », l'encouragea Remio. « On s'en est déjà sortis deux fois. Jamais deux sans trois. » Il contacta le Cardinal : « Sommes attaqués par un hélicoptère ultra-moderne. » Pour la première fois, l'oncle proféra un juron. « Détruisez-le, nom de Dieu. » « Détruisez-le. Il en a des bonnes. C'est David contre Goliath », pesta Remio *in petto*. Exploitant un bref répit, ils s'abritèrent sous un renfoncement rocheux. Abri précaire, leur salut dépendant de la position de l'adversaire. De face, il ne pouvait les détecter, de dos ou de côté, c'était plus aléatoire. A la hâte, Franco se dépouilla de sa cape et Giuseppe y étendit le Souverain Pontife toujours emballé dans le plaid. Le moine se comportait comme s'il ne courait aucun danger. Avec une maladresse touchante, il faisait au Pape un rempart de son propre corps. « Au prochain survol, nous l'assaisonnons », décida Remio. « T'es cinglé, s'insurgea Nino, si nous le ratons, nous sommes cuits. » « De toute façon, nous sommes cuits si on le laisse faire. Je parierais même qu'il nous a localisés. La chaleur humaine émet des ondes qu'il a certainement enregistrées, sans parler du son de nos voix. Je parie qu'il est en train de choisir le meilleur angle pour nous pilonner », glapit Remio. Petit silence. « Et puis, Dieu est avec nous », ajouta-t-il sans la moindre ironie. Le nez de l'hélicoptère se pointa en amont. Il s'immobilisa à une cinquantaine de mètres de hauteur. Le fracas était étourdissant. Cible idéale. Ils sentirent qu'il les ajustait. « Feu à volonté », s'écria Remio. Dévorés par la rage de survivre, ils vidèrent leurs chargeurs. Alors que Giannalia, au comble de la terreur, hurlait des paroles incompréhensibles, Franco contemplait la scène avec une mine réjouie comme s'il assistait à un film d'action. D'un coup, l'appareil parut happé par le ciel. Avant qu'il ne se dérobe à leur vue, ils remarquèrent la fumée s'échappant de ses flancs. Ils se redressèrent en poussant des cris d'Indiens. « On l'a eu. Tu es génial, Remio. » Roberto agitait son pistolet-mitrailleur au-dessus de lui tel un guérillero triomphant. Cependant, ils n'eurent guère le loisir de savourer longtemps leur exploit. L'hélicoptère revenait, fondait sur eux traînant un long panache noir dans son sillage. Soudain un déluge de feu s'abattit : ils se jetèrent sur le sol spongieux. La forêt s'embrasa. Remio eut la vision de Franco, debout, un sourire ornant son visage ingrat. « Couche-toi », brailla-t-il. L'avertissement arriva trop tard. Le corps de Franco fut déchiqueté sous l'impact d'une pluie de projectiles. Les bras écartés, il bascula lentement en arrière comme au ralenti et s'effondra sur la forme inerte de celui qu'il avait voulu protéger. Subitement, une déflagration épouvantable déchira l'atmosphère. Après quelques instants d'hébétement, ils se relevèrent. Le spectacle était dantesque : arbres calcinés, carcasse incandescente de l'appareil, cratères d'explosion. A l'ouest, une colonne de fumée s'élevait par bouffées tourbillonnantes. Gémissements et crépitements de flammes. Roberto, plié en deux de douleur, grimaçait : il avait du mal à respirer, son gilet pare-balles lui avait sauvé la vie. Nino se tenait l'épaule droite. Giannalia était pétrifiée. Giuseppe, son arme à la main, se mouvait, stupide. Quant à Remio il s'approcha de son aimée et l'étreignit : « C'est fini, *carissima*, c'est fini. » Il sanglotait. Franco était mort. Sa bure ensanglantée l'enveloppait comme un linceul. Sa physionomie avait conservé un sourire, offrande au Dieu auprès duquel il devait savourer déjà pleinement le bonheur.

« Nous avons descendu l'hélicoptère. Le frère est mort. Nino blessé. Heureusement que l'appareil était déséquilibré, sinon on y serait tous passés. Le Pape est indemne, si on peut dire. Nous sommes dans le cirage. C'est hallucinant. » Le Cardinal ne répondit pas tout de suite. Puis il murmura d'une voix altérée : « Revenez comme vous le pouvez. Mettez-vous en route immédiatement. » « Mais, mon oncle, tu rêves. Un autre hélicoptère ne va pas tarder. » « Je ne le pense pas. Lève la tête. » Videgarai avait raison. Le ciel se refermait. La lune avait disparu. De gros nuages s'accumulaient. La voûte sombre annonçait une tempête dont les signes avant-coureurs étaient déjà perceptibles. Des rafales de vent secouaient la cime des pins. Des éclairs zébraient le sommet du Monte Miletto. Les premiers roulements de tonnerre lointains s'éboulaient en percussions sourdes. « On met les bouts », lança Remio. « Que fait-on du frère ? » dit Giannalia. « On l'emmène. Impossible de l'abandonner ici. Et tant pis si ça doit freiner notre marche. Ça ira, Nino ? » « Ne vous en faites pas pour moi, la blessure est superficielle. » Après que Giannalia l'eut pansé, ils reprirent leur descente, hagards, hirsutes, sales, les vêtements en lambeaux. Giuseppe portant le Pape, Roberto plus péniblement le corps sans vie de Franco. Les grandes eaux se déchaînèrent. Rapidement, le sentier se transforma en torrent. Mais ils s'en moquaient, cet orage providentiel empêchait n'importe quel objet volant de décoller. De glissade en chute, en ahanant, en souffrant, en pleurant, poussés comme des épaves, ils s'emportèrent vers la vallée où le Cardinal les attendait.

De la fenêtre de sa cellule, Amadeo scrutait avec une angoisse croissante les ombres qui ourlaient le versant de la montagne. Il entendit l'hélicoptère, la fusillade, assista à la désintégration de l'appareil. Une boule orange, des volutes de fumée, puis plus rien. Peu après l'orage éclatait. Il avait lu sa lettre. Enzo ne reviendrait jamais à l'abbaye. Profitant de l'effervescence, les moines avaient, eux aussi, suivi indirectement le bref affrontement. Amadeo alla récupérer le journal d'Enzo dans sa cellule. L'abbé Leonardo ne s'était pas montré. Ensuite, il se rendit à l'hôtellerie où Claudio Cafarelli faisait une soi-disant retraite depuis le matin du jour précédent. Le secrétaire du Cardinal s'était longuement entretenu avec Enzo. Muni d'un polycom conçu par Gino, il savait comment s'y prendre pour pénétrer dans le souterrain. Sans hésiter, Amadeo le conduisit aux appartements de l'Abbé. Il actionna le bouton-poussoir. N'obtenant pas de réponse, ils entrèrent grâce au polycom. Amadeo demeura aux aguets dans le bureau pendant que Cafarelli empruntait le souterrain. Les instructions du Cardinal étaient formelles : dès le départ de Remio et de ses amis, il placerait une bombe miniature ultra-puissante le plus près possible du grand hall.

Lorsque Amadeo le rejoignit, il était déjà informé de ce qui s'était passé. La délivrance du Pape. La mort d'Enzo. « Agir de l'intérieur, avait précisé le Cardinal, afin d'éloigner les moines avant le déclenchement de la commande à distance de l'engin. » Quand il parvint à la porte du hall, Claudio fixa son dispositif derrière un tuyau.

Amadeo était blanc comme un linge. Il lui indiqua la chambre à coucher de Leonardo. Claudio s'y introduisit. Sur le lit de l'Abbé était étendu Gildas, le cou enserré par une chaînette de pénitence dont les pointes acérées s'enfonçaient profondément dans la chair. Il avait les yeux grands ouverts, glacés d'épouvante.

« Vous ne craignez pas une grave pollution en faisant exploser ces bonbonnes ? » demanda Amadeo. « Son Éminence s'est renseignée. Peut-être localement, mais pas à grande échelle », répondit Cafarelli. Il était quatre heures trente-sept.

Le ciel était obscurci par la nébulosité et l'aube se confondait avec la nuit. Exténués, trempés jusqu'à la moelle des os, ils rallièrent le point de rendez-vous. Ils avaient été jusqu'aux limites de la résistance humaine. Du Monte Miletto, ils feraient surgir un mythe.

Après un bref examen, le médecin hocha la tête avec résignation : « Le Saint-Père se trouve dans un état d'épuisement tel que ses chances de survie sont quasi nulles, sans compter les effets de la pluie sur son organisme affaibli. Je vais lui faire une piqûre. Mais il faut l'hospitaliser au plus vite. Je connais une clinique qui fera l'affaire. C'est assez loin d'ici, mais je ne vois guère d'autre possibilité. » Le Cardinal fit un signe d'assentiment. Ensuite, Nando Veneti, passant d'une Range Rover à l'autre, soigna la plaie de Nino. « Heureusement, dit-il, la balle n'a fait qu'entrer et sortir. » Il oignit le torse contusionné de Roberto d'une pommade analgésique. A chacun, il fit absorber un décontractant et distribua des vêtements secs. A l'intérieur de la troisième Range Rover, Marchangelo Videgarai était agenouillé devant la dépouille de Franco. Il priait intensément. Il le bénit. « Quel est l'objet qu'il serre dans son poing, Éminence ? » demanda Giannalia. Le Cardinal déplia les doigts du mort. C'était le crucifix-polycom. « Et Gino ? » questionna Remio. « Gino sait que son frère fait partie des bienheureux », répondit-il avec tristesse. Ils démarrèrent. Il pleuvait toujours. Il était sept heures et demie.

La lecture de l'*Osservatore* agit comme un filtre par lequel passaient toutes les frustrations accumulées depuis plusieurs mois. Ainsi donc, le Pape était vivant. Ce n'étaient pas les islamistes qui l'avaient kidnappé. Ainsi Maillard et sa clique n'étaient que des fantoches. Ainsi on avait abusé la population européenne en criant au loup. Ainsi les assassinats et les attentats n'étaient que mises en scène. Ainsi un cardinal, en brandissant une arme terrifiante, s'apprêtait à usurper le trône de Pierre et dicter sa charia avec la complicité de prêtres, de politiques, de lobbymen, de scientifiques. Ainsi on vivait dans la peur, le mensonge et la haine parce que des salauds méprisaient toute dignité. Ainsi, toutes ces histoires d'apocalypse, de prophéties de Malachie n'étaient que du bidon. Ainsi... Ainsi... Les Romains n'en finissaient pas de palabrer, de s'insurger, d'applaudir à ce coup d'audace... de comprendre.

La rumeur s'était répandue comme une traînée de poudre. On s'arrachait l'*Osservatore* à prix d'or. Vingt mille exemplaires vendus avant l'intervention de la police. Des petits malins le reproduisaient en catimini. Cinq heures après sa parution, il se trouvait sur Crossworld et devenait accessible aux usagers du réseau dans le monde entier. Les médias des pays libres relayèrent l'information. Le scoop absolu.

Les autres quotidiens diffusèrent en fin de matinée des éditions spéciales démentant catégoriquement les allégations de l'*Osservatore*. Ils accusaient nommément le Préfet de la Congrégation pour la Doctrine de la Foi et « sa bande de criminels » d'intoxication, de subversion et de tentative de coup d'État. Tout était faux, archifaux. D'ailleurs, de qui s'agit-il ? De journalistes aigris, d'une voyante hystérique, d'un Jésuite réactionnaire, d'un commissaire aux abois, d'une intrigante et de quelques autres représentants de la lie de la société, ameutés par un cardinal dévoré d'ambition. Photos à l'appui, ils traçaient d'eux des portraits tendancieux d'où il ressortait notamment, et de citer de nombreux exemples, que Marchangelo Videgarai menait depuis longtemps son propre jeu au Vatican. « Air patelin, âme de démon », ironisait Pozzi dans *Ora Undecima*. Ils invitaient la population à collaborer avec les autorités pour retrouver ces malfaiteurs dangereux, prêts à tout pour aboutir à leurs fins. A midi, le général Maillard et le cardinal Doyen Dezza firent une intervention télévisée en duplex de Rome et de Bruxelles. « C'étaient ceux-là mêmes qui accusaient le pouvoir à l'aide de preuves fabriquées qui cherchaient à déstabiliser la Confédération. Ce quarteron de fripouilles ne tarderait pas à se retrouver sous les verrous. On pouvait maintenant le révéler : le Saint-Père était mort, assurément tué par les putschistes. Les attentats et l'élimination des voyantes étaient leur œuvre. Si les militaires avaient pris le pouvoir, c'est qu'ils y avaient été contraints et forcés, il fallait bien tout entreprendre pour barrer la route à ces illuminés », déclara le Doyen, la main sur le cœur. Il promit que, sitôt retrouvé le corps de l'infortuné Jean XXIV – et ce n'était plus qu'une question d'heures –, un conclave se réunirait et un nouveau pontife serait élu de la manière la plus régulière. « Sous l'inspiration de l'Esprit Saint », s'égosilla-t-il. Maillard conclut qu'une fois matée cette rébellion de l'insignifiance, la Confédération retrouverait les institutions démocratiques qu'il avait fallu momentanément suspendre pour le bien commun. On comprenait maintenant pourquoi le gouvernement s'était conduit comme il l'avait fait. Par devoir.

Ni les proclamations fermes des autorités, ni les réfutations des quotidiens, ni l'intox télévisée n'apaisèrent les esprits. Au contraire, l'agitation gagna rapidement la Confédération tout entière. La résistance, quasiment décimée, renaissait. Visiblement, la population avait choisi son camp. Le cardinal Videgarai devint la figure de proue de la liberté. La journée n'était pas terminée qu'un peu partout éclataient des incidents, de plus en plus violents. L'armée intervint brutalement : il y eut de nombreuses victimes de la soldatesque. Un terrible bras de fer s'engageait entre des citoyens exacerbés et un pouvoir sur le gril. Des jeunes bravaient ouvertement les militaires. La police débordée ne put s'opposer à l'occupation de bâtiments administratifs, au pillage des casernes. La Confédération, au bord de l'insurrection, basculait lentement dans l'anarchie. Qu'une partie de « la grande muette » fasse défection et c'en était fait d'un pouvoir dont le fer s'émoussait au fil des heures.

A vingt-deux heures, le comte Lothär von Armsberg annonçait dans un bref communiqué que le général Maillard était destitué et que le ministre de la Culture avait été investi des pleins pouvoirs par la chambre haute. Il décrétait la loi martiale et instaurait le couvre-feu sur l'ensemble du territoire. Toute personne ne pouvant justifier sa présence dans les rues entre vingt et six heures du matin serait fusillée sur-le-champ. Si demain, le calme n'était pas revenu, on recourrait à des moyens exceptionnels pour rétablir l'ordre. Menace très claire, même si elle n'apportait aucune précision sur ces « moyens ». On considéra la réaction du gouvernement comme une confirmation des accusations de l'*Osservatore* qui avait mentionné l'existence d'une arme terrifiante. La guerre civile couvait donc et on pouvait tout appréhender de la part d'extrémistes accrochés à leurs juteux avantages et bien décidés à les conserver à n'importe quel prix.

Jean XXIV ouvrit les yeux. A son chevet, Nando Veneti, Albino Solani et Marchangelo Videgarai guettaient son réveil.

Après un long périple, en n'utilisant que des routes secondaires, ils étaient parvenus sans encombre, à leur grand étonnement, appréhendant les barrages policiers, à la clinique Santa Catarina située sur les bords de la mer Tyrrhénienne à Lido di Castel Fusano. Établissement dirigé par Albino Solani, un confrère qui avait l'entière confiance de Veneti. Solani était un vieux conservateur qui pratiquait à l'ancienne : tête en boule de fromage, visage sillonné de rides, crâne dégarni luisant de sueur, deux globules bleus abrités derrière des lunettes rondes, moustache buissonnant en une pilosité anarchique au-dessus d'une bouche épaisse, corps malingre, membres d'atèle. Il ressemblait à un dessin d'enfant. Il haïssait le nouveau pouvoir et se montra enthousiaste dès qu'il sut ce qu'on espérait de lui. Les examens et les analyses confirmèrent le premier diagnostic : le Saint-Père souffrait de cachexie. Teint cireux, squelettique, incontinent, état de faiblesse généralisée dû à la malnutrition, aux drogues, au stress. Manifestement, ses ravisseurs s'étaient contentés de le maintenir en vie. On ne pouvait le nourrir que par baxter. Le Pape se mourait. Le délai le plus optimiste : quelques jours, quelques semaines. Deux infirmières très sexy commises à ses soins avaient juré solennellement sur la Santa Madona de garder le secret et même accepté d'être consignées à la clinique.

– Autrefois, c'étaient des sœurs, s'excusa Solani. Mais à l'heure actuelle, Éminence, vous savez comment ça va... Cependant, notre personnel est trié sur le volet, nous préférons des êtres humains aux robots qui sévissent dans les grandes surfaces hospitalières.

A un jet de pierre, Remio, Giannalia, Nino, Giuseppe et Roberto, exténués, se refaisaient une santé au domicile d'Albino Solani. Quant à Franco, il reposait à la morgue de l'hôpital : il serait enterré, une fois Gino parmi eux.

– Où suis-je ?

Les premières paroles du Pape prononcées d'une voix cassée, à peine audible.

– Vous êtes en compagnie d'amis, Votre Sainteté, murmura le Cardinal. Vous n'avez plus rien à craindre.

– Qui êtes-vous ?

Il dévisagea Videgarai comme s'il le voyait pour la première fois.

– Vous ne me reconnaissez pas. Je suis le cardinal Videgarai et voici les médecins qui vous soignent, les docteurs Veneti et Solani.

Le Pontife fit un effort pour se redresser, mais sa tête retomba sur l'oreiller.

– Il est possible, Éminence, que les drogues qu'on lui a injectées aient altéré sa mémoire, souffla Veneti.

– Videgarai... Videgarai... fit le Pape.

Et puis soudain :

– Mais vous ne lui ressemblez pas ?

Le Cardinal était vêtu d'une chemise à carreaux et de jeans.

– Rappelez-vous, Votre Sainteté, vous avez été enlevée, séquestrée.

– Je me souviens de visages sévères, de gens malpolis qui me forçaient à manger, de piqûres douloureuses.

– Nous vous avons sortie de là, Votre Sainteté. Vous êtes dans une clinique.

Le visage du Pape grimaça un pâle sourire.

– Videgarai, fit-il. Oui, je me souviens. Vous étiez obsédé par un complot et vous m'avez mis en colère.

Solani intervint.

– Nous ne pouvons poursuivre plus longtemps cette conversation, Éminence. S'il se met à revivre le passé, une thrombose n'est pas à exclure. Le Saint-Père a besoin d'un repos complet.

Le Cardinal approuva :

– N'ayez plus peur, Votre Sainteté, nous sommes nombreux à veiller sur vous. Nous reprendrons cet entretien et je vous expliquerai tout.

Ils quittèrent la chambre. Une infirmière, sourire d'ange et seins plantureux, les remplaça. Solani avait décrété que le Pape resterait sous surveillance constante, jour et nuit.

A treize heures, briefing. Remio, Giannalia, Nino le bras en écharpe, Giuseppe, Roberto, bien sûr. Mais également Hans Meyer et Gino ainsi que les cardinaux Camarro et Van Durme, ces deux derniers, abasourdis par ce qu'ils apprenaient de la bouche de Videgarai. La monstrueuse machination ! Ils furent les seuls à se voir confier le nom du cerveau de Patmos. Leur indignation et leur saisissement furent tels qu'ils ne réagirent pas immédiatement. Un cardinal de Notre Sainte Mère l'Église ! Avec des complices à tous les niveaux. Inimaginable. Invraisemblable. Au courant des événements de Rome, ainsi que Hans Meyer un peu auparavant, ils étaient maintenant très diserts concernant le faux *Osservatore*, les réactions qu'il avait suscitées, les premiers signes d'une émeute populaire, le durcissement d'un pouvoir aux abois.

— Janice, elle non plus, n'a pas chômé, dévoila Videgarai, elle a localisé l'éventuel quartier général de Patmos.

La situation à l'Immaculata frappa encore davantage les esprits des deux prélats ; l'Abbé félon, le souterrain, la détention du Saint-Père, les bonbonnes de gaz Athanor.

— Claudio se trouve à l'abbaye. Il attend mes instructions, dit le Cardinal d'une voix qui tremblait légèrement. S'ils décident de recourir à leur arme suprême, je lui donnerai l'ordre de tout faire sauter.

Le cardinal Van Durme était livide.

— Vous prendriez là, Éminence, une lourde responsabilité. Que vont devenir ces pauvres moines innocents ? Et puis, n'y a-t-il pas un risque considérable de pollution ?

— J'y pense tout le temps, Éminence, répondit Videgarai. Je passe mes nuits à prier. Ce que je vois, c'est le mal en action. Pour l'empêcher de proliférer, il faut le détruire quelle que soit la facture à payer.

Il parut rentrer en lui-même et reprit, plus calme.

— Ce que je vois aussi, c'est la trame qui sous-tend l'histoire, l'éternité en suspension. Le mal n'en est que l'avant-scène. En retrait, mais prodigieusement actif, il y a le Seigneur. Le mal atteint aujourd'hui un paroxysme au-delà duquel il se délitera sous le simple effet de la présence divine comme la brume sous la chaleur du soleil. Mais Dieu n'agit pas seul. Il a besoin des hommes, de nous. L'humanité joue un rôle majeur dans son plan. Elle doit donc survivre et ne se terminera que quand sa raison d'être aura cessé d'exister. Mais ce n'est pas aux membres de Patmos qu'incombe cette décision. A leur insu, ils sont les instruments du mal, et le mal n'est pas le dernier mot de l'histoire ; c'est un épisode que Dieu ne peut empêcher, mais qu'Il contrera en temps opportun. En ce qui me concerne, à mon niveau, je sais qu'il faut anéantir le mal présent afin de donner une nouvelle chance à une humanité incapable de modifier le cap par elle-même.

Conquis par l'autorité et la force qui émanaient du Cardinal, impressionnés par sa lecture des événements, les membres de l'assistance ne bronchèrent pas. Videgarai précisa à l'adresse du cardinal Van Durme :

– A l'heure qu'il est, les moines ont été évacués. Quant à la pollution, les scientifiques que j'ai consultés m'ont assuré que le risque de catastrophe universelle était nul. Tout au plus y aura-t-il une pollution locale, mais circonscrite à un périmètre acceptable. Pour qu'il y ait vraiment catastrophe, il aurait fallu que ces bonbonnes soient disposées méthodiquement sur le territoire de la Confédération. Ce qui n'a pas été fait. Il faut donc les annihiler là où elles sont entreposées.

Un silence religieux accueillit ces propos rassurants. Hans Meyer ne manifesta pas moins son inquiétude :

– Vous êtes désormais proscrite, Éminence. Nous le sommes tous. Comment pouvons-nous escompter demeurer libres encore longtemps ? Il m'étonne d'ailleurs que, vu le nombre de personnes impliquées dans cette affaire, nous n'ayons pas déjà fait l'objet d'une dénonciation. Je vous avoue que je tremble de voir la police faire irruption ici.

– C'est évidemment une éventualité, Hans. Mais considérons ce qui s'est déjà passé : votre *Osservatore* a paru, je profite de l'occasion pour vous féliciter de ce coup de maître, *molto bravo* ! Nous avons délivré le Saint-Père, nous avons réussi à l'hospitaliser alors qu'en bonne logique nous eussions dû être interceptés. Un orage imprévu a permis à nos amis d'échapper à leurs poursuivants. Janice a repéré la tanière du cerveau de Patmos, elle vient d'ailleurs de me confirmer qu'il s'y trouve toujours. Quant au déménagement des bonbonnes d'Athanor, il nécessiterait un ballet d'hélicoptères que Claudio n'eût pas manqué de remarquer. Je l'ai contacté voici une demi-heure, le ciel de l'Immaculata est vide. Sans vouloir user du mot « miracle » qui en crisperait plus d'un, je me contente de relever cet enchaînement de coïncidences pour le moins curieuses. Il en va comme si nous étions protégés, invisibles.

Gino, tout à la douleur de la mort de son frère, fit d'une voix amère :

– Il n'y a pas eu de miracle pour Franco, Éminence.

Le Cardinal le regarda avec une commisération infinie.

– Je sais qu'aucune parole ne peut atténuer votre chagrin, monsieur Maldini. Cependant, je suis intimement persuadé que votre frère, de même qu'Aurelio, Carlo, le frère Léon ne sont pas morts en vain. Lorsque cette tragédie sera achevée, nous comprendrons mieux le sens de leur trajectoire. Cela dit, moi aussi, je suis révolté, interpellé, blessé par leur disparition. Pourquoi faut-il toujours des victimes expiatoires avant que les hommes ne reconquièrent leurs libertés perdues ? Est-ce parce qu'ils ne peuvent se passer de héros, de mythes ? Soyez-en sûr, leur souvenir sera plus présent dans les mémoires que celui des survivants de cette épopée. C'est à leur sacrifice qu'on se référera lorsque des ombres s'étendront à nouveau sur l'humanité. Leur exemple encouragera d'autres hommes, d'autres femmes à recouvrer leur indépendance.

Pendant un bref instant, le Cardinal parut écouter la rumeur de la mer toute proche, comme si elle scandait le rythme de son univers intérieur.

– Nous ne déchiffrerons jamais, continua-t-il, la partition de chacune de nos vies. Quel rapport entre nos maladroites entreprises terrestres et l'éternité, entre nos larmes, nos joies, nos découragements, nos humiliations, nos maladresses, nos fautes, notre précarité et cette nappe surnaturelle enveloppant l'aventure humaine ? Quel rapport entre cette confusion et la simplicité divine ? Jusqu'à quels confins résonnent nos désirs, nos pensées, nos rires, nos rêves ? Dans le cœur de quel être aimant sont-ils accueillis, compris ? Je vous le dis, mes amis, nous avons un interlocuteur pour qui chacun de nos mots, de nos actes, de nos soupirs compte. Cette certitude détermine mon espérance. Oui, un monde meilleur est envisageable et, pour l'heure, nous en sommes les artisans. D'autres le furent avant nous, d'autres le seront après nous. Ainsi va la vie. Je perçois comme une chaîne ininterrompue d'humains collaborant avec un maître d'œuvre, mus par leur seul instinct. Abattre Patmos est notre participation présente à une construction dont nous ignorons le terme.

Alors que les troubles augmentaient d'heure en heure, la menace brandie par Lothär von Armsberg décida le Cardinal. Avec l'accord unanime des siens, il donna le feu vert à Claudio, d'autant plus que celui-ci signalait un mouvement d'hélicoptères.

La communauté de l'Immaculata avait été évacuée. Traumatisés par la disparition de Leonardo, la mort de Gildas, d'Enzo, la séquestration du Pape dans le souterrain, les bonbonnes de gaz, l'abbaye minée, les moines avaient suivi Amadeo comme des automates. Trois autocars, requis d'urgence par Cafarelli, avaient emporté des hommes complètement déboussolés vers un destin qu'il conviendrait de redéfinir. Cafarelli leur avait donné sa parole, le Cardinal veillerait à ce qu'ils retrouvent un toit où ils pourraient poursuivre leur vie religieuse s'ils le souhaitaient.

Le jeudi sept mai, à minuit trente, après un dernier regard vers l'Immaculata, désertée et lointaine, lieu de souffrance, de sanctification ou d'égarement, depuis la vallée, ses jumelles pointées sur l'objectif que survolait un hélicoptère, la mort dans l'âme, stressé par la perspective des conséquences imprévisibles de son acte, mais simultanément animé par une confiance absolue dans la sagesse de Marchangelo Videgarai, Claudio appuya sur le détonateur. Pendant une fraction de seconde, l'abbaye parut indestructible. Puis soudain, le flanc de la montagne se déchira et, dans un fracas étourdissant, le paysage se métamorphosa en un chaudron de flammes orangées, rouges et bleues. Sur toute sa longueur, l'Immaculata s'effondra dans un amoncellement de pierres et de poussière comme sous l'effet d'un violent séisme. A une cadence régulière, plusieurs explosions se succédèrent, provoquant à chaque fois des gerbes incandescentes. Une heure plus tard, alors qu'il s'était déjà éloigné d'une cinquantaine de kilomètres, Claudio arrêta sa Fiat. Une chape opaque, en suspens au-dessus des ruines fumantes, s'étirait lentement, plus noire que la nuit. Il distingua, gravissant la route sinueuse menant à l'Immaculata, la sarabande gyroscopique des ambulances, des camions de pompiers, des voitures de police. Ce bastion avancé qui, durant plus d'un siècle, avait dressé sa masse imposante sur le Monte Miletto comme garant de la fidélité humaine à Dieu au sein d'une société agnostique, avait été rayé du paysage. Claudio remit son moteur en marche, en adressant une prière fervente au Seigneur pour tous ces malheureux qui avaient été abusés dans leur foi.

Au bord du lago Albano
Jeudi 7 mai 2020
Trois heures du matin

Janice éprouvait de la peine à garder les yeux ouverts. Le manque de sommeil engluait son regard. Des picotements torturaient sa nuque, son corps raidi par l'immobilité devenait de plus en plus douloureux. Tantôt elle transpirait, tantôt elle frissonnait. Mais il fallait tenir. Plusieurs véhicules étaient entrés dans la villa Orsini et en étaient ressortis. D'après ses observations, l'homme qu'elle avait filé depuis Rome ne devait plus avoir qu'un seul visiteur dont la voiture ne s'était pas encore montrée. Grande frayeur soudain. Une ombre se penchait à la vitre de la portière droite. Ouf ! Elle reconnut le visage lunaire de Remio.

– Ça alors ! Quelle allure, chère Janice. Pour un peu, je vous demanderais votre prix, ne put-il s'empêcher de s'exclamer.

– Mon oncle et deux cardinaux m'accompagnent, ajouta-t-il, redevenu sérieux.

Janice sourit, malgré sa fatigue. Elle se retourna et aperçut, quelques mètres derrière elle, une Range Rover, tous feux éteints. Étant donné son hébétude, elle n'avait rien entendu.

– Une seule personne est encore auprès de lui, Éminence. Pendant toute la soirée, et ce jusqu'il y a environ trois quarts d'heure, ce fut un véritable défilé. Le dernier à être reparti me sembla être Lothär von Armsberg, mais je n'en suis pas absolument certaine. En dépit de l'éclairage, j'avais les yeux un peu brouillés, fit-elle pour s'excuser.

– Vous avez effectué un travail formidable, Janice, formidable.

Le Cardinal avait un regard qui exprimait à la fois l'affection et la dureté. Affection pour Janice, dureté pour celui qu'il allait démasquer.

– Comment va le Saint-Père ? demanda-t-elle.

– Pas bien, répondit le Cardinal. Les médecins font l'impossible pour le maintenir en vie, mais son état est désespéré, il nous quittera bientôt.

Elle fut assez déconcertée en apercevant Jean Van Durme et Sanche Camarro qui la saluèrent amicalement, sans paraître étonnés par sa tenue extravagante. Videgarai la tranquillisa :

– N'ayez aucune crainte. Ils sont avec nous. Ils seront témoins de ce qui va se produire.

– Comment allons-nous pénétrer dans cette villa, Éminence ? s'inquiéta Janice.

– Le plus simplement du monde, chère Janice, comme le facteur, en sonnant. Il ajouta avec un fin sourire : mais nous ne sonnerons qu'une fois.

A trois heures dix, Remio actionna le timbre de la villa Orsini. Il avait confié son Stone à Janice. Les trois cardinaux, camouflés à l'abri du mur d'enceinte. Une voix sèche « Oui ? » « Francis Maillard, Éminence ». Pendant le trajet, Videgarai avait révélé à son neveu le nom du vilain coco qui se voyait déjà tsar de la Confédération. A peu de chose près, Remio avait la même taille que le Général. Imitateur né, en maintes occasions il avait semé la panique dans la rédaction du *Corriere* en simulant à travers l'interphone l'aboiement caractéristique de Carlo Mancini, il contrefaisait à la perfection l'organe autoritaire du militaire déchu. Son correspondant s'y méprit : « Qu'est-ce que vous voulez, Maillard ? » « Je suis en possession d'informations importantes, Éminence. Videgarai est sur vos traces. » Silence. « Videgarai... c'est bon. Entrez. » Le portail s'entrebâilla. L'œil de la caméra de surveillance dut enregistrer que le pseudo-Maillard était un groupe. Mais il était trop tard. Malgré la voiture qui encombrait le passage, Remio franchit en trois enjambées les marches qui menaient à la porte entrouverte de la villa. Du bout du pied, il empêcha qu'elle se referme. Il serrait son fusil-mitrailleur, déterminé à s'en servir au moindre mouvement suspect.

Un éclairage indirect émanait de lampes dissimulées dans des vasques de bronze. Un homme, en robe de chambre côtelée, contemplait avec incrédulité les importuns qui envahissaient le luxueux séjour de cent mètres carrés. Il se tenait debout, un peu à l'écart d'une lourde table en marbre, dans la pénombre d'un lampadaire éteint. Le plafond était compartimenté en caissons représentant des scènes mythologiques. D'épais rideaux de velours marron tirés devant les hautes fenêtres, une profusion de tableaux, de vases précieux, quelques statues, des tapis d'Orient, des sièges, des fauteuils anciens constituaient un décor fastueux, propre à inspirer la déférence à l'égard de l'hôte d'un intérieur aussi riche. Demeure de prince, demeure de roi, demeure de pape mégalomane.

– Je pense, Éminence, que la comédie est finie, fit le cardinal Videgarai en jetant un regard circulaire autour de lui.

L'homme n'esquissa pas un geste, ne manifesta aucun sentiment. Remio s'avança et tout en pointant son arme dans sa direction, lui ôta son microlog. Janice alluma le plafonnier central. Le visage altier et froid du cardinal Gianluca Fumagalli apparut en pleine lumière. Videgarai s'approcha de lui. Il dit sèchement :

– Vous avez perdu, Éminence, ou préférez-vous que je vous appelle Patmos ? Le Saint-Père arraché à vos griffes se trouve à présent en sécurité. Votre réserve de gaz Athanor a été réduite en fumée.

Le Cardinal consulta sa montre.

– Il y a exactement deux heures trois quarts. Le monde entier connaît désormais les grandes lignes de votre plan consistant à vous emparer du trône pontifical afin d'établir une dictature religieuse. Il ne manque que votre nom pour que ce forfait reçoive une signature.

A l'étonnement général, Fumagalli éclata de rire.

– Vous semblez oublier, Éminence, que nous détenons le pouvoir ; je n'ai qu'un mot à dire pour que votre coterie soit décimée.

– Erreur, Éminence, grave erreur. Videgarai souriait. En quittant Rome tout à l'heure, comme un empereur en fuite, vous n'avez pas été sans remarquer que le peuple s'était mis en marche. Vos comparses auront beau décréter, ils décréteront dans le vide ; dans peu de temps votre pouvoir en carton-pâte se sera écroulé sous la pression de la rue. Soyez beau joueur, Éminence, admettez votre défaite. Vous épargnerez un inutile bain de sang.

– J'ai des alliés puissants, Éminence, ils interviendront à mon premier appel.

– Vous faites sans doute allusion à votre ami Husayn. Votre candeur me confond. Je vous croyais plus fin stratège. Détrompez-vous, Husayn ne lèvera pas le petit doigt pour voler au secours d'une cause perdue.

Fumagalli ricana :

– Vous vous êtes fait escorter par deux valets, à ce que je constate.

Van Durme et Camarro s'inclinèrent. Videgarai ne releva pas l'injure. Il poursuivit calmement :

– Il y a une chose que je ne comprends pas, Éminence. Pourquoi ne vous en êtes-vous pas prise à moi ? Car enfin, ma disparition aurait facilité votre... entreprise. Pourquoi n'avez-vous pas tué le Saint-Père sitôt que vous l'aviez en votre possession ?

Le visage de Fumagalli se couvrit d'une patine fielleuse.

— J'aurais effectivement pu me débarrasser de ce Pape mou, mais je le gardais comme éventuelle monnaie d'échange. Quant à vous, il m'eût été aisé de vous liquider. Vous avez raison, votre mort aurait facilité ma tâche. Cependant, bien que cela m'ait été conseillé à plusieurs reprises, je n'ai pu m'y résoudre.

— Mais pourquoi, Éminence ? Vous n'avez reculé devant aucun crime pour arriver à vos fins. Dois-je vous rappeler les fausses voyantes soudoyées, puis lâchement assassinées, les attentats contre le patrimoine artistique de l'Occident et le nombre de morts qu'ils provoquèrent, acte grâce auquel vous entrerez dans l'histoire, mais dans la galerie des monstres ? Dois-je vous rappeler les victimes de Mengara, des émeutes, le meurtre sordide de Carlo Mancini, les tentatives pour éliminer mon neveu, son amie, le commissaire Graziani ? A ce propos, je vous révèle ce que vous ignorez : le Commissaire n'est plus de ce monde, un bon point pour vous, mais il est mort en héros en anéantissant votre commando de tueurs. Mauvais point. Comme vous ne semblez pas reculer devant le meurtre, je réitère ma question : pourquoi m'avoir ménagé ?

Fumagalli glissa sa main dans la poche gauche de sa robe de chambre. Redoutant une entourloupette de sa part, Remio s'avança et enfonça le canon du Stone dans son ventre.

— Pas d'imprudence, Éminence, lança-t-il d'une voix véhémente. Aurelio était mon ami et ce serait pour moi une raison suffisante pour flinguer le malfaisant que vous êtes.

Fumagalli toisa le journaliste avec arrogance. Il retira néanmoins la main de sa poche. Remio le fouilla rapidement. Il ne recueillit qu'un mouchoir de batiste.

— Vous ne pourriez pas demander à votre cow-boy d'écarter ses sales pattes de ma personne ?

Le cerveau de Patmos commençait à montrer sa véritable nature, celle d'un psychopathe.

— Recule d'un mètre, Remio. Mais ne le perds pas de vue un seul instant. Alors, Éminence, je brûle d'impatience de vous entendre.

— Je vais flatter votre petit orgueil, Videgarai. Si je vous ai épargné, c'était évidemment une épargne avec intérêts, mais aussi parce que je possède un vieux fonds d'honneur.

Marchangelo Videgarai le dévisagea avec incompréhension.

— Vous êtes le seul adversaire digne de moi. Vous êtes mon contraire, donc mon semblable. Un tel adversaire, on ne l'élimine pas, on l'écrase, on l'humilie. Votre déchéance scellera mon triomphe absolu. Nous jouons une partie unique en son genre avec le monde comme enjeu. Un pot hors du commun, n'est-ce pas, Éminence ?

Jean Van Durme ne put maîtriser sa colère.

– Une partie de fou, organisée par un fou, Fumagalli. Car c'est bien ce que vous êtes : complètement fou.

Piqué au vif, le Camerlingue s'écria :

– C'est vous les fous, Van Durme. Vous qui tolérez, depuis des années, la décadence d'une Église moite et molle, vous qui admettez la démagogie d'un pape faible. Ce que je veux moi, c'est restaurer dans sa gloire une Église affaiblie, putréfiée, tout juste bonne à être amputée de ses branches mortes. Qu'elle redevienne enfin ce qu'elle n'aurait jamais dû cessé d'être : le phare de l'humanité.

La passion avec laquelle il s'exprimait était ahurissante. D'ordinaire si distant, il criait d'une voix de fausset comme un piano désaccordé. Le cardinal Videgarai l'observait sans la moindre aménité.

– Vous parlez de l'Église comme si elle vous appartenait, comme si les chrétiens étaient vos sujets. Vous n'avez pas la foi, Éminence. Votre double langage ressemble à celui de n'importe quel tyran d'une république bananière. Vous évoquez le bien de l'Église. Vous ne pensez qu'à vous, à vous seul.

– Tu ne comprends rien, Cardinal de pacotille. Tu n'as jamais rien compris. Fidèle à l'institution ! Hein, Videgarai. Fidèle et bête au point de tout laisser aller et de réduire l'Évangile à un livre d'images pour enfants. Je vais te dire ce qui me motive. D'accord, tu ne te trompes pas : je me fous de l'Église.

Remio tendu, les trois cardinaux immobiles, Janice livide considéraient cette scène comme s'ils participaient à un drame shakespearien.

– Contrairement à ce que tu pourrais imaginer, je n'agis pas par ambition : je veux éprouver Dieu, tester son existence. Si je réussis, c'est qu'Il n'existe pas. Dans ce cas, mon action devient légitime et moi, un bienfaiteur de l'humanité. Privés de Dieu, les hommes, livrés à eux-mêmes sont des pantins : il leur faut donc un dieu humain. Je suis celui-là. Ce qui me motive, Cardinal, c'est le salut du monde enfin délivré d'un mirage.

Au bord de la crise nerveuse, il avait martelé ces derniers mots en agitant les bras. Videgarai le fixa dans le blanc des yeux et éclata de rire.

– Comme vous y allez, Éminence. Votre rhétorique ressemble à s'y méprendre à celle des fondateurs de sectes qui nourrissent l'illusion qu'ils peuvent remplacer un dieu dont ils proclament l'absence ou l'indifférence. Vous ne vous distinguez guère du gourou criminel qui entraîne ses adeptes aux pires sacrifices, y compris le suicide collectif téléguidé. Vous manquez d'originalité. Je suppose que vous ne tarderez pas à affirmer que c'est Dieu lui-même qui vous mandate.

Fumagalli s'esclaffa.

– Mais, mon pauvre vieux, Dieu n'existe pas. C'est vrai. Je n'ai pas la foi. Je l'ai perdue, comme on perd son pucelage, il y a longtemps, au séminaire, lorsque j'ai réalisé qu'elle n'était qu'un attrape-nigaud. Et ce jour-là, mon cher Préfet, j'ai juré de n'être jamais un naïf et d'exploiter à fond la situation morte qu'est la croyance. Les gourous, comme tu dis, sont hors de l'Église, moi je suis dedans. Et c'est à l'intérieur de cette utopie que je me suis élevé jusqu'au moment prochain où, pour la première fois depuis deux mille ans, dès que je serai intronisé, cette aberration servira enfin à quelque chose. Tu en conviendras avec moi, Marchangelo, l'Église catholique est la plus extraordinaire organisation jamais inventée par l'homme, le pouvoir le plus puissant et le plus stable. Une monarchie d'ancien régime sans révolution. Supposons qu'un type intelligent, dénué de tout scrupule apostolique – je pleure de rire chaque fois que j'entends ce mot – parvienne à mobiliser les endoctrinés de la plus grande secte de l'histoire ; alors il deviendra effectivement le maître du monde.

Pendant que Fumagalli délirait, sur un signe de son oncle, Remio céda son arme à Janice, dégaina un revolver et s'éclipsa. Fumagalli s'exaltait tellement dans sa logorrhée qu'il ne remarqua pas son départ.

– Vous vous êtes abusés sur mes intentions, continua-t-il du haut de son nuage. Patmos comme tu l'appelles, manœuvrier, n'a rien de commun avec un banal complot intégriste. Les intégristes sont des patates. Plus bêtement, les circonstances se prêtaient à l'établissement d'un pouvoir religieux. Je n'allais pas louper l'occasion. Il m'a suffi de convaincre les plus fanatiques de l'extrême droite en sorte qu'ils acceptent d'appuyer « ma croisade », de revenir à une foi pure et dure. Jamais je ne me suis tellement amusé en agitant devant leurs consciences les prédictions de ce fumiste de Malachie, le spectre de l'apocalypse, du jugement dernier. Même le troisième secret de Fatima a servi à suborner ces imbéciles. C'est extraordinaire, Cardinal, d'observer combien des gens cultivés, prétendument sensés deviennent des handicapés mentaux dès qu'on fait référence à l'Armaguedon. Ils abandonnent tout sens critique et se muent en soldats obéissants. Cette expérience n'est pas la moindre de mes satisfactions. Mais il y a toi, Videgarai, toi qui m'as percé à jour. Au fait, depuis quand me soupçonnes-tu ?

– Depuis deux mois, Éminence.

– Qu'est-ce qui t'a conduit à cette savante déduction ?

– D'abord, j'ai procédé par élimination et par la suite, un jour, vous avez commis une faute.

Fumagalli se rembrunit.

– Une faute ?

– Eh oui ! Vous me haïssez, Éminence. Vous me haïssez depuis le jour où vous vous êtes mis en tête que je pourrais être votre compétiteur en cas de conclave. Lors d'une réunion avec le Saint-Père, après les événements du six mars, vous vous êtes portée à mon secours alors que j'apparaissais comme un fabulateur aux yeux de plusieurs cardinaux de curie et du Pape lui-même. Votre influence étant très grande au sein du Sacré Collège, une parole de votre part m'eût complètement discrédité. Au contraire, vous m'avez défendu. Lourde faute, Éminence, parce que, ce faisant, vous avez été illogique. J'en ai déduit qu'il ne vous déplaisait pas de me lâcher la bride, de m'endormir aux fins de mieux me dévorer plus tard.

A ce moment, Remio revint. Il murmura quelques mots à l'oreille de son oncle qui fit un signe d'assentiment. Janice lui rendit son arme. Fumagalli n'enregistra pas le bref conciliabule. Il déjantait de plus belle.

– Tu es plus malin que je ne le croyais, Marchangelo. D'accord avec toi, dit-il d'un ton papelard, j'ai commis une erreur ; au fond, les autres avaient raison, j'aurais dû te liquider. Mais, renchérit-il, tu ne perds rien pour attendre, tes petits copains non plus. Quant à cette garce que Rossi nous a imposée pour souscrire aux revendications des femelles, je lui réserve un traitement de faveur de derrière les fagots.

Le langage de Fumagalli, habituellement châtié, se dégradait au même rythme que son esprit. Videgarai posa la main sur le bras de Janice.

– N'ayez pas peur, son Éminence déraille. Elle ne peut plus rien contre personne. N'est-ce pas Remio ?

– Son système informatique est débranché. Son personnel est parti. Son Éminence est aussi isolée qu'un pestiféré en quarantaine.

J'aimerais également qu'elle nous renseigne sur le gentleman que j'ai trouvé refroidi dans un placard, une balle dans la peau.

Soudain, Fumagalli perdit tout contrôle. Hors de lui, il hurla :

— Vous ne m'aurez pas vivant, salauds !

— Cette décision ne vous appartient plus, Éminence. Là où nous allons vous emmener, vous pourrez tout au plus méditer sur vos péchés. Ce qui, en l'occurrence, ne sera pas une sinécure, je suppose. Alors ? Qui est cet hôte mystérieux que vous avez traité avec autant de délicatesse ? fit Videgarai d'une voix engageante.

Fumagalli réalisa qu'il avait été piégé, que son rêve se fracassait contre l'obstination et la sérénité du cardinal Videgarai. Il bafouilla :

— Quand cet imbécile de Leonardo s'est aperçu que Rossi avait été récupéré par tes baroudeurs, il n'a rien trouvé de plus intelligent que de rappliquer ici. Comme il ne servait plus à rien, j'ai décidé de le jeter.

— Et vous n'avez pas fait emporter son cadavre par vos complices ? s'étonna Camarro.

Un rictus de haine déforma le visage de Fumagalli.

— La Villa Orsini est une véritable villa des mystères, conçue à une époque où, s'il était aisé d'y entrer, il était souvent impossible d'en sortir.

Fumagalli, il y a peu encore, arrogant, triomphant, ironique, féroce, injurieux, parut brusquement déprimé tel un cyclothymique qui se heurte à un obstacle inattendu. Janice profita de son mutisme pour inciter le Cardinal à quitter les lieux.

— Ils ne vont pas tarder à s'apercevoir que le système informatique est débranché, Éminence. N'est-il pas prudent de nous en aller au plus vite ?

— Nous partons, lança Videgarai aux autres, mais non sans avoir fouillé la villa. Tous les indices que nous récolterons, incriminant Son Éminence et ses comparses, nous aideront à confirmer leur culpabilité.

Il était quatre heures dix. A la suite d'une rapide perquisition, ils rassemblèrent plusieurs caisses de documents ainsi que le disque dur du PC.

— Et l'abbé Leonardo ? demanda Jean Van Durme.

— Nous le laissons où il est. Que Dieu lui pardonne son égarement. Quant à son Éminence, je poursuivrai notre conversation avec elle en chemin. Elle a encore bien des choses à nous apprendre. Si vous vous habilliez, Éminence, vous seriez plus décent pour affronter les épreuves qui vous attendent.

Ils roulaient depuis un quart d'heure. Remio conduisait, Janice dormait à poings fermés, les cardinaux se taisaient. Soudain, Fumagalli s'ébroua, hébété comme au sortir d'un mauvais rêve. Il se tourna vers Videgarai assis à ses côtés et fit avec hargne :

– Vous avez gagné, Éminence. Après un silence, il ajouta : demain, vous serez pape.

– Peu me chaut d'être pape, Éminence. Aucun être humain ne devrait jamais briguer une telle charge. Par contre, ce qui m'importe c'est que vous ne le soyez pas. Maintenant, si nous parlions un peu de vos complices ?

Fumagalli semblait tout à fait désorienté. Il avait tout prévu, excepté l'échec. Son insuccès se mua en rage contre ses associés, auxquels il imputait déjà la faillite de ses plans. C'est sur un tel état d'esprit que tablait Videgarai pour lui arracher des confidences. Il craqua comme un bois mort.

– Leonardo, un sot vaniteux. Maillard, un militaire borné. Von Armsberg, un nazi stupide. Dezza, un bovin, lâcha-t-il avec aigreur.

– Le Cardinal Doyen était-il informé de vos projets ?

Fumagalli railla méchamment :

– Absolument pas. Ce boursouflé œuvrait pour sa propre gloire. À son insu, aveuglé par son ambition, il faisait notre jeu. Dezza est le genre d'individu qu'on amène aisément où on souhaite qu'il aille pour peu qu'on flatte son ego.

– Pelligrini, Babuski ?

– De purs produits de la Curie, imbus d'eux-mêmes, attachés aux honneurs, manipulateurs et retors. Pour rien au monde je ne les aurais embauchés. Ils m'auraient trahi à la première occasion.

– Et les autres ? Journalistes, hommes politiques, ingénieurs ?

– Des utilités. Chacun d'entre eux avait un rôle en fonction de ses compétences ou de son crédit. Seuls quelques-uns d'entre eux connaissaient les détails de l'opération.

– Et Husayn ?

– Un fanatique auquel on ne peut pas se fier.

– Pourquoi des personnalités, parfois éminentes, se sont-elles laissé séduire ?

– L'appât du gain, du pouvoir. Cette vieille recette n'a pas d'âge. Et puis, l'idéologie. Tout va tellement mal que l'espoir d'une main de fer est un excellent stimulant. Je puis vous certifier que ma papauté n'aurait pas fait que des mécontents.

Fumagalli s'exprimait maintenant avec un calme effrayant, comme si les explications qu'il donnait contribuaient à le grandir. Il se complaisait à démontrer que son plan était génial, qu'il était un personnage hors du commun. Son orgueil démentiel avait repris le pas sur sa déconfiture. Il poursuivit sur un ton suffisant :

– J'aurais insufflé une vigueur nouvelle à un Occident moribond.

– Par la terreur, le racisme et la mort. Vous manquez d'imagination, Éminence. Vos prédécesseurs dans l'horrible s'y sont cassé les dents. Une fois dépassé un certain seuil de tolérance à la tyrannie, les peuples sont prêts à braver tous les dangers pour s'en débarrasser. Je ne vous comprends toujours pas. Vous êtes un homme intelligent et doué. Je me suis laissé dire que vous étiez aussi habile de vos mains que de votre cerveau. Vous auriez pu exploiter vos dons au bénéfice de votre prochain.

Le Camerlingue émit un rire amer.

– Vous aussi, Éminence, vous êtes intelligente et douée. Mais vous êtes un naïf. Vous croyez à la force du bien. Regardez où nous a conduits le néo-rousseauisme : une société déliquescente, violente, anarchique, égoïste. L'homme ne respecte qu'un maître dur et sans scrupule. Quant au bien qui vous tient tant à cœur, il ne l'emportera jamais pour la simple raison qu'il se trouvera toujours des individualistes pour le saboter. Le bien est un leurre. La seule force qui triomphe dans ce monde est la force du mal. C'est pour cela que je l'ai utilisée.

Les propos de Fumagalli stupéfiaient les cardinaux Van Durme et Camarro ; ils ne parvenaient pas à encaisser qu'un collègue qu'ils avaient côtoyé pendant des années, qu'ils avaient admiré, étalât une nature si perverse. Le mépris total qu'il affichait cyniquement à l'égard des êtres humains était tel qu'ils se demandaient s'il était une incarnation satanique ou s'il avait perdu la raison.

– Vous n'avez jamais hésité, Éminence, jamais douté, jamais reculé devant les souffrances que vous infligiez à des innocents ? s'enquit douloureusement Camarro.

Fumagalli éluda cette question d'un geste dédaigneux. L'aube se levait sur une journée prometteuse de beau temps. La douceur du printemps contrastait singulièrement avec le credo de l'homme qui avait voulu être roi.

Alors qu'apparaissaient les premières maisons de Lido di Castel Fusano, le cardinal Videgarai dit paisiblement, après une longue réflexion :

– Vous ne croyez pas aux forces du bien, Éminence. Puis-je vous faire remarquer que vous n'avez pas été vaincue par des légions d'anges, mais par des hommes et des femmes ordinaires. Votre savante machine a été enrayée par un grain de sable, un moine qui fumait. *Felix culpa*. Par un moine récalcitrant, un humble petit moine persuadé de ne pas avoir la vocation.

Au tour de Fumagalli d'être interloqué. Il manifesta sa surprise :

– Que vient faire un moine dans cette histoire ?

– Je vais éclairer votre lanterne, et vous vous apercevrez alors que le Seigneur n'est pas aussi inexistant que vous le prétendez. Frère Enzo vivait à l'Immaculata. Il a eu l'inspiration de consigner ses idées et ses observations dans un journal qui se trouvera bientôt en ma possession. Devenu hôtelier, il a relevé les plaques d'immatriculation des visiteurs du bon abbé Leonardo. Vous ignorez certainement que ce même frère, apparemment insignifiant, a découvert le souterrain où vos complices séquestraient le Saint-Père ; c'est lui qui nous a prévenus. Sans son précieux concours, vous l'auriez peut-être emporté. Ainsi, une poignée d'amateurs a réussi l'impossible. Votre technologie, votre gaz Athanor, le pouvoir, la police, l'armée à votre dévotion, rien de tout cela ne s'est avéré efficace contre... la ridicule force du bien, Éminence, incarnée par de modestes citoyens. Le frère Enzo a perdu la vie, mais j'augure qu'il a déjà gagné le centuple de ses bonnes actions. Cette disproportion entre les forces en présence ainsi que la défaite de ceux qui paraissaient invincibles ne vous troublent-elles pas, Éminence ? Car enfin, vous aviez toutes les cartes et vous avez perdu ; par hasard, direz-vous sans doute ? A cause d'une incroyable malchance... ou à cause d'autre chose ?

Fumagalli serrait les dents d'un air buté. Les révélations de Videgarai étaient autant de coups portés à sa mégalomanie.

– Cette autre chose que vous rejetez, Éminence, c'est Dieu. Dieu qui suscite des saints dans l'ombre et la discrétion. Vous avez commis l'erreur de mêler à vos combines un dieu que vous imaginiez mythique. Comme Icare, vous avez ignoré l'existence du soleil.

Fumagalli haussa les épaules et siffla d'un ton venimeux :

– Épargne-moi ton prêchi-prêcha, Cardinal. Je le reconnais, j'ai négligé des éléments impondérables. J'aurais dû me montrer impitoyable. Ma stupide formation humaniste m'a empêché d'être le barbare qu'exigeait la situation.

– Vous oubliez votre histoire, Éminence, les Barbares ont été régulièrement écrasés par leur barbarie elle-même, allégua

Camarro. Et puis, question barbarie, vous ne vous en êtes pas mal tirée.

Le Camerlingue proféra une obscénité qui résonna, saugrenue, dans l'habitacle, mais laissa Videgarai de marbre.

– Je ne vous fais pas la leçon, Éminence. N'adorant que vous-même, vous êtes hermétique à toute argumentation. Mais avant que votre destin ne soit scellé, je veux être absolument certain que vous évaluiez l'étendue de votre erreur en mentionnant devant vous ceux qui ont contribué au fiasco de Patmos. Pardonne-moi, cher Remio, de ce que je vais dire.

– Ne te gêne pas, mon oncle. Ce sera une belle satisfaction de voir sa tête quand il s'apercevra par qui il a été mystifié : par une bande de minables.

Remio jubilait, frappait des mains sur le volant, si excité et tant fatigué qu'il ne contrôlait plus son vocabulaire malgré la présence de trois princes de l'Église. Son enthousiasme réveilla Janice qui dormait à ses côtés ; elle ouvrit de grands yeux étonnés en constatant qu'il faisait jour et que son voisin se démenait comme un beau diable.

– Merci, Remio. Cependant, je crois qu'il faut apporter un correctif à ceux que tu qualifies de « bande de minables ».

Ils longeaient une mer d'huile scintillant sous le gai soleil de mai. A deux pas de la villa de Solani, Remio stoppa la Range Rover afin que son oncle puisse en finir avec le Camerlingue déchu. Il abaissa la vitre. Un air tiède, parfumé de senteurs marines, pénétra dans la voiture. Videgarai huma avec délice cette bouffée caressante. Tous, hormis Fumagalli statufié, étirèrent leurs membres raidis par une nuit pénible et un voyage oppressant.

Videgarai enchaîna :

– Mon neveu donc, Éminence, un dilettante agnostique qui, tout en s'avérant un journaliste consciencieux, ne pensait qu'à l'amusement. Il fut dans tous les coups et risqua plusieurs fois sa vie pour vous contrer. Quant à Janice...

A demi-mot, Remio expliqua à celle-ci la démonstration à laquelle se livrait son oncle. Elle opina avec un sourire malicieux.

– Janice, vous l'avez vue à l'œuvre, une féministe complexée, encroûtée dans ses principes. Objet de mépris de la part de vos semblables, elle se tenait sur la défensive et vivait solitaire. Sans joie et sans amour. La voici transformée et mûre pour toutes les fêtes. Elle vous a suivie jusqu'à votre antre.

331

Janice se retourna ; ses yeux brillaient de reconnaissance envers le Cardinal. Il lui exprima son amitié par un clin d'œil complice.

– Aurelio Graziani, Commissaire aigri, écorché vif, abandonné par la femme qu'il aimait, n'espérant plus rien d'une existence qui l'avait si mal servi. Sans Dieu, il se délitait dans le pessimisme et l'amertume, ressassant ses échecs. Ceux qui furent les témoins de sa mort ressentirent au plus profond d'eux-mêmes non seulement sa présence, mais sa joie incommensurable.

Fumagalli s'insurgea :

– Pure effusion de sentimentalisme morbide ! Fantasmes complaisants !

– Entendez-le comme vous voulez. Mais comme les apôtres après la Pentecôte, ils se sont métamorphosés sous l'effet de « ces fantasmes ».

Le rire du Camerlingue jaillit comme un blasphème. Videgarai l'ignora.

– Avec son faux *Osservatore*, Hans Meyer vous a bien jouée.

– C'était lui ! Évidemment, j'aurais dû m'en douter. Ce Jésuite hypocrite.

– Ce Jésuite, comme vous dites avec morgue, doutait, mal à l'aise, au service d'une institution qui l'étouffait, qui l'obligeait à écrire ce qu'il ne pensait pas. Ce psychanalyste qui multipliait les prémisses, malheureux de ne pouvoir conclure, s'est lui aussi mobilisé contre ce que vous représentiez. Depuis, Dieu et lui se sont retrouvés comme de vieux amis qui s'étaient perdus de vue. Giannalia Baldato, jeune femme superficielle, cherchant à faire l'intéressante, s'efforçant de fuir un milieu qui l'humiliait. Proie facile. Vous l'avez circonvenue. Transfigurée au contact de la souffrance qu'elle avait causée, revenue de ses errements, elle a trouvé courage et amour.

Remio souriait béatement.

– La « confession » de cette pimbêche a été un grand moment de télévision, se moqua Fumagalli. Un vrai mélo à l'américaine. Je ne me souviens pas d'avoir autant ri.

– Je suppose que vous avez moins envie de rire à présent, Éminence. Parlons de Carlo Mancini dont vous avez commandité l'agression, puis l'assassinat parce qu'il voyait un peu trop clair dans vos intrigues. Un vaniteux, un viveur, un susceptible, un impérieux, mais également un homme de bien, soucieux de justice et de vérité. Croyez-moi, le Seigneur l'a accueilli en fanfare dans son paradis.

Fumagalli hoqueta :

– Le Seigneur... le Seigneur... vous n'avez que ce mot creux à la bouche.

– Eh oui, Éminence, le Seigneur que vous auriez dû mieux servir au sein de cette Église dont vous étiez un des membres les plus influents. Permettez-moi d'achever cette litanie des Pauvres de Yahvé qui ont torpillé votre... Titanic. Mon secrétaire, monseigneur Cafarelli avait une maîtresse. Il était sceptique et blasé, remplissant sa fonction sans joie et sans illusion. Un homme écœuré. Celui-là même m'a secondé avec une bravoure et une efficacité dignes de tous les éloges. Ébloui par le sourire de Dieu, il a changé de vie, il va épouser son amie et respire désormais une joie de vivre qui vous ferait peine à voir. Je vous signale au passage que ce petit fonctionnaire a détruit, cette nuit, votre arsenal de bombinettes. Restent ceux dont vous n'avez jamais entendu prononcer le nom : le frère Léon de l'Immaculata, un débile aux dires de l'Abbé, mais qui commit l'imprudence de découvrir le souterrain. Il a été chassé et assassiné à Turin sur l'ordre de votre acolyte Leonardo. Cependant, avant de quitter l'abbaye, il a instruit le frère Enzo de sa trouvaille. Gino Maldini, le frère d'Enzo, informaticien, parfait athée, a déjoué le système informatique de l'Abbé et permis la libération du Saint-Père. Nino, Giuseppe, Roberto, journalistes du *Corriere*, joyeux drilles sans histoires, qui, au péril de leur vie, ont secondé Remio à Mengara, au Monte Miletto. Evaristo Conti, gangster repenti et homosexuel, a fourni le matériel nécessaire pour monter notre petite expédition. Les docteurs Solani et Veneti veillent sur la santé du Souverain Pontife. Sam Wood, écrivain fini et alcoolique, les moines de Sainte-Anne, la contessa Della Rovere, la résistance et tant d'hommes et de femmes qui refusaient d'aliéner leur liberté. Sans oublier nos confrères que voici, qui ont accepté la tâche périlleuse de contribuer à vous démasquer. Ironisez à votre aise, comparez ce « ramassis » à vos complices huppés et vous vous apercevrez peut-être que c'est ce Seigneur improbable qui est intervenu pour vous empêcher de nuire davantage. A l'évidence, c'est Lui, le vainqueur. Sans l'aide de sa Providence, nous demeurions inopérants face à votre machine à humilier, endoctriner, museler, emprisonner, tuer. Je vous le répète avec vigueur, Éminence, Dieu a incurvé le cours de l'histoire pour vous perdre. Il vous a circonvenue parce que vous ne concevez que la géométrie euclidienne, que vous êtes incompétente en géométrie céleste. Votre antéchrist était en trompe-l'œil à l'usage d'une société en trompe-l'œil, une société costumée qui avait peur de sa propre peur. Agiter vos marionnettes aurait donc dû suffire à la dompter. Dieu a contrarié vos desseins. Vous l'avez affirmé tout à l'heure, vous vouliez tester son existence. En un sens, l'expérience est probante. Il existe. Il en a fait l'éclatante démonstration.

Fumagalli, le faciès convulsé par la rage, détourna son regard. On n'entendait que le bruit du ressac et les cris stridents d'oiseaux marins. Remio démarra.

A peine eut-il arrêté le moteur que Giannalia se rua hors de la villa. Dès qu'il s'extirpa de la voiture, elle étreignit Remio avec passion : « J'ai eu si peur, mon amour. » Elle sanglotait de bonheur. « C'était donc lui ? » Giuseppe Cirrea était pantois. « Hélas oui, confirma Videgarai. Il convient de le mettre à l'ombre afin qu'il réponde de ses crimes devant la justice humaine. » Solani apparaissait, flanqué de Cafarelli. « J'ai une bonne cave, Éminence, pas seulement utilisable pour y laisser vieillir des grands crus, mais elle peut aussi servir à boucler ce misérable. » Videgarai s'enquit de la santé du Saint-Père. « Son état est stationnaire. Veneti est près de lui », répondit le médecin. Il était six heures trente.

Rome
Vendredi 9 mai 2020

Les événements se précipitaient. Les forces de l'ordre étaient complètement débordées et aucun responsable ne savait quelle manœuvre entreprendre pour endiguer le flot des émeutiers. Les postes de police saccagés, les casernes pillées, la ville se transformait en champ de bataille. Mais rapidement l'issue du combat ne fit aucun doute. Et cela, d'autant plus que l'on apprenait que dans les grandes villes de la Confédération, se déroulaient des scènes identiques. A dix heures, les insurgés s'emparaient de la télévision. Des bulletins de victoire furent expédiés aux quatre coins du monde. Des collaborateurs du régime maudit furent lynchés, des bâtiments publics dévastés, les locaux d'*Ora Undecima* incendiés. Alberto Pozzi parvint à échapper à la vindicte populaire tapi, ô ironie, dans une benne à ordures.

A midi, le gouvernement de Bruxelles démissionna. Le président Aloïs Van Gelder, réinstallé dans ses fonctions par un comité de salut public, fit une brève intervention télévisée. Il nommait Brian Sinclair Premier ministre et confiait la direction de l'armée au général Bragard. Il annonçait ensuite l'arrestation des membres de l'ancien pouvoir ainsi que des personnalités dénoncées par Hans Meyer. Il précisait que, bénéficiant de complicités occultes, Lothär von Armsberg, passé au travers des mailles du filet, était activement recherché. Le général Maillard avait disparu. Le président promettait enfin le rétablissement de la démocratie, des élections prochaines et une justice équitable, mais sévère, pour tous ceux qui avaient les mains sales.

A dix-sept heures, alors que le calme était revenu sur l'ensemble du territoire, le cardinal Jean Van Durme apparut sur les écrans de télévision. Il déclara d'emblée que le Saint-Père, dont la santé était gravement compromise par les dures épreuves qu'il avait endurées, était hospitalisé à la clinique Gemelli et que les sommités du monde médical étaient à son chevet. Avant d'entrer dans plus de détails, il divulgua le nom du cerveau de Patmos et ajouta aussitôt avec tristesse que le cardinal Gianluca Fumagalli s'était donné la mort.

Quand Roberto avait ouvert la porte de la cave où était enfermé le Camerlingue, il l'avait trouvé pendu au soupirail. Dans la confusion qui avait suivi le retour du lago Albano, ils avaient omis

335

d'inventorier les lieux. Une corde qui traînait derrière une rangée de fûts avait évité à Fumagalli la honte d'un procès. Bien qu'il se reprochât cette négligence, le cardinal Videgarai avait murmuré : « Somme toute, c'est peut-être mieux ainsi. J'espère, avait-il mentionné, qu'entre le pont et l'eau il a eu le temps d'une bonne pensée. »

Le soir, et durant toute la nuit, le bon peuple de la Confédération célébra sa liberté retrouvée. Patmos n'avait-il été qu'un cauchemar long de deux mois et l'avenir était-il promesse de bonheur ?

VIII

ITE MISSA EST

Giuseppe Rossi décéda le vingt-cinq juin à sept heures trente-deux.

Jean XXIV avait survécu à son calvaire plus longtemps que prévu. Pendant les semaines passées à l'hôpital Gemelli, son état de santé oscilla entre des périodes de lucidité et de prostration. Avant sa mort, il put donc être informé à petites doses de la tragédie qui avait frappé la Confédération et l'Église. Jean Van Durme fut nommé camerlingue et le cardinal Marotti, doyen. Paolo Dezza se retira dans un monastère sur l'ordre exprès du Saint-Père. Quant à Pelligrini et Babuski, ils demeurèrent en place après avoir « humblement » confessé leur « manque de vigilance ». Hans Meyer accepta de reprendre la direction de l'*Osservatore*. Janice, dégoûtée d'un poste où elle ne s'était jamais vraiment sentie à l'aise, démissionna ; le *New York Times* l'engagea comme correspondante au Vatican. Marchangelo Videgarai, objet de la gratitude pontificale, reprit son travail comme Préfet de la Congrégation pour la Doctrine de la Foi, évitant tout contact avec les médias qui n'en finissaient pas de célébrer ses louanges. Il ne pouvait cependant pas empêcher les journalistes de conjecturer sa future élection au trône de saint Pierre.

Le dimanche précédent, des élections portèrent au pouvoir avec une confortable majorité le Parti du Renouveau européen qui avait rassemblé sous sa bannière des hommes et des femmes de tous bords, appréciés en fonction de critères inédits : leur résistance à l'oppression, leurs valeurs humaines et non leur routine politicienne. Le nouveau président, Stefan Krunz, n'avait jamais tâté de la politique : à l'âge de cinquante-cinq ans, il avait été débauché de la chaire de sociologie qu'il occupait à l'université d'Heidelberg, où il était connu pour la qualité de ses écrits et de son enseignement fondés sur une inébranlable foi en l'homme. La tâche qui incombait à ce professeur modeste, intelligent et travailleur était immense : mettre en œuvre un programme centré sur l'homme et ses besoins. Tout était à repenser : l'éducation, la répartition du travail, l'économie, la défense, l'aide sociale, les relations extérieures, la justice... Pas un secteur qui ne demandât des réformes profondes tant la détérioration des institutions était grande. Même si les préoccupations morales étaient traditionnellement étrangères au monde politique, il fallait impérativement restituer la confiance et redonner un sens à la vie d'une population désenchantée par le matérialisme technocratique et traumatisée par le passé récent. Stefan Krunz n'avait pas droit à l'erreur. Mais le défi auquel il était confronté dépassait les moyens humains car on attendait des miracles de la part des nouveaux dirigeants. Pour que la bouffée d'espoir se transforme en bien-être durable et ne demeure pas utopie d'idéalistes qui seraient rapidement rattrapés par les problèmes concrets, un adjuvant spirituel s'avérait indispensable.

Aux fins de rendre les derniers honneurs au Saint-Père, sa dépouille mortelle fut transférée au Palais Apostolique. Avec l'accord de ses pairs, le cardinal Van Durme avait décrété que le rituel serait débarrassé d'un cérémonial dont la symbolique désuète s'apparentait davantage au folklore qu'au respect dû à un défunt, fût-il le Pape. Foin de prêtres pénitents psalmodiant, ni de nonnes pleureuses, ni de mouchoir blanc couvrant le visage, ni de détachements de gardes suisses portant hallebardes, ni de coup de marteau sur le front. Le Camerlingue, entouré des membres du Sacré Collège, adressa au Dieu de bonté et de lumière une prière improvisée. Il invita les cardinaux présents à s'exprimer selon leur cœur. Ensuite, il retira l'anneau du Pêcheur, symbole du pouvoir pontifical, qu'on avait décidé de ne pas briser suivant la coutume, mais de repasser au doigt de Jean XXIV, une fois déposé dans son cercueil, revêtu des habits liturgiques, une aube et une chasuble blanches, et de la mitre épiscopale.

Deux heures plus tard, sans faire le détour habituel par la chapelle Sixtine, un cortège de cardinaux, d'intimes, de prélats, le personnel domestique conduisit Giuseppe Rossi vers la basilique Saint-Pierre où son corps fut étendu sur un catafalque. Il n'y aurait pas de procession solennelle de cardinaux ; chacun viendrait l'honorer, à sa convenance, mêlé à la foule des fidèles. L'adieu serait sobre. Volonté marquée par le Camerlingue d'indiquer la manière future dont un pontife et ses collaborateurs se comporteraient de leur vivant, et dont on saluerait leur mémoire après leur mort.

Dès que les portes de la basilique s'ouvrirent, commença le défilé d'une foule anonyme et recueillie, venue s'incliner devant un pape qui, s'il n'avait guère enthousiasmé pendant son pontificat, avait en fin de compte fait l'unanimité étant donné les circonstances dramatiques qui avaient entraîné son trépas.

Neuf jours durant, on se déplaça en masse, fidèles, curieux, représentants d'autres religions, marginaux, incroyants, pour rendre un dernier hommage à celui que Malachie avait désigné sous la formule « *Gloria olivae* ». En un sens, le vieux mystificateur ne s'était pas trompé : par sa mort, le pénultième successeur de saint Pierre avait bel et bien contribué à commencer une ère de paix.

L'au-revoir officiel de l'Église à son Pasteur eut lieu le quatre juillet, par un temps caniculaire. Au cours d'une célébration dépouillée de tout apparat, le Cardinal Camerlingue prononça l'éloge funèbre. Après avoir évoqué la personnalité du Pape défunt et remémoré les grandes lignes de son pontificat, en insistant particulièrement sur les gestes d'ouverture et de tolérance, il s'attarda sur les terribles derniers mois et sur les souffrances du Saint-Père ; il poursuivit en affirmant que son martyre fertiliserait l'humanité et concourrait à l'instauration d'un monde meilleur. « Si Dieu vient de l'avenir, conclut-il, tout indique qu'Il est déjà présent au milieu de nous. »

Le corps embaumé fut inhumé dans la crypte de Saint-Pierre, aux côtés de ses prédécesseurs « de triomphante mémoire ». Une dalle de grès, un crucifix en bois d'olivier et un nom gravé dans la pierre commémoreraient le souvenir d'un petit homme accablé par une charge trop lourde pour ses frêles épaules, Giuseppe Rossi, Jean XXIV pour l'éternité.

« *Fumo bianco* ». Douze heures quinze, une fumée claire s'élève en tourbillons joyeux de la petite cheminée de la chapelle Sixtine. La foule immense massée sur la place Saint-Pierre et s'étendant bien au-delà de la via della Conciliazione jusqu'au Tibre s'agite plus qu'elle ne manifeste son allégresse. La tension est à son comble. Après dix tours de scrutin, de quel pontife allait hériter la Chrétienté ? Alors que l'élection du cardinal Marchangelo Videgarai semblait jouée d'avance, l'inquiétude avait augmenté à chaque apparition d'une fumée noire. Des bruits avaient filtré du conclave, théoriquement hermétique à toute fuite. De graves dissensions divisaient les cardinaux ; certains membres de la curie manœuvraient afin de faire élire un pontife à leur botte, n'importe qui pourvu qu'il fût malléable. Des journalistes brandissaient le spectre du schisme. Un Monsignore avait même déclaré que le cardinal Videgarai avait renoncé, dès le premier jour, à devenir Vicaire du Christ. Relayée par les médias, l'information commentant l'éventuel refus du « superpapabile » avait provoqué la consternation et la colère. On comprenait donc que, dans un tel contexte, la fumée blanche n'eût pas provoqué les démonstrations festives coutumières lors de l'élection d'un pape. Les esprits perturbés par l'anxiété et la crainte d'une déception étaient mûrs tant pour le délire que pour les huées, voire l'émeute. Si ce n'était pas Videgarai, on pouvait redouter de nouveaux désordres. Après vingt minutes d'une attente horripilante, les portes de la loggia s'ouvrirent. Le cardinal Agostino Di Piero apparut. « *Annuncio vobis gaudium magnum. Habemus papam.* » Un silence de plomb s'abattit sur la place Saint-Pierre.

Les cent seize cardinaux électeurs étaient entrés en conclave dimanche soir. La chaleur était suffocante en ce mois de juillet deux mille vingt. Depuis le précédent conclave, les éminences étaient logées décemment dans l'hospice de Sainte-Marthe jouxtant la salle du synode des évêques. Les séances se tenaient toujours dans le cadre majestueux de la Sixtine. On ne verrait donc plus de cardinaux parqués dans des chambres insalubres et vivant dans des conditions précaires, dormant sur des lits de camp, mal nourris et devant parcourir soixante mètres pour accéder à des toilettes continuellement occupées. On se souvient de cette réflexion d'un prélat affligé de problèmes de prostate : « J'aurais voté pour n'importe qui, du moment que je puisse aller pisser. » Quant à l'isolement des conclavistes, la technologie moderne le rendait des plus aléatoires, un micro se dissimulant n'importe où. Aussi le secret avait-il été limité aux scrutins.

Après avoir chanté le *Veni Creator*, après le mélodramatique « *extra omnes* » clamé par monseigneur Cordi, les cardinaux prêtèrent sur la bible de l'autel le serment d'observer les prescriptions de la constitution de Paul VI. « Je promets, je m'oblige et je le jure. Que Dieu et les Saintes Écritures me viennent en aide. » Le cardinal doyen Marotti exhorta l'assemblée à prier et à ne se laisser guider que par sa conscience. « Par le passé, affirma-t-il notamment, les passions, les marchandages, les influences extérieures ont trop régulièrement prévalu sur l'objectivité et le bien de l'Église. » Ensuite, le Camerlingue et trois assistants ordonnèrent la fermeture du conclave de l'intérieur. Un repas copieux fut servi. Ambiance cordiale et enjouée. Apparemment, il n'y eut ni conciliabules préliminaires « *in angulo* », ni palabres conspiratrices. Le Doyen aurait-il été entendu ? La *combinazione* céderait-elle devant la sagesse ? Tout augurait donc un conclave rapide. Le plus rapide de l'histoire, prédisaient certains. A vingt et une heures chacun se retira dans sa chambre.

Lundi matin, on concélébra la messe et on procéda au premier tour de scrutin. Le Camerlingue espérait que le Préfet de la Congrégation pour la Doctrine de la Foi serait élu sans vote, par « inspiration ». Il comptait donc ouvrir la première séance en déclarant : « Éminentissimes Pères, j'atteste les vertus singulières et la probité du révérendissime cardinal Marchangelo Videgarai, je le juge digne d'être élu pontife, et dès maintenant, je l'élis pape. » Mais Videgarai, consulté, s'était opposé à cette initiative. « Jean, tu sais que je ne souhaite pas être élu. Il y a eu trop de bruit fait autour de ma personne. Laissons les choses se dérouler normalement. Tu constateras vite que, si je suis populaire hors de l'enceinte du Vatican, je ne le suis pas forcément à l'intérieur. N'as-tu pas remarqué lors des congrégations préparatoires, que d'aucuns m'évitaient comme un lépreux ? » Il avait éclaté de rire.

Sur deux tables étaient disposés des papiers portant la formule imprimée « *Eligo in Summum Pontificem* ». Les électeurs écrivaient le nom de leur favori ou celui d'une éminence qu'ils désiraient pousser en avant, s'étant au préalable mis d'accord avec des comparses, aux fins, par une manœuvre subtile, de reporter plus tard, quand la lassitude s'installerait, leurs voix sur leur véritable candidat ; certains membres de la curie étaient rompus à ce genre de combine, soit pour barrer la route à un indésirable, soit pour promouvoir l'un d'entre eux. Ensuite, leur bulletin plié en deux, ils se rendaient un à un à l'autel, s'agenouillant en déclarant à voix, haute : « Je prends à témoin le Seigneur Jésus-Christ qui sera juge que mon vote va à celui que je considère devant Dieu comme digne d'être élu. » Ils déposaient alors leur bulletin dans un calice en or massif.

Après avoir mélangé les bulletins de vote, les scrutateurs procédèrent au dépouillement. Videgarai : 43. Van Durme : 19. Pelligrini : 18. M'Penza : 11. Marotti : 9. Mafuta : 8. Les autres voix s'éparpillaient sur des noms comme Aldobrandini, Stanford, Chong et Camarro.

Avant que débute le deuxième tour, Van Durme se pencha sur son voisin Camarro et murmura : « Si nous nous désistons tous les deux, on ne sera plus très loin des deux tiers. Qu'en pensez-vous ? » Camarro réfléchit et répondit : « Un tel désistement desservirait Marchangelo. De plus, il n'apprécierait pas. » Sitôt connu le résultat du premier tour, l'atmosphère changea. Videgarai ne l'avait donc pas emporté haut la main comme d'aucuns le conjecturaient. Une opportunité inattendue s'offrait : ses adversaires, en se mobilisant, étaient à même de créer la surprise et d'élire un pape moins médiatique, et surtout moins dangereux pour l'institution. Si Videgarai accédait au trône de saint Pierre, il y avait fort à parier qu'il entreprendrait des réformes radicales que les uns appelaient de leurs vœux, mais que d'autres, accrochés à leurs privilèges, appréhendaient comme la peste. Il y a quelques jours, Pelligrini n'avait-il pas insinué que l'Église ne s'accommoderait guère de bouleversements qui risqueraient de la faire sombrer corps et biens. Cette réflexion avait fait mouche. Cependant, une frange importante du conclave considérait que l'heure du changement de cap avait sonné. N'étaient-ce pas la langue de bois, l'obsession du secret, l'habitude de ne rendre compte à personne qui avaient permis la dérive Fumagalli ? La situation d'une Église en perte de vitesse et d'un monde explosif n'exigeait-elle pas un coup de barre énergique, quel qu'en serait le prix ? En conséquence, dès le deuxième tour, deux camps s'opposèrent, les partisans du changement contre les conservateurs. Vieux clivage, s'il en était, mais dramatique vu les circonstances présentes. Les tenants de la thèse de la continuité alléguaient qu'il n'y avait pas que la Confédération, qu'il convenait de ne pas effaroucher les catholiques du tiers-monde, bien plus nombreux que ceux des nations riches. La solution serait donc un pape de couleur. De l'inédit. Il apparaîtrait comme une innovation, ce que la Chrétienté attendait, mais en même temps, étranger à la complexité vaticane, il laisserait les coudées franches à la curie. « De plus, susurra Babuski à son voisin Aldobrandini, les Africains sont très attachés à la tradition. Un pontife noir forcerait la sympathie, mais, pour ne pas subir les foudres divines, par superstition, il n'oserait aucun chambardement. »

Videgarai : 59. M'Penza : 32. Van Durme : 10. Pelligrini : 8. Chong : 6. Si l'avance de Videgarai se précisait, la progression de M'Penza en étonna plus d'un et donna à penser. En un sens, les choses s'éclaircissaient.

Vives discussions pendant le déjeuner. Du moins dans le clan du cardinal Simon M'Penza, archevêque de Bangui. Impressionné par ses trente-deux voix de préférence, celui-ci adressait des sourires et des amabilités à son entourage. Visiblement, la perspective de devenir pape ne lui déplaisait pas. Bien au contraire. Autour du cardinal Videgarai, on parlait d'autre chose : de la chaleur, de l'approche d'Arès I et d'Arès 2 de mars – l'« amarsissage » était prévu pour jeudi prochain – des chances de réussite du nouveau programme gouvernemental, des jeux Olympiques qui auraient finalement bien lieu à Bruxelles dans quelques jours, de la convention républicaine, du silence d'Husayn depuis la fin de Patmos. Les partisans de Videgarai percevaient son refus de faire, à propos des deux premiers scrutins, des commentaires qui, de quelque nature qu'ils fussent, eussent ressemblé à de la stratégie et donné l'impression que le Cardinal briguait l'élection. Ils respectèrent donc sa discrétion. D'un côté de la salle à manger, on magouillait ferme, de l'autre, on prenait son repas paisiblement comme l'auraient fait des gens de bonne compagnie dans un contexte normal.

Le quatrième et dernier tour de scrutin de la première journée confirma les tendances. Videgarai : 68. M'Penza : 47. Chong : 1. Si aucun compromis n'était trouvé, ce serait le blocage. D'autant plus que l'archevêque de Pékin s'était désisté en faveur de M'Penza. On en était donc à 68-48.

Pendant la soirée et une partie de la nuit, les partisans de l'archevêque de Bangui s'efforcèrent de rallier les indécis à coup de promesses et d'intimidations du genre : si Videgarai est élu, on va droit au schisme. L'Afrique noire y verra un camouflet. L'Afrique est l'avenir, Videgarai ne fera que précipiter la chute de l'Église. C'est un utopiste. Il est trop jeune. Certains émirent même des doutes sur la solidité de sa foi ; d'autres arguèrent que c'était un éclectique, un démagogue qui laisserait tout faire et tout dire. « Depuis qu'il est Préfet de la Congrégation pour la Doctrine de la Foi, siffla Babuski, à un groupe de cardinaux pro-Videgarai, combien de théologiens et de théologiennes a-t-il condamnés ? Aucun, et ce malgré qu'il aurait dû être le garant de la pureté de doctrine. N'est-ce pas un signe probant de son laxisme ? » Le cardinal Fontaine, archevêque de Paris, objecta : « Vous semblez oublier, Éminence, qu'il a dénoué, seul, la crise qui a failli emporter l'Église et l'Occident. » « Je vous le concède, Éminence, mais personne d'entre nous ne connaît ses véritables mobiles. Si vous voulez mon avis, il a agi par ambition comme un opportuniste, pour se mettre en évidence et se désigner ainsi à l'opinion comme papabile incontournable. Une fois dans la place, comme un autocrate, il provoquera un culte malséant autour de sa personne. » Fontaine tenta bien de l'interrompre, mais Babuski, sentant son auditoire ébranlé, avait poursuivi : « N'avez-vous pas été scandalisés par la manière dont le Camerlingue – ses liens avec Videgarai sont notoires – a organisé les funérailles de ce malheureux Jean XXIV ? Une cérémonie à la sauvette, indigne d'un pape, comme s'il fallait l'oublier au plus vite. Nous devons interpréter cet irrespect pour le défunt comme un avertissement. Avec Videgarai, l'Église perdra ce qui lui reste de fierté et de crédibilité ; alors que l'élection du cardinal M'Penza dont la sainteté, la fidélité à l'Évangile, la rigueur doctrinale ne sont plus à démontrer nous garantira un avenir stable. L'impact de son élévation sera considérable auprès des plus démunis qui y verront une reconnaissance de leur état. Que préférez-vous ? Un pape pour nantis incroyants ou un pape pour les pauvres ? Si vous m'en croyez, il faut abandonner un Occident pourri et se tourner délibérément vers l'Église de demain, une Église jeune et dynamique. » Outré par la mauvaise foi de Babuski, dont il connaissait par ailleurs les sympathies pour l'ancien Camerlingue, le cardinal Fontaine s'éloigna, irrité. Apparemment, les épreuves terribles endurées ces derniers temps n'avaient rien appris à des potentats qui s'estimaient propriétaires du Vatican. Il alla donc frapper à la porte du cardinal Videgarai. Celui-ci lisait. Il accueillit son visiteur avec un large sourire. Lorsqu'il fut renseigné sur la dialectique cauteleuse de Babuski, il posa son livre et s'esclaffa. Fontaine, interloqué par cette réaction surprenante, insista néanmoins : « Je m'étonne, Éminence, que vous trouviez ces bassesses risibles. Sous ses apparences débonnaires, le Préfet pour l'Évangélisation des peuples est d'une habileté démoniaque, et si nous ne réussissons pas à la déjouer, le cardinal M'Penza sera pape demain. Un vent favorable m'a appris qu'il aurait déjà choisi un nom. Je vous le donne en mille : Jean-Paul III. Babuski se moque de M'Penza comme de sa première culotte. Ce qu'il veut, c'est que ce ne soit pas vous. Ce qu'il vise, c'est un pontife aux petits soins pour la curie. Un pontife immobile. Je suppose que vous concevez comme moi le désastre que constituerait une telle élection. Je ne suis pas un fan des prédictions de Malachie, loin s'en faut, mais si c'est Jean-Paul III, dans ce cas "Pierre le Romain nourrira son peuple de maintes tribulations ; après quoi la cité aux sept collines sera détruite". Fin de citation, Éminence. »

Videgarai dévisagea gentiment son interlocuteur comme si ces informations ainsi que la référence appropriée à Malachie n'étaient pas en mesure d'entamer sa sérénité. Il rabroua doucement l'archevêque de Paris :

– Vous êtes un homme de bien, Éminence. Je vous remercie de m'avoir averti. Le cardinal M'Penza rêve d'être élu, pas moi. Votre analyse est correcte et mérite réflexion. Il y a cependant un point sur lequel j'attire votre attention, un facteur qui semble absent de ces débats, la volonté de Dieu.

Fontaine eut un haut-le-corps, comme si Videgarai émettait une incongruité au sein d'une conversation sérieuse.

– Comme vous, Éminence, je vis d'espérance. Mais contrairement à ce qu'imaginent les fidèles, vous savez que Dieu n'intervient pas davantage dans les conclaves que dans les autres événements humains. Le passé le prouve à suffisance. Un conclave est lui aussi soumis à toutes les vicissitudes propres à l'homme.

– Je vous l'accorde, Éminence, même si nous sommes incapables d'apprécier l'intervention de l'Esprit Saint. A cet égard, certaines élections ne furent-elles pas troublantes ? Souvenez-vous de celle de Roncalli, un pontife de transition, disait-on à l'époque, choisi parce qu'on ne parvenait pas à se mettre d'accord ? Il s'ensuivit un concile qui aéra l'Église.

– Qui fut torpillé par ses successeurs.

– Rien ne s'oppose à ce que nous pensions qu'il fallait passer par ces méandres. Qui pourra démontrer le contraire ? Ces bouées jetées à la mer il y a un demi-siècle le furent peut-être pour secourir les naufragés que nous sommes aujourd'hui ? Soyez sans crainte, croyez seulement. Si Dieu « capitulait » maintenant, pourquoi nous aurait-Il délivrés du mal ?

Le cardinal Fontaine n'en revenait pas. A quelle source son collègue puisait-il cette confiance déterminée ? Qui était-il, pour affronter les orages sans sourciller ? Son ahurissement atteignit un sommet : le livre que lisait le Cardinal, s'avisa-t-il soudain, était un polar à la couverture criarde.

La journée de mardi se passa à peu de choses près comme la précédente. Si l'écart s'amenuisait, le huitième scrutin donnait encore une avance significative à Videgarai. On en était à 63-53. Cependant, d'autres noms commençaient à circuler dans les coulisses du conclave. Certains jugeant ce bras-de-fer sans issue, ne convenait-il pas de se mettre en quête d'un compromis ? Une éminence âgée, par exemple : on renverrait ainsi le problème à un futur conclave. Avec le temps, les passions s'apaiseraient. Le choix s'opérerait alors dans un meilleur climat. Une délégation de « M'Penzistes » approcha l'ancien archevêque de Sao Paolo, Jorge Da Silva : soixante-dix-neuf ans, à moitié aveugle, malade, grincheux, s'il acceptait, celui-ci rassemblerait autour de sa personne le nombre de voix suffisant pour dénouer la crise. Mais le vieux Cardinal les tança vertement : « Vous vous moquez du monde, leur dit-il furieux. Ne comprenez-vous pas que l'Église a besoin d'un pape énergique, charismatique ? Il n'y a que son éminence Videgarai pour remplir cette tâche. Allez au diable. Malgré que je n'y voie goutte, n'imaginez pas que je ne voie pas clair dans vos manigances. » Échaudés par ce refus catégorique, ils tinrent une réunion improvisée. Elle fut particulièrement houleuse. Des lézardes fissuraient le clan M'Penza. Et cela, d'autant plus que l'attitude de l'archevêque de Bangui s'avérait de plus en plus fâcheuse. Il se conduisait déjà en pape. On murmurait qu'il avait promis le poste de camerlingue à Babuski et celui de Videgarai à Pelligrini. Ces promotions prématurées avaient de quoi inquiéter. L'atmosphère devint franchement conflictuelle lorsque le cardinal Pecci, bien que membre de la curie, fit remarquer que, si Videgarai n'était pas élu, on devrait affronter la colère populaire. Personne n'accepterait son éviction. Dans les conditions actuelles, c'était là un paramètre qu'on ne pouvait négliger au risque de discréditer complètement une Église déjà fort mal en point. Ces paroles, approuvées par quelques-uns des assistants, provoquèrent la fureur de Babuski. « Nous n'élirons pas un pape sous la pression de la rue. A vous entendre, Éminence, on se croirait revenus au Moyen Age, lorsque c'était la *vox populi* qui imposait son candidat. C'est l'Esprit Saint, et lui seul, qui doit guider notre choix. » Cette dernière phrase souleva des rires et quelques quolibets. Certains prenaient lentement conscience qu'ils avaient été grugés. Plusieurs même s'en allèrent, amers et irrités. Ils percevaient enfin que ce conclave était dominé par la haine d'une petite minorité à l'encontre d'un pair, dont le but non avoué n'était pas de désigner le plus apte, mais d'empêcher son élection en usant d'une argumentation cauteleuse. Le cardinal M'Penza était un choix tactique. Qu'adviendrait-il si ce vaniteux succédait à Jean XXIV ? Le comportement de Videgarai était bien différent : discret, effacé, modeste. Il n'avait rien entrepris en sa faveur. Aucune pression sur quiconque. Ceux qui le soutenaient agissaient de même. C'était lumineux, le Préfet de la Congrégation pour la Doctrine de la Foi ne recherchait pas le pouvoir. Il le fuyait même. N'était-ce pas le signe qu'il en était digne ?

Pendant ce temps, Van Durme et Camarro avaient rejoint Videgarai. Celui-ci avait à nouveau interrompu sa lecture. Ils tentaient de le persuader de faire une déclaration d'intentions. Son verbe emporterait l'adhésion d'une majorité. Beaucoup de Pères conclavistes ne le connaissaient pas. Ils s'étaient laissé abuser par Babuski et consort, le portrait qu'ils avaient tracé de lui étant calomnieux. Il devait donc faire passer son humilité après le bien de l'Église. Videgarai les écouta sans paraître nullement anxieux ni perturbé. Le lendemain serait une journée comme les autres. « Votre zèle, mes amis, fit-il, serait louable s'il n'était entaché d'un vice de forme. Je ne ferai rien qui puisse influencer l'assemblée. Rien. » « D'ailleurs, ajouta-t-il en souriant, la brigue est interdite et c'est là le vice de forme que j'évoquais. » « Mais, Marchangelo, insista Camarro, si M'Penza est élu, ce sera une catastrophe. » Videgarai le fixa d'un regard clair : « Aie confiance, Sanche, le cardinal M'Penza ne sera pas élu. »

Mercredi. Troisième jour. Ambiance électrique. Des visages fatigués, renfrognés, crispés, gênés, inquiets, hostiles, indifférents, sereins, heureux. Le cardinal M'Penza, hautain et sûr de lui, affichait une mine solennelle s'attendant à être intronisé incessamment. Babuski et Pelligrini ne l'avaient pas prévenu des péripéties nocturnes. Leur cause perdue, M'Penza ne les intéressait plus.

Videgarai : 73. Da Silva : 21. M'Penza : 17. Pecci : 5. En entendant l'annonce du résultat du neuvième tour, le visage de l'archevêque de Bangui vira au gris. Il éructa : « C'est un complot. » Cet écart de langage lui aliéna le dernier carré de ses partisans. Sur-le-champ, on procéda au dixième tour de scrutin. Chacun l'avait compris, ce serait le dernier.

Videgarai : 112. Da Silva : 3. M'Penza : 1 (il avait voté pour lui). Les applaudissements fusèrent. Le Camerlingue se leva et interrogea : « Quelqu'un conteste-t-il l'élection de notre frère Marchangelo Videgarai ? » Silence. Jean Van Durme pressa un bouton et alla déverrouiller la porte de la chapelle Sixtine. Entrèrent le secrétaire du conclave et les maîtres de cérémonie. Le doyen Marotti s'avança vers le siège du cardinal Videgarai, aussi serein « dans la gloire » qu'il l'avait été dans la tourmente, et lui demanda d'une voix forte : « Acceptes-tu ton élection canonique comme souverain pontife ? » Une peur soudaine vrilla le ventre de certaines éminences ; et s'il allait refuser ! Soulagement, la réponse jaillit, nette : « Je l'accepte. » « Comment veux-tu être appelé ? » « Pierre Deux. » Le choix du nom abasourdit l'assemblée : aucun des successeurs du disciple n'avait osé adopter le nom du premier pape. Remis de leur émotion, un à un, les cardinaux électeurs s'approchèrent du nouveau pontife et lui présentèrent l'obéissance rituelle. Contrairement à la coutume qui voulait que le nouvel élu accueille cet hommage silencieusement, Pierre Deux adressa un mot à chacun. Sa physionomie n'exprimait ni joie, ni appréhension. Simplement une « *vis tranquilla* ».

« *Habemus papam, eminentissimum et reverendissimum Dominum Marchangelum, sanctae Romanae ecclesiae cardinalem Videgarai, qui sibi nomen imposuit Petrum secundum.* »

Un raz-de-marée déferla sur la place Saint-Pierre. Par l'intermédiaire de la télévision, il retentit jusqu'aux confins de la terre. Enthousiasme indescriptible. Il dura jusqu'au moment où, précédée de la croix, une silhouette indistincte apparut. Stupeur. On ne le reconnut pas immédiatement. Quelques secondes de flottement et les vivats reprirent de plus belle. Pierre Deux étendit la main. La tempête s'apaisa. Il se fit soudain un grand calme. Un silence absolu succéda aux clameurs. La marée humaine se figea, baignée par une lumière surnaturelle. Du plus humble au plus important, chacun sentit son cœur qui brûlait.

« Frères et sœurs... »

Table

INTROIBO AD ALTARE DEI 13

KYRIE, ELEISON 65

GLORIA IN EXCELSIS DEO 113

CREDO IN UNUM DEUM 167

OFFERIMUS TIBI, DOMINE, CALICEM SALUTARIS 209

SANCTUS, SANCTUS, SANCTUS 241

HOC EST ENIM CORPUS MEUM 263

ITE MISSA EST 337

*Cet ouvrage a été transcodé et achevé d'imprimer
sur Roto-Page
par l'Imprimerie Floch à Mayenne,
en août 1998.
N° d'impression : 43973.
Dépôt légal : août 1998.
Imprimé en France.*